DU MÊME AUTEUR

Aux Éditions Gallimard

UNE ÉDUCATION LIBERTINE, *roman*, 2008.

LE SEL

JEAN-BAPTISTE DEL AMO

LE SEL

roman

GALLIMARD

« Ce pourraient être des îlots de lumière — des îles dans le courant que j'essaie de représenter ; la vie elle-même qui s'écoule. »

VIRGINIA WOOLF,
Journal

PREMIÈRE PARTIE

Nona

Louise

Elle s'éveilla avec la certitude que les enfants dormaient encore. La perspective du dîner prit forme dans son esprit et, avec elle, la sensation de cette présence, celle des enfants dans leurs chambres à l'opposé du couloir, leurs corps réfugiés sous les couvertures.

Un jour filandreux se glissait par la fenêtre et se brisait à l'angle de la commode. L'aube baignait la chambre. De la maison, elle n'entendait pas le bruit des vagues, mais les cris des mouettes et des goélands lui parvinrent. Si les volets n'étaient pas rabattus et que le jour la trouvait allongée sur le flanc, le visage vers la fenêtre, l'une des premières images qu'elle percevait, sitôt qu'elle ouvrait les yeux, était le haut vol des oiseaux dans un carré de ciel sur le mur. Une traînée de nuages y hésitait parfois. Si les matins étaient gris, Louise y voyait comme un reflet de la mer, une écume qui pouvait être blanche ou même noire. Mais peu importent en réalité les entrées maritimes, les oiseaux ne cessent jamais de dominer la ville. Quoi qu'il arrive aux gens de la mer, ils éventrent le ciel indifféremment. Leur constance lui plaisait, rien ne pouvait perturber leurs circonvolutions. D'ordinaire, elle n'entendait pas leurs cris, l'habitude les fondait dans un décor sonore et familier, mais ils redoublaient de fureur ce matin-là pour parvenir à la tirer du sommeil. Peut-être le vent soufflait-il vers la maison, portant leur concert jusqu'à elle. Ou peut-être était-ce l'inquiétude du dîner qui, déjà, l'avait taraudée la nuit durant.

Elle avait rêvé qu'ils étaient attablés dans une cuisine. Ce n'était pas tout à fait la leur, mais elle était familière. Armand discutait avec les enfants. Elle ne voyait pas leurs visages et elle ne pouvait définir leurs âges. Louise n'entendait pas non plus distinctement les paroles d'Armand ; elle en était contrariée et se persuadait qu'il parlait d'elle, critiquait le repas ou la tenue de la maison. Puis elle s'apercevait du clapotement de ses pas, tandis qu'elle marchait de la table à l'évier. Louise baissait le regard au sol et voyait une flaque d'eau s'étendre sous la table, sur le carrelage, sans que quiconque s'en inquiétât. Armand continuait de marmonner des paroles inintelligibles et les enfants restaient immobiles et troubles. Cette eau qui la terrorisait ne cessait de se répandre et atteignait aussitôt ses chevilles. Louise exhortait les enfants à réagir, à lui dire ce qu'il se passait, mais aucun ne daignait lui répondre et tous fixaient Armand, figés comme des pierres. Elle se souvint de l'épouvante implacable à l'idée que l'eau qui ne cessait de monter menaçât la table, le repas et la famille. Face à l'indifférence des siens, Louise cherchait en tous sens l'origine de cette fuite et découvrait avec stupéfaction que l'eau jaillissait d'Armand. Elle s'écoulait des jambes de son pantalon, du col et des manches de sa chemise, de ses lèvres dont elle ne distinguait pourtant pas les mouvements.

Puis, comme cela arrive parfois dans les rêves, elle prit conscience de l'irrationalité de cette scène : elle devait s'éveiller. Armand était mort, les enfants et lui ne pouvaient être réunis à table. Cette cuisine, elle la créait de toutes pièces. L'eau à son genou était sans consistance. Voici le rêve dont Louise parvint à s'échapper plusieurs fois la nuit qui précéda le dîner. Elle s'éveilla dans la moiteur des draps, puis retomba dans un songe approximatif.

*

Que les enfants fussent encore au lit, bien qu'ayant quitté la maison depuis tant d'années, et que le même jour se tînt le repas qu'elle avait prévu ne la heurtait pas. Elle trouva dans cette absurdité, loin de toute notion de temps, un bonheur semblable à celui qu'elle éprouvait lorsque, Armand parti au port, les enfants rejoignaient sa chambre le matin. Sitôt éveillés, ils venaient se glisser entre les draps et l'enserraient de leur chair tiède. Ce souvenir, seule la torpeur offrait à Louise de le revivre. Il lui fallait s'échapper de l'instant, se laisser vaciller dans l'inconscience pour se sentir encore en vie. Elle chercha à prolonger la certitude de leur présence, mais la réalité de la chambre s'accrut tandis que les stores tranchaient des lames de jour et dessinaient sur son bras replié des intermittences rousses. Louise renonça malgré elle à l'idée de leurs lits, à leurs visages ensommeillés dans l'encadrement de la porte. Alentour, la maison avait le silence et l'immobilisme des stèles. De la chambre, elle imagina le dédale des pièces avec le sentiment d'habiter une carcasse, une épave bien trop grande. D'autres ont essayé de dire le vide que laissent les départs.

Louise s'assit au bord du lit. La chemise de nuit remonta sur ses cuisses. Elle caressa la moquette de la plante de ses pieds. Elle décida d'ouvrir en grand les fenêtres, de battre les tapis avant le soir, d'aller au marché ; elle planifia ces choses insignifiantes dont les femmes de son âge se parent. La venue des enfants l'inquiétait. Leur présence dans la maison lui était douloureuse. Elle la désirait pourtant, et c'est à sa demande que tous venaient ce soir-là, mais ils lui apparaissaient avec brutalité dans une pièce ou dans l'autre, si démesurément grands qu'elle en venait à douter de les avoir enfantés et voyait en eux des inconnus. C'est pourtant, on le dit, chose normale et les enfants n'ont de cesse, sitôt extraits de la chair maternelle, de s'en éloigner et de gagner indépendance et étrangeté. Louise n'y pensait pas avec précision, elle se contentait d'observer le jour poindre par la fenêtre et d'ordonner les gestes à venir.

La veille, elle avait commencé à ressentir dans ses doigts cette tension, une raideur dans ses mains, familière et redoutée. C'était après qu'elle eut téléphoné à Jonas. Elle avait raccroché et, lâchant trop brusquement le combiné, elle avait su que la crise ne tarderait plus. Dans la nuit, les choses avaient empiré, et peut-être étaient-elles responsables de la confusion de ses rêves. Louise prit ses gélules de Griffe du Diable dans le tiroir de la table de nuit, sachant pourtant qu'il lui faudrait passer aux anti-inflammatoires. Déjà, il lui semblait qu'un fil de métal perçait la peau de ses doigts et forait consciencieusement chacune de ses articulations. Ses mouvements étaient gauches.

La venue des enfants l'excitait aussi ; elle se sentait désormais bien éveillée et ne voulait pas se laisser abattre par l'élancement dans ses mains. Un événement inhabituel peut donner aux heures banales qui le précèdent une saveur particulière ou, par contraste, nous les faire paraître plus insipides encore. Sans être déjà là, les enfants définissaient à la journée des contours qui permettaient à Louise de prendre la mesure de son quotidien. L'ennui teintait ses jours. L'habitude le rendait désormais indécelable. Elle ne s'en plaignait pas et n'aspirait d'ailleurs à rien d'autre. Il jalonnait son existence. Sa vie, lorsqu'elle y songeait, offrait un paysage sans aspérités, sans aucun de ces moments dont on aime se souvenir comme d'un fait exceptionnel, sans point culminant d'où elle l'aurait contemplée sous un angle nouveau. Les images se jetaient et se jetaient encore au seuil de sa conscience, sans jamais une vague plus haute que l'autre. Cette existence pouvait être l'éternité comme une seconde. Elle pensait aux embruns qui auréolaient Armand à son retour du port. Sans doute était-ce dû à l'idée qu'au-delà de la fenêtre, en contrebas, le port s'éveillait — si tant est qu'il s'endorme — en même temps qu'elle. Louise devinait les filets étendus puis hissés à bord des chalutiers, l'affairement des marins, l'échauffement de leurs voix, l'odeur de leurs peaux, puis celle, ferreuse sur leurs mains, des entrailles des poissons. Jamais elle n'avait compris l'excitation de la mer, indéfiniment renouvelée. Les hommes y vont comme ils vont aux femmes, se lassent des femmes, mais jamais du large. Elle pensait à Armand sans y penser vraiment ; les disparus nous habitent sans cesse. Ils ne sont pas une image mais une empreinte indélébile, un voile entre soi et le monde, qui le colore à sa façon d'une âpre mélancolie. Désormais, rien ne lui parvenait, aucune image, aucun son, aucun sentiment, sans être pétri du souvenir d'Armand.

Louise se leva et enfila une robe de chambre, les pantoufles qu'elle disposait au pied du lit, puis elle tendit draps et

couvertures, lissa tant bien que mal l'édredon. Elle ne prêtait plus attention à la pièce autour d'elle, aux murs gri-
sonnants et étriqués, aux mailles grossières de la moquette
beige ; c'était une chambre désuète où les lés de tapisserie
brunissaient, où chaque pan de jour la voyait figurer dans
un décor de Polaroïd. Ses doigts prenaient des allures de
serres. Louise se souvint d'Armand tirant un à un les enfants
de leur lit. Il lui reprochait vertement son laxisme :

— J'aimerais que mes deux gars grandissent pas dans
les jupes de leur mère.

Il était entré dans la chambre, muré dans son silence de
marin — Louise désignait ainsi l'hermétisme dans lequel il
s'était si souvent plongé sans qu'il fût alors possible de l'atteindre —, puis il avait marché vers le lit, saisissant rageusement les draps, et il avait cherché au hasard à attraper les
bras ou les jambes des enfants. Ils avaient d'abord ri, et elle
avec eux, pensant qu'il se prêtait à l'un de ses jeux, mais
Louise s'était arrêtée car elle connaissait ce que les enfants
ignoraient encore : la fixité du visage d'Armand. Il advint
souvent, au cours de leur existence commune, que son mari
s'absentât de lui-même. Son caractère changeait. Océani-
que, pensait-elle. Il s'ombrageait et laissait croire qu'une
marée l'éloignait de son enveloppe de chair. Ne restaient
face à eux qu'une écorce, le vide et l'obstination de son
regard. Ils devaient attendre le ressac, l'instant où surgirait
à nouveau ce mari et ce père familiers.

La scène que Louise recréait, ordonnant les draps sur le
lit, était l'un de ces moments où Armand avait laissé place
à l'homme-écorce. Les enfants avaient compris qu'Armand
cherchait en réalité à les happer sitôt qu'elle avait cessé de
rire et prononcé d'un ton inhabituel le prénom de leur père
dans l'espoir vain de l'apaiser. Ses mains larges, rugueuses,

avaient saisi Albin et Jonas pour les extraire du lit. Louise
connaissait la râpe de ces mains sur sa peau. Elle les savait,
tour à tour, lascives ou autoritaires, et la violence des gestes
assenés en silence sur la blancheur lisse de leurs membres
l'avait désemparée. Armand avait déposé les enfants dans
le couloir et ils avaient regagné leurs chambres, la haine
de leur père gonflant leurs torses étroits, leurs bras marbrés
par la trace de ses mains.

— Une bande de teignes, avait dit Armand, des raclées
se perdent...

Comme Louise finissait de border le lit, l'inquiétude la
saisit à la gorge. Armand s'était imposé entre les enfants et
elle. Bien qu'il fût aujourd'hui disparu, il était entre eux
l'obstacle incontournable. Il lui était pourtant impensable
de circonscrire son époux à ce rôle auquel Jonas, par exemple, condamnait le souvenir de son père. Armand était un
être singulier, Louise n'avait pas la prétention de l'avoir
connu. Ils avaient vécu l'un près de l'autre, ne partageant
en réalité que de courts instants, des éclats fugaces qui
les réunissaient. Dès lors, comment pouvait-elle prétendre
savoir qui était Armand? Louise voulait croire que l'image
la plus approchante de l'homme qu'il fut était au confluent
de leurs souvenirs à tous, des siens et de ceux des enfants,
mais peut-être Armand leur échappait-il encore.

Le lit fait, elle resta à son pied et détailla la chambre, ses
doigts repliés vers les paumes de ses mains. Les objets étaient
ici figés, il lui semblait que déplacer tel bibelot sur telle
étagère demanderait un effort dont elle était incapable,
indépendamment de l'arthrose qui la rongeait. Elle n'avait
plus la force de lutter contre la maison, de la plier à sa

volonté. Quitter la chambre ce matin-là, c'était plonger dans la vie, ne plus réfuter la proximité du dîner et affronter les préparatifs avec la volonté d'une mère prête à en découdre pour recevoir les siens. Louise se figurait avec exactitude le soir à venir, avant que les enfants surviennent. La lampe du porche la nimberait de fauve. Elle cacherait ses mains, croiserait ses bras dans le dos pour qu'ils ne voient pas les rougeurs de ses doigts. Elle se tiendrait solide dans l'auréole de lumière jetée au sol, sur l'ordre des dalles. Ils viendraient un à un, ou peut-être ensemble. Désordonnés, comme chacune de leurs existences, ou rassemblés par le hasard de leur ponctualité. Elle souhaitait que leur arrivée soit ainsi, fidèle aux instants qui les avaient rarement unis. Ils marcheraient vers elle, ses enfants, sa chair, ses vies encore à vivre. Son regard les embrasserait de bienveillance. Le gravier de la rue crissant sous leurs pas, bercés par leurs illusions, ils sentiraient son amour densifier la nuit et ceindre leurs cœurs. Elle penserait : *Ai-je échoué à protéger les décombres de leurs vies ? Suis-je, comme toutes les mères, une perdante ?* Elle sourirait pourtant, consciente de l'auréole d'or qui draperait ses épaules pour qu'une fois encore, ils la croient indéfectible.

Jonas

La veille, il avait eu sa mère au téléphone et n'avait pas cherché à ce qu'Hicham et lui se dérobent au dîner. Jonas se pliait à cette obligation par crainte de la décevoir, mais il appréhendait toujours l'instant où la famille s'installait autour de la table, en l'absence de son père. Ils mettaient en scène une convivialité, chacun s'évertuant à donner de soi la meilleure, la plus inexacte des images. Ils veillaient à ne pas parler de lui, et Jonas ignorait s'ils gardaient le silence par respect pour le chagrin de Louise ou par crainte de ce qu'ils pourraient révéler d'Armand.

Hicham était dans la salle de bains. L'eau bruissait contre l'émail du bac de douche. Jonas ne parvenait pas à se rendormir et il suivait une ligne imaginaire le long du torse, puis du ventre d'Hicham, là où l'eau devait s'écouler et brûler la peau. Lorsqu'il pensait à lui, se superposaient toujours l'image et le souvenir de Fabrice. Ce matin-là ne dérogeait pas à la règle. La journée se déroulerait ainsi : Hicham se rendrait à son cabinet puis ferait sa tournée de consultations matinales. Jonas irait à l'étang pour les prélèvements. Chacun savait que, le soir, ils dîneraient chez sa mère. Son frère, Albin ; Fanny, l'aînée, leurs compagnons respectifs et les enfants seraient présents.

Hicham, comme d'ordinaire, n'avait manifesté aucune lassitude lorsque Jonas lui avait parlé du dîner. Cette placidité un peu veule l'avait ému dès les premiers instants de leur rencontre, lorsque Hicham était entré dans cette chambre d'hôpital. Étranger à leur passé, il ne portait pas de jugement, n'avait de ressentiment à l'égard de personne, se glissait entre eux avec une aisance et une joie non feintes, une innocence. Pourquoi, alors, Jonas avait-il l'impression qu'ils formaient une antithèse à la famille ? Parmi les siens plus qu'auprès de quiconque, il éprouvait la distance qui peut séparer les êtres et il lui était insupportable qu'Hicham ne partageât pas ce sentiment. Était-ce l'effet de leur différence, ou l'ombre de son père, toujours dressée au-dessus d'eux, en eux ? Ils savaient tous combien Armand les déchirait, mais aussi combien chacun d'entre eux cher-

chait, à sa manière, à brandir l'étendard de sa paternité ou
à s'en défaire, sans jamais y parvenir.

De son vivant, comme ils rentraient d'un repas, Jonas
avait reproché à Hicham ses efforts pour obtenir l'affection de son père. Il ne voulait lui parler de rien, ne rien
avoir à expliquer qui eût paru, sitôt formulé, pathétique
ou pitoyable, mais ce qu'il prenait pour de l'obséquiosité
— et n'était en réalité qu'une forme de bienveillance — le
révulsait.

— Tu n'es pas son fils, avait dit Jonas. Crois-moi, il n'en
a qu'un, il est incapable de donner ce que tu attends de
lui. Ce type est incapable de donner quoi que ce soit. À
personne. Il ne faut rien espérer d'Armand ; mon père a
de tout temps été l'exact opposé de l'homme qu'il semble
être aujourd'hui.

Ce fils dont il parlait, c'était Albin. Hicham avait acquiescé,
pourtant conscient que Jonas cherchait à le blesser :

— Ne me demande pas de le juger pour ce que j'ignore
de lui.

Hicham avait cette droiture que Jonas n'aurait jamais.
Les événements glissaient sur lui, les choses revêtaient une
évidence et il arrivait pour cela à Jonas de le détester.

— Et puis, avait-il ajouté, tu vois combien il aime être
avec ses petits-enfants, non ?

Jonas s'était détourné vers la vitre, fixant son regard sur
les bornes lumineuses du bord de route, qui défilaient à
travers son reflet. Il lui était justement insupportable d'être
dans la même pièce qu'Armand et les enfants d'Albin ou
de Fanny. Rien ne lui paraissait plus faux que les attentions, les câlineries, les mots doux qu'il leur adressait alors.
Voir les petits se précipiter dans les bras de leur grand-père

lui soulevait le ventre. Armand ne pouvait être pour eux ce qu'il n'avait jamais su incarner pour ses propres enfants, et Jonas avait ce sentiment de le voir tenir un rôle grotesque dont il aurait été le piètre interprète.

La première fois qu'il avait couché avec Hicham, Jonas était à Toulouse, sur les bords de la Garonne, quelques mois après la mort de Fabrice. C'était un été resplendissant, tout à fait incompatible avec l'idée d'une mort, et c'était pourtant sous un soleil ruisselant qu'ils l'avaient porté en terre, à l'ombre des cyprès et des larges chênes, dans l'odeur des feuillages chauds et de la terre grasse. Hicham l'avait pris sur la banquette arrière de sa voiture. La tête de Jonas cognait contre la poignée de la portière au rythme de ses coups de reins; il découvrait ce sexe gros et circoncis, fidèle à la représentation qu'il s'en était faite lorsqu'il avait cherché à le deviner sous sa blouse d'interne, et donc conforme au désir qu'il avait éprouvé et aussitôt refréné. Jonas ouvrait les yeux, plongeait à travers la vitre dans un ciel incendiaire et voyait se dessiner le visage diaphane de Fabrice dans ces nuances éclatantes; ce visage qu'il avait couvert de ses mains et de ses lèvres quand, entre ses doigts, il commençait déjà à s'affaisser et à disparaître. C'était un instant d'une douceur exquise où chaque mouvement d'Hicham purgeait sa peine, épanchait le kyste de sa souffrance, fichée quelque part dans son ventre. Jonas pensa à cet instant au matin du jour où se tiendrait le dîner, et il hésita à se masturber avant qu'Hicham ne quittât la salle de bains. Sa chair lui était désormais si familière qu'elle semblait parfois faire partie de lui et se livrer, lorsqu'ils faisaient l'amour, à une forme d'onanisme. Leurs plaisirs n'étaient plus dissociables. Jonas renonça et décida d'ignorer les élancements de son sexe.

Lorsque, enfants, ils quittaient Sète et longeaient les voies de chemin de fer, ils parvenaient aux étendues marécageuses du bord d'étang. Leurs journées d'errance, ils les passaient dans ces paysages où la terre et la mer se livrent bataille et se disputent les frontières. La boue et le limon s'y mêlent au sable, l'eau surgit au hasard, les roseaux s'y érigent. Ils y faisaient l'apprentissage de leur liberté et étaient, dans ces contrées, comme autant de petits animaux menés par leur instinct de jouissance et de distraction. Jonas avait connu ces sensations, cet éveil sensuel au monde ; il y pensait le matin du dîner. Les flamants roses se regroupaient dans les étangs et il avait découvert une jetée de sable où poussaient des roseaux. Il parvenait à se glisser discrètement à genoux au milieu de l'étendue d'eau et d'une colonie de ces oiseaux flamboyants. Jonas éprouvait la nécessité de se masturber sur cet îlot, un appel impérieux auquel il songeait des heures à l'avance, parfois de longs jours lorsque, la semaine, il avait école et qu'il fallait attendre la délivrance du samedi. Puis il partait avec, pour seul guide, son irrésistible attraction. Jonas s'éloignait de la ville, le feu aux joues, le désir attisé par l'image qu'il gardait de l'île et des roseaux sur lesquels il avait coutume de s'étendre et qui ployaient sous lui. Souvent, l'inquiétude d'être surpris, ou le poids de ce qui lui évoquait vaguement un péché — du moins l'idée d'un acte répréhensible —, compressaient sa vessie et le forçaient à s'arrêter pour pisser dans un fossé ou sur la souche brune d'un arbre. Enfin, lorsque se dévoilaient le marécage et les flamants, il ralentissait le pas et retenait son souffle. Il arrivait qu'ils n'y fus-

sent pas ; une terrible déception le contraignait alors à
rebrousser chemin. Mais, en général, les oiseaux étaient
fidèles au rendez-vous — Jonas avait le sentiment d'avoir
tant attendu l'instant de son plaisir qu'il lui semblait
que, par quelque mystère, les flamants l'avaient eux aussi
espéré — et il les y trouvait par dizaines, jetant leurs reflets
sur l'eau sombre, lançant leurs pattes et leurs cous singu-
liers à l'assaut des poissons. À l'approche de la digue, il se
courbait puis se mettait à terre, veillant à relever ses jambes
de pantalon pour que sa mère ne suspectât rien — de quoi
se serait-elle cependant doutée ? Il préférait la chair à vif de
ses genoux, griffés par les graviers et les sables, aux marques de boue sur ses vêtements qui, elles, lui auraient à
coup sûr attiré les foudres d'Armand. Jonas avançait avec
minutie, obstination, sans jamais quitter du regard les flamants et l'extrémité de l'îlot. Il y parvenait la plupart du
temps sans que le groupe s'envolât. Ces escapades étaient
assez régulières pour qu'un nid se fût formé à l'endroit où
il avait coutume de s'allonger. Lorsque l'école, ou toute
autre occupation, l'empêchait de s'y rendre, il lui fallait
parfois plier de nouvelles pousses, avec une patience infinie, pour que les roseaux ne rompissent pas et ne fissent
pas s'envoler les oiseaux. L'hiver, bien sûr, il oubliait
presque naturellement ce qui devint l'un de ses rituels d'enfance et, au printemps, il lui fallait reformer cette couche
de fortune sur laquelle la végétation avait repris ses droits.
Jonas s'allongeait sur les herbes pâles et les roseaux humides. L'odeur de l'eau et des plantes l'enveloppait, la vase
et les limons plissaient autour de lui comme un épais tissu
de jute, les algues noires bordaient et auréolaient sa tête.
Au travers des tiges, il pouvait, tournant le visage, distinguer la lente chorégraphie des flamants. S'il s'étendait sur

le dos, le ciel lui offrait son bleu lavasse que balafraient le vol des mouettes et le sillage des avions. Jonas remontait son tricot de peau et se déculottait. Le plaisir qu'il éprouvait à la sensation du soleil sur son ventre, à l'empoignade de son sexe dans ce berceau de nature brute, à la fois indifférente et complice de son hédonisme, était indicible. Il n'était pas pubère et ne pouvait éjaculer, mais il restait ce qui lui semblait être des heures — et n'était en réalité que des instants bien plus brefs — à se branler au milieu de la digue et des flamants roses.

Jonas entreprit d'y mener l'un de ses camarades auquel il crut pouvoir confier ce secret. D'un an son aîné, Olivier était plus grand et maigre que lui, et Jonas aimait la blancheur de céruse de sa peau, le contour de sa lèvre supérieure comme grisée par l'ombre portée du nez. Lorsque, durant l'été, ils se dévêtaient sur la plage, il n'avait d'yeux que pour ce garçon et son corps fascinant. C'était encore un enfant, mais déjà en chemin vers un changement dont Jonas ne pouvait raisonnablement croire qu'il le concernerait bientôt à son tour. Il le voyait comme l'un des leurs, un semblable, enfant et de sexe mâle, mais aussi comme la sublimation de ce qu'ils étaient. Sa voix commençait de muer, un duvet obscurcissait ses aisselles : son enfance devenait incertaine. Il y avait en Olivier une tragédie en latence, à laquelle assistaient tous les enfants de la bande, et qui menait indéfectiblement Jonas vers lui. Le bouleversement de ce corps imposait l'idée d'une mort probable ; le temps apposait sa marque et le rendait par là d'autant plus désirable. Il était alors aussi précieux et occulte que le sont, pour les enfants, les choses vouées à disparaître. Quand Jonas et Olivier parvinrent au bout de la digue, sur l'îlot, Jonas se dévêtit pour se livrer à ses caresses avec la certitude qu'Olivier ferait de même. Le garçon l'observa d'abord avec intérêt, avant d'afficher une moue méprisante, de se relever enfin, soulevant autour d'eux une nuée de flamants qui emplit le ciel de froissement d'ailes. Olivier lui tourna le dos et s'enfuit au pas de course, laissant Jonas prendre conscience d'une distorsion entre cette intimité, ce désir qu'il livrait en toute confiance et le dédain qu'ils inspiraient à son camarade. Jamais, auparavant, il ne s'était interrogé sur la normalité de son attrait pour Olivier. Il se touchait parfois en pensant à lui puis, par extension, à tout autre garçon né de son imagination. Il n'éprouvait de honte ni pour la portée sexuelle de son geste ni pour son objet, et il lui semblait naturel de livrer le désir de son corps à la connaissance d'Olivier. Jonas se rhabilla en vitesse.

Les jours suivants, un sentiment nouveau parut : l'inquiétude qu'Olivier ne révélât ce qui s'était passé entre eux, et sa crainte la plus farouche était que l'histoire parvînt aux oreilles d'Armand. Jonas commença à apprendre la dissimulation, à redouter une vérité encore opaque à ses propres yeux. Mais rien ne laissa penser que son camarade s'en souvînt ; il semblait trouver le même plaisir à jouer avec lui, ne fit aucune allusion à l'étang, si bien que Jonas finit plus ou moins par oublier à son tour l'anecdote. Des années plus tard, ils se rencontreraient pourtant dans une rue de Sète. Olivier vivrait alors à Paris et rendrait visite à ses parents. Pour ne pas trop déranger le quotidien de ce vieux couple aux habitudes paisibles, il louerait une chambre dans l'un des hôtels miteux du centre-ville. Olivier proposerait à Jonas de l'accompagner boire un verre et, voyant, avec surprise, à son regard fuyant, qu'il se souviendrait avec précision de ce jour sur l'étang, Jonas refuserait.

Mais Olivier avait alors continué d'habiter ses rêveries et
Jonas n'était plus retourné sur la digue. Les enfants qu'ils
avaient été reposaient quelque part là-bas, entre les limons
et les pâleurs du ciel de la Méditerranée. Cependant, au-
delà de cette première attirance pour un garçon, Jonas
gardait l'image d'une symbiose, celle de son appartenance
à la nature, l'illustration d'un bonheur rond et plein.
Quinze ans plus tard, il devait travailler à la sauvegarde de
l'étang de Thau. Si, enfant, il n'y avait fait l'expérience de sa
volupté, l'aimerait-il aujourd'hui avec cette même passion ?

                            *

Hicham entra dans la chambre et s'assit au bord du lit.
Il sentait le savon et l'après-rasage. Jonas discernait dans
la pénombre une entaille à sa gorge sur laquelle le sang
formait un petit astre rouge. Il tendit une main vers lui et
passa les doigts dans la toison de son torse. Il posa la tête
sur ses genoux.

— Es-tu certain de vouloir y aller ?

Jonas resta silencieux. Ce n'était au fond qu'un repas,
un dîner de plus ; il ne voulait pas en exagérer l'importance. Il songea au profond attachement de son père à la
mer. Chacun d'eux la portait en héritage. Cette mer qui
les précédait et leur survivrait. Ils s'étaient construits avec
elle, ils avaient aménagé leurs vies en fonction d'elle. Même
en l'absence d'Armand, aucun n'était parvenu à s'éman-
ciper de la mer ni de Sète, pas même Fanny, l'obstinée.
Hicham était, dans cette relation, une pièce rapportée.
Jonas ignorait s'il avait conscience de cette allégorie, d'une
mer à la fois bien réelle et fantasmée ; jamais Hicham

n'avait questionné son obsession de l'étang, pas plus que la haine vouée à son père. Tout semblait couler de source, ou du moins ne pas nécessiter de justification. Dans son opiniâtreté à faire partie de la famille, il avait toujours eu conscience de n'être pas de la ville, de rester un étranger. Jonas imaginait qu'il concevait la relation des Sétois avec la mer comme une particularité, une légitimité de marins. Non qu'Hicham y fût hermétique, mais ils ne pouvaient mettre de mots sur cette part de leurs existences. Les tentatives de Jonas pour renier ce qu'avait été son père n'y purent rien. Les efforts d'Armand pour se détourner de son fils furent vains eux aussi.

Hicham passait sa main dans les cheveux de Jonas, mais Jonas se détachait de lui et de la chambre.

À la demande de son père, ils avaient hébergé un marin russe qu'un navire marchand avait abandonné au port. Jonas ignorait si Albin se souvenait de lui ; leur père devait par la suite accueillir nombre de ces marins et leur présence jouer un rôle décisif pour eux tous, mais le Russe fut le premier dont il garda une image précise. Ce colosse dut courber l'échine pour passer leur porte et s'accroupir pour saluer les enfants, engloutissant leurs mains entre les siennes. Cet homme, qui devait être père et posséder, dans l'une de ces contrées que Jonas s'était figurée étincelante de neige, une femme et des enfants, l'avait ému. Jonas passa ainsi le début de la soirée sur ses genoux épais comme des troncs, certain de la reconnaissance du marin tandis qu'il se prêtait à remplacer un fils ou une fille dont le Russe peinait peut-être à se souvenir des traits. À l'heure de servir le dîner, Louise fit manger les enfants à la cuisine puis les coucha. Jonas entendait, depuis la chambre, les voix des adultes se glisser jusqu'à l'étage ; cette présence incongrue était pour lui une source inédite d'excitation. Le Russe parlait peu. Tout comme Armand, il ponctuait les bavardages de Louise de grognements d'attention, de phrases sibyllines. Albin et Fanny, moins sensibles à la carrure du marin que ne l'était Jonas, s'étaient vite endormis, mais lui n'était pas parvenu à trouver le sommeil et il avait décidé de se lever pour rejoindre à pas de loup la rambarde de l'escalier, du haut duquel il pouvait percevoir un dos monolithique. Sa mère parlait d'eux avec insouciance. Le Russe ricanait parfois. Le pastis et le vin l'enivraient.

— Et vous, Pavel, demanda Louise, vous avez des enfants ?

Ainsi, le Russe avait un prénom dont le mystère et les consonances slaves séduisirent aussitôt Jonas, si bien qu'il le chuchota à bout de lèvres : *Pavel, Pavel, Pavel,* comme s'il s'était agi d'une sorcellerie par laquelle il pouvait se l'attacher. Le marin était père de trois fillettes auxquelles il téléphonait lorsque les escales le lui permettaient, et il s'inquiétait de leur éducation. La tâche, pour une mère seule, était difficile dans les landes arides de la frontière sibérienne. Par quelque digression, il fut question de Jonas, et Armand déclara d'un ton péremptoire que l'enfant était, des trois, celui qui lui causait le plus de souci :

— Ce garçon n'arrivera à rien. On n'en fera rien, c'est un raté, voilà tout.

Pavel laissa entendre un murmure de compassion. Seule Louise chercha à prendre la défense de Jonas :

— Il est pas méchant, bien au contraire, c'est un enfant turbulent, vous savez ce que c'est...

Le Russe, tout comme Jonas du haut de ses huit ans, ignorait le sens de ce mot et se garda bien de répondre.

— C'est une pédale, voilà ce que j'en dis, moi, ajouta Armand.

Jonas entendit sa mère se lever brusquement et faire tinter dans son assiette les couverts qu'elle avait lâchés.

— Vous reprendrez bien quelque chose, Pavel ? Du café ?

Ce soir-là devait être une scène parmi tant d'autres que Jonas en viendrait à mélanger, à confondre parfois, ne parvenant plus à établir entre elles une chronologie. Son père s'était plu à parsemer leur enfance d'éclats de colère et d'humiliations. Fanny lui laissait entendre sans grande conviction, pour avoir connu Armand avant la naissance de Jonas, qu'il avait autrefois su être un homme aimant, un père attentionné, mais la rage éprouvée par Jonas à son encontre, et qu'il lui était aujourd'hui possible de retrouver intacte, l'avait ce soir-là fait chanceler jusqu'à sa chambre. Il était mortifié par ce terme de pédale, dont il n'était pas certain de comprendre la signification, mais qui désignait implacablement en lui une part inavouable et honteuse que, par un effet de confusion, il liait d'instinct à ses excursions à l'étang plus qu'à son attirance naissante pour les garçons. Il avait souhaité qu'Armand meure sur-le-champ pour n'avoir pas à affronter au lendemain le regard bouffi de culpabilité de sa mère quand elle se remémorerait ces paroles au moment de servir à Jonas son petit déjeuner, et se reprocherait d'avoir gardé le silence. Jonas avait tourné et retourné dans son lit, inventant des incantations pour attirer sur son père toutes les foudres, tous les malheurs. Il avait juré de ne jamais se conformer à ses attentes, ignorant qu'il portait déjà la marque indélébile de sa dissemblance. Quelque part en lui, une guerre venait d'être déclarée, contre son père et contre lui-même. Il avait maudit sa mère de n'avoir pas opposé à Armand l'amour qu'il se devait de porter à son enfant. Jonas avait enfin été trahi par Pavel, ce Russe dont il avait couvert de caresses et d'attention la carrure majestueuse. Pavel, qui aurait pu terrasser son père et n'en avait pourtant rien fait.

Dans la chambre, la tête de Jonas reposait sur les cuisses d'Hicham. Il était à des années-lumière de cet instant, il vacillait dans son souvenir avec incertitude, mais la flamme tenait bon malgré le temps. Elle avait guidé l'enfant qu'il avait été et, comme tant d'autres instants, elle jetait sa lumière sur sa vie. Jonas savait ce que diraient Hicham, sa mère, quiconque de sensé : son père l'avait aimé, à sa manière. Pouvait-il lui reprocher d'avoir été un homme imparfait ? Mais tous ignoraient que Jonas ne pouvait lui pardonner d'avoir été ce tyran pitoyable, vaincu, même si la haine avait laissé place, le temps aidant, à une pitié amère, à un vaste dédain. Armand avait, malgré lui, fait la force de son fils. Jonas lui devait l'homme solide et droit qu'il était et que, pour rien au monde désormais, il ne renierait. Quant à Pavel, Jonas ne l'avait jamais revu. Longtemps, il l'imagina sur le pont d'un chalutier, battu par les vents de la mer du Nord, son visage ruisselant d'embruns ; il voguait vers trois magnifiques fillettes blondes.

Fanny

Elle buvait un thé, adossée à la paillasse. Martin prenait son petit déjeuner, perdu dans la description d'une boîte de céréales dont il versait de temps à autre le contenu dans un bol de lait. De l'étage, elle entendait les pas de Mathieu. Son fils et elle ne parlaient pas au petit déjeuner, aussi observait-elle tour à tour, ce samedi matin, les lignes de son visage qu'une barbe de trois jours, aux poils encore disparates, rendait ingrat, puis les rosaces du carrelage sur le sol. Mathieu travaillait ce jour-là. Depuis la disparition de Léa, il disait trouver dans son métier de publicitaire de quoi occuper son esprit et ne plus penser à leur fille. *Ne plus penser à leur fille*, voilà précisément la brèche qui n'avait cessé de s'ouvrir entre eux. Fanny savait qu'il n'y parvenait pas, qu'il n'y parviendrait jamais — comment le pourrait-il quand tout autour d'eux semblait crier le souvenir de l'enfant ? —, mais que Mathieu s'y échinât encore depuis près de dix ans lui était insupportable. Peut-être son mari était-il parvenu, sans qu'elle en sût rien, à réinvestir la vie ? Elle n'avait pas cherché à lutter contre ses absences et il était maintenant trop tard. Fanny n'ignorait rien des liaisons successives que Mathieu avait entretenues durant ces dernières années, mais elle n'était jamais parvenue à en éprouver ni peine ni rancœur. Elle savait que Mathieu la fuyait et elle ne lui en tenait pas rigueur. La disparition de Léa avait suspendu son existence ; elle était sur le bas-côté et regardait passer le train sans avoir la force d'essayer de monter à bord.

Fanny observa Martin, le mouvement de ses mâchoires, et réalisa combien son fils, l'unique enfant qui lui restât, était lui aussi devenu un étranger. Il était un jeune homme de vingt-deux ans. Elle n'entendait rien à ses éclats, à ses centres d'intérêt. Son corps lui semblait occulte, son odeur n'était plus la sienne depuis longtemps. Elle la reniflait, lorsqu'elle enfournait ses draps sales dans le tambour de la machine à laver, et elle restait immobile, au cellier, le drap froissé dans ses poings, gagnée soudain par un profond affolement, ne reconnaissant rien de ce relent mâle. Elle aurait dû, selon toute morale, offrir à cet enfant l'amour, l'affection qu'elle n'avait pu et ne pourrait jamais donner à sa fille. Mais Fanny avait tôt compris qu'elle en était incapable. Léa avait harponné en elle toute aptitude à vivre pour les autres, à vivre pour elle. Elle avait souvent l'impression de hanter une vie, d'être hantée par sa fille et elle observait Mathieu et Martin avec la sensation infiniment troublante qu'ils s'étaient éloignés d'elle. Elle s'était épuisée à tendre une main dont ils ne distinguaient pas même l'esquisse. Ils occupaient une réalité commune, leurs chairs se côtoyaient et, pourtant, Fanny était ailleurs. Elle investissait un autre monde, des limbes nourris par l'absence de Léa.

Elle savait que Mathieu surgirait dans la cuisine, embrasserait son front ou sa joue, se verserait un café puis passerait une main dans les cheveux de leur fils, et elle anticipait aussi le mouvement de tête par lequel le garçon s'y soustrairait. Leur vie était ainsi réglée, régie de faits et de gestes à l'imperturbable monotonie. Fanny songea au dîner et elle décida de rendre visite à sa mère dans la journée, pour s'assurer qu'elle n'avait besoin de rien. Le matin, elle avait choisi de porter un ensemble parme, mais elle ne parvenait pas à mettre la main sur une écharpe en viscose de couleur anis. Comme Mathieu travaillait, que leur fils vaquerait lui aussi à ses occupations, elle pensait se rendre à Montpellier. Fanny attachait la plus grande importance à son apparence, comme à la tenue de sa maison. Elle aimait que rien ne paraisse en désordre ; il régnait dans son salon un ordre tel qu'il ne semblait pas accueillant, comme ces salons factices que l'on trouve dans les magasins d'ameublement. Rien ne devait transparaître de leurs douleurs respectives, tout éclat de sentiment lui paraissait grotesque, outrancier. Les gens, d'ailleurs, ne le comprendraient pas, ils s'obstinaient à croire que tout se résorbe et que les plaies se pansent.

Un matin, quelques mois après l'événement, Fanny s'était trouvée dans un salon de coiffure qu'elle fréquentait par habitude. La coiffeuse, assurée de la connaître par les babillages qu'elles échangeaient pour tuer le temps, et au fait de l'accident, s'était penchée vers son oreille, au-dessus du bac à shampooing, puis lui avait glissé, d'une voix suintante de compassion, pressant brusquement son épaule dans sa main :

— Croyez-moi, je sais ce que vous endurez, ma sœur a elle aussi perdu un enfant. C'est terrible, c'est vrai, mais vous êtes jeune encore, et la vie continue.

Que devait-elle répondre à la condescendance de cette femme ? Comment faire taire le réconfort des autres gens ? Fanny s'était conformée à ce qu'on attendait d'elle : elle avait enterré sa fille.

Lorsque Martin eut terminé son petit déjeuner, il se leva de table et sortit sans un mot. Fanny rinça son bol dans l'évier. Mathieu buvait son café et feuilletait le journal, bien qu'elle sût qu'il le parcourait simplement du regard pour ne pas avoir à lui adresser la parole. L'idée de voir ses frères, Jonas et Albin, la réjouissait, et Fanny s'y réfugia, mais elle ne pouvait s'empêcher de ressasser l'urgence de trouver une étole assortie à son ensemble, non par coquetterie, mais parce qu'il était nécessaire à ses yeux que Mathieu et elle ne suscitent pas d'apitoiement. Fanny ne

parlait de la perte de sa fille à aucun de ses frères. La paternité que le monde refusait à Jonas et Hicham faisait écho à
ce lien qui lui avait été enlevé et que l'on ne lui concédait
plus depuis longtemps mais, d'un accord tacite, ils ne men-
tionnaient pas Léa et, lorsque leur mère l'évoquait, ils la
laissaient à ses rêveries. Quant à Albin, sa rudesse rappelait
à Fanny celle d'Armand ; il était de ces hommes dont on
ne fait jamais que supposer les sentiments. Leurs routes
se suivaient, et ne se croisaient pas.

— À quelle heure doit-on y être ? demanda Mathieu.

Fanny déposa le bol de Martin sur l'égouttoir.

— Vingt heures. Oui, vingt heures, je pense que c'est
raisonnable, répondit-elle.

Elle s'essuya les mains et voulut ajouter quelque chose,
mais Mathieu hocha la tête sans un mot de plus. Ils restèrent à se contempler, comme préoccupés par l'heure du
dîner, cherchant en réalité de quelle façon amenuiser l'espace entre eux. Elle se savait pour lui une énigme, un être
désuet, vaguement familier mais cependant inatteignable.
Doutait-il, à cet instant, qu'elle soit réellement une seule
et même personne ? Il était arrivé à Fanny de percevoir sa
vie comme une mascarade, ou de se concevoir comme une
usurpatrice. Était-elle légitime dans cette cuisine, dans son
rôle d'épouse et de mère, ou serait-elle à jamais l'ombre
de Léa ? Son mari ne la désirait plus, lui faisait l'amour par
habitude, par coercition, dans l'espoir peut-être de trom-
per sa vigilance. Mathieu lui tendit sa tasse, et Fanny scruta
l'auréole dont le café avait obscurci l'émail pour atteindre
ses lèvres.

— Il faut que j'y aille, je vais être en retard, dit-il enfin
en repliant son journal.

Elle pensa qu'il s'était parfumé avec insistance de cette

eau de toilette dont il vaporisait invariablement le repli de
son cou, ses poignets et ses tempes. Il s'apprêtait à quitter
la pièce quand elle lui annonça qu'elle irait à Montpellier
avant de continuer sa route vers Sète, et qu'elle avait choisi
de porter son ensemble parme avec une étole anis. Fanny
parsemait leur vie de vaines tentatives dont l'effet regrettable était d'éloigner plus encore Mathieu. Comment étaient
ces femmes qu'il étreignait à sa place? Étaient-elles si diffé-
rentes? pensa-t-elle avec, toujours, le même sentiment de
vide niché dans son ventre. Mathieu haussa les épaules.

— Bien, Fanny, que veux-tu que je te dise? Fais comme
bon te semble, ce sera de toute manière parfait, comme
d'habitude.

L'instant d'après, elle fut seule et se retint à un angle de
la table.

*

Fanny gagna l'étage, ouvrit les fenêtres sur son passage,
inspira l'air du dehors. La voiture de Mathieu quittait l'allée; elle entraperçut son profil dans l'éblouissement de
la vitre. Le soleil délogeait les enfants des maisons. Elle
observa ceux de leurs voisins qui s'ébattaient sur le gazon
avec un labrador chocolat. Plus loin, ronronnait une tondeuse. Une brise apathique porta vers elle l'odeur de l'herbe
fraîchement coupée. Les façades des maisons étaient blanches, roses ou jaunes; les volets, de couleurs insolites. Ne
parvenant pas à rendre leurs habitations singulières par la
forme, ils essayaient de se démarquer de celles des autres
par des détails, l'aménagement de leurs jardins, la décora-
tion outrancière de leurs balcons, la surabondance des
rocailles. L'ensemble était ravissant. Il suffisait de déambu-

ler dans les allées et les impasses pour s'assurer que ce lieu
était investi de familles aimantes, d'honnêtes gens. Aucun
d'entre eux ne pouvait envisager une ombre au tableau de
ce bonheur surfait : les enfants sur leurs bicyclettes descen-
draient sans cesse les rues en trombe, passeraient indifféremment d'un jardin à l'autre sous le regard bienveillant
des adultes, les mères étendraient des draps sur l'herbe et
y allaiteraient leur dernier-né, les voisins n'en finiraient
pas de se trouver aimables et de se saluer par-delà les
clôtures. Elle avait été fière de faire partie de ces gens-là,
d'afficher elle aussi le confort de leur niveau de vie. Cette
aisance, pensait-elle avec triomphe, elle avait lutté pour
l'atteindre quand tout la prédisposait à reproduire cette
vie sétoise, prolétaire et laborieuse. Elle avait sincèrement
aimé marcher dans le lotissement, quand l'été donnait ce
sentiment de figer la vie dans une langueur capiteuse et
que nul ne pouvait songer à troubler l'insouciance que les
enfants communiquaient aux adultes. Le présent n'aurait
su alors finir.

Elle entra dans leur chambre. Mathieu s'était assis sur le
lit et l'impression de son corps subsistait sur les couvertures. L'ensemble que Fanny avait choisi de porter reposait
sur le dossier en bois blanc d'une chaise, dans un angle de
la pièce. Elle percevait les basses de la musique que son fils
aimait écouter et à laquelle elle n'entendait rien. Devait-
elle lui proposer de l'accompagner en ville ? Il avait honte
d'elle, marchait dans la rue avec quelques pas d'avance.
Fallait-il qu'elle s'inquiète de ses projets pour le jour à
venir ? Il la recevrait sur le seuil de sa chambre comme une
intruse, elle sentirait à quel point sa présence l'exaspérait,
sans qu'il eût besoin de dire un mot. Fanny renonça.

Le malaise qui l'avait étreinte dans la cuisine quelques instants plus tôt subsistait et la laissait désemparée. Le poids de la maison, de sa solitude, de son éloignement et du lotissement alentour la poussait vers le sol, menaçait de l'étendre sur le parquet. À quarante-six ans, elle éprouvait parfois avec brutalité le contresens de son existence, l'altération de sa réalité. Ces instants étaient fugaces, mais le vertige qu'ils provoquaient la ramenait au gouffre qu'avait creusé en elle la disparition de Léa. Elle ne pouvait cependant se dérober à cette journée, et devait s'entêter à lui rendre sa normalité. Fanny s'assit au bord du lit, à l'endroit où Mathieu avait lacé ses chaussures et où subsistait l'impression de son parfum. Elle contempla son reflet dans le miroir où elle aimait s'observer les rares fois où ils faisaient l'amour. Elle y voyait alors le dos et les fesses de Mathieu tandis qu'il s'affairait sur elle. Elle était la spectatrice de la rencontre de leurs corps, s'imaginait être l'une de ces autres qu'il désirait plus qu'elle, ces femmes pour lesquelles Fanny avait fini par éprouver de l'empathie, sans même les connaître, comme si elles étaient en définitive une déclinaison d'elle-même, dans une réalité où la mort de Léa ne serait jamais advenue. Elle ordonna sa coiffure. Par la fenêtre, le ronronnement plus lointain de la tondeuse continuait de l'atteindre. La brise soulevait le voile des rideaux et une lumière crue baigna brusquement la chambre, lécha son cou et son visage, engourdit ses membres et dissipa son trouble. Elle se sentait bien désormais, à la surface des apparences, éthérée elle aussi, vaporeuse. Fanny s'étendit sur le lit. Le bruissement des rideaux et la lumière dessinaient sous ses paupières des formes évanescentes ; des coulées claires glissaient devant elle à l'horizontale, avec pesanteur, et chacun de ces éclats devint un

reflet au sommet d'une vague, une écume lumineuse. Elle
rêva d'une scène qu'ils avaient vécue, mais à laquelle
jamais plus elle n'avait pensé par la suite, bien qu'elle eût
été l'un de ces moments de bonheur et d'exaltation dont
la plénitude est le privilège de l'enfance. Il était convenu
qu'Armand les mènerait en mer. Allongée sur le lit, Fanny
revivait leur descente vers le port, au travers des rues
étroites de Sète.

Louise tenait Jonas entre ses bras. Albin et Armand les
devançaient. Ils marchaient comme s'ils avaient été seuls,
mais Fanny sentait à l'entrain de sa mère, à ses foulées
vives, sa fierté de traverser la ville en compagnie des siens.
Elle n'aurait su dire s'ils étaient déjà allés en mer auparavant, mais son excitation était autant due à la perspective
de partager ensemble une journée qu'à celle de pénétrer
un mystère, la relation de son père avec la mer. Fanny
connaissait le port et les plages, leur mère les y menait
souvent et ils passaient de longues heures à se baigner,
mais il y avait pour elle deux mers : celle qu'elle côtoyait
depuis toujours, parsemée de bleu et de vert, aux odeurs
d'algue et de sable ; puis celle que son père taisait et qui,
pourtant, régnait sur la famille, cette mer sans horizon de
terre et sans fond, noire et froide, généreuse ou impitoyable. Du moins l'imaginait-elle ainsi et, à ce jour encore,
lorsqu'elle songeait à son père, c'était un marin sur une
étendue de pétrole qu'elle invoquait, un capitaine Achab.

Il faisait beau. Elle portait la robe de coton qui lui permettrait de reconnaître sur les clichés la fillette qu'elle
avait été. Jonas avait un an à peine. Il reposait dans les bras
de sa mère, contre sa chair pleine et découverte que le

soleil rougissait. Elle l'aimait ainsi, telle qu'elle était depuis la naissance de Jonas : grasse et dévouée tout entière à son frère. Fanny observait la tétée avec effarement, l'obstination avec laquelle Jonas cherchait à engloutir le sein. Elle découvrait la famille, les liens indéfectibles du sang, comme ils descendaient vers le port. Rien ne viendrait chambouler l'ordre et la sérénité que son père et la chaleur affable de l'été décidaient d'offrir à cet instant. La lumière, dans son souvenir, était dense. Elle figeait les façades et agitait le bitume des rues. Plus tard, Fanny en viendrait à haïr Sète, les couleurs discordantes de ses maisons, l'omniprésence de la crasse sur ses pierres, le désordre de ses quais où s'amoncellent filets, poubelles et containers, le débordement des épiceries sur les trottoirs. L'incessant murmure de la mer. Elle jurerait de s'éloigner de la ville, de fuir dans les terres. Mathieu et elle vivraient à Nîmes, la réalité n'étant jamais à la hauteur des rêves. Elle serait du moins parvenue à soustraire la mer à son regard. Pour les Sétois, vivre hors de Sète, c'est déjà renier une patrie. Aussi était-elle, aux yeux de son père, une exilée. Cet été-là, elle ignorait tout de la suite des événements. Elle avait encore, pour chacun de ses parents, un amour intact. Elle investissait le présent sans douter qu'il fût sans fin. La ville lui était familière, la morsure du soleil sur ses épaules nues l'enchantait, elle défiait les marins attablés aux terrasses. Ils descendaient du quartier haut par le cœur de la ville pour que ses parents saluent leurs connaissances. Les fenêtres s'ouvraient sur les ruelles, les familles nourrissaient la ville d'une agitation dissolue.

L'image suivante la projeta sur le port. La main en visière, elle observait les bateaux de la marine marchande,

géants de rouille indifférents aux courants du port. L'eau
clapotait sur leurs coques. Albin et elle distinguaient les
bancs de poissons se frayant un chemin sur les flancs de
ferraille couverts d'une carapace de moules et d'oursins.
L'odeur du port faisait partie d'elle, il lui suffisait de l'in-
voquer pour que surgissent des effluves d'eau stagnante, la
salinité de l'air, l'odeur de l'acier et du bois des embarcations que le soleil faisait exsuder ; des tissus, des filets et
des voilages chargés d'embruns et des eaux du large. Ce
jour-là, l'odeur du port était celle de leur bonheur partagé
et elle croyait la sentir encore depuis son lit, par la fenêtre
de sa chambre ouverte sur le lotissement. Le petit voilier
sur le pont duquel elle voyait son père guider Albin leur
appartenait-il ? Sa mère, Jonas et elle restaient à quai, et
Fanny suivait du regard les dos nus et rouges de son frère
et d'Armand. Louise agitait la main de Jonas dans leur
direction.

— Regarde, disait-elle, regarde-les.

Puis elle se tournait vers Fanny et passait une main sur
sa nuque :

— Tout va bien, ma chérie ? On est bien là, non ?

Fanny approuvait avec véhémence. Il arrive que la contemplation d'un visage, si familier qu'il ne nous évoque plus
rien, ressuscite l'espace d'un instant l'impression originale
qu'ont eue sur nous des traits, une expression. Ainsi, altérée
par le temps, l'image de sa mère ne lui était jamais revenue intacte avant ce matin-là, pas plus que son sentiment
d'adoration pour cette femme qu'elle en viendrait à mépri-
ser. Armand hissait la voile et le tissu embrassait le ciel,
ombrageait leurs visages, lui laissait percevoir l'extase d'Albin. Elle le comprenait. Elle partageait son sentiment face
au corps splendide de leur père, les stries de ses deltoïdes

sous la peau. Louise rayonnait d'arrogance, debout sur le port, son enfant sous le bras. Ils s'apprêtaient à prendre la mer comme s'ils étaient entrés dans le secret des dieux. La promenade devait leur dévoiler l'indicible, le lien d'Armand avec cet infini sur lequel s'ouvrait le vieux port. Pourtant, le souvenir s'étiolait ici sur cette image : sa mère tendait le bras de Jonas vers un voilier. Une étendue éblouissante. L'air du large soulevait leurs robes. Fanny essayait de les imaginer en mer, de deviner les multiples façons dont leur plaisir s'était étendu tout le jour. Peut-être fut-ce une journée comme une autre, jalonnée de plaisirs sans prétention. Peut-être les années avaient-elles concentré une joie commune dans l'immobilisme de cette photo d'eux sur le port, jusqu'à ce jour de juin où elle sommeillait dans la chambre. Elle ne pensait pas s'être endormie. Elle avait, dans le même temps, la conscience de son corps sur le lit et de chacun d'eux sur le quai, dans l'attente de la promenade en mer. Lorsqu'elle se releva, elle éprouva une excitation que la chambre et les vêtements sur le dossier de la chaise dissipèrent. Fanny était un peu confuse, agacée que l'impératif du dîner vînt la tirer de cette rêverie. L'image de sa mère était de nouveau terne et futile.

Elle plia les vêtements avec précaution, puis elle quitta la pièce pour la salle de bains. Devant la chambre de son fils, elle marqua un temps d'arrêt. Elle frappa et resta immobile, figée par la pénombre, dans l'attente d'une réponse. Fanny espéra qu'il ne viendrait pas le soir, n'assisterait pas à ce spectacle d'eux tous, étrangers les uns aux autres, à leur inéluctable décomposition. Si loin de l'après-midi au port, elle resta à tendre l'oreille, au milieu du couloir, son ensemble chiffonné entre les mains.

— Qu'est-ce qu'il y a? demanda finalement Martin.

— C'est moi, chéri, c'est maman. Est-ce que tu penses venir, ce soir, au repas?

Albin

Le sein d'Émilie reposait dans la paume de sa main droite. Elle avait voulu se refuser à lui. Il ne la sollicitait pourtant pas sans cesse, mais il estimait qu'une épouse se doit de satisfaire son mari. Il pensait se montrer raisonnable sur cet aspect de leur relation. Il était âgé de quarante-trois ans et, s'il laissait libre cours à ses envies, il exigerait d'elle bien plus qu'il ne le faisait. Par respect pour Émilie, il se couchait le soir et ne manifestait, la plupart du temps, aucun désir. Sur le côté, il n'effleurait pas même son bras. Elle lisait avec attention un de ces romans dont la table de chevet était jonchée et qu'elle ne terminait pas. Albin s'endormait avant elle et elle ignorait la semence qu'il gaspillait sur l'émail de la cuvette des toilettes, les dallages du mur de la salle de bains ou un mouchoir de papier trouvé dans un fond de poche. Il lui arrivait de se branler rageusement, si souvent et si fort que son sexe irradiait. Parfois, il jouissait une énième fois et libérait un honteux filet de liquide séminal. Il se figurait ses testicules vides, taris. Son gland brûlait, Albin avait la sensation d'un tison enfoncé dans son urètre. Derrière le rideau de plastique, il se dégoûtait et se savonnait longuement. Il croyait avoir conscience du contraste qui oppose hommes et femmes, de la disparité de leurs attentes, mais il voulait cependant pour Émilie, leurs fils et leur fille ce qu'un père et un époux peut apporter de mieux : la sécurité, la chaleur d'un foyer. L'ordre, surtout. Il ne s'inquiétait pas des réticences d'Émilie — il arrivait encore que leurs relations sexuelles fussent son initiative —, mais la manière dont les années les éloignaient, et l'insistance avec laquelle il lui fallait maintenant réclamer son dû, le contrariaient. La veille du dîner, elle avait trouvé un prétexte quelconque pour le tenir à distance, mais il s'était montré opiniâtre et avait su lui faire comprendre combien son entêtement eût été vain. Émilie s'était donc prêtée à ses caresses, sans les lui rendre pour autant, ou alors avec cet ennui, cette douceur contrefaite qu'elle témoignait parfois. Aux premiers temps de leur relation, elle lacérait sa peau, suait et criait tant quand elle jouissait qu'Albin la sentait serrer son sexe entre ses chairs et disparaître dans l'orgasme. Avec l'arrivée des enfants, ils avaient appris à faire l'amour en silence. Lorsqu'ils n'étaient pas là et que l'un d'entre eux laissait échapper un gémissement, un malaise saccageait leur désir. Albin lui chuchotait des mots qui avaient jadis su la troubler, mais ses paroles glissaient désormais sur la joue d'Émilie. Parfois, comme ce soir-là, elle tendait un menton hostile, lui signifiait qu'il n'obtiendrait rien d'elle. Il l'utilisait honteusement comme un réceptacle à sa jouissance, se démenait comme un beau diable tandis qu'elle s'absentait d'elle-même, et il brûlait de la saisir violemment par les cheveux pour la contraindre à crier. Ce matin, il s'étonnait de trouver son sein dans sa main. Sa peau était un peu moite, il souleva ses doigts un à un pour en éprouver l'élasticité. Les seins d'Émilie n'étaient plus aussi fermes, mais ils lui inspiraient toujours une tendresse infinie. Albin retira sa main en prenant soin de ne pas éveiller sa femme. Il était tôt, et il devait travailler.

Il quitta le lit, songeant que sa mère se levait elle aussi à l'aube. L'idée de leur venue devait l'attiser. Il n'était pas impatient de revoir Jonas et son partenaire. L'orientation que son frère donnait à sa vie et la relation qu'il entretenait avec cet homme lui répugnaient. Leur présence lui imposait sans cesse l'image de leurs corps emmêlés, du sexe de cet homme dans la bouche ou le cul de son frère. Albin ne voulait pas ramener leurs sentiments à cette seule pornographie, mais il ne parvenait pas à lutter contre ces visions. Son frère l'écœurait, lui faisait honte. Sa présence était comme un affront à sa virilité. Il inventait à son compagnon des regards de concupiscence. Rien ne lui était plus difficile que de les voir réunis en toute impunité sous le toit de son père.

Quelques années après que Jonas leur eut annoncé son homosexualité, Armand avait pourtant accepté de recevoir Hicham parmi eux.

— Rien ne t'y oblige, avait dit Albin à son père.

Ils marchaient ensemble le long de la corniche. Le traitement d'Armand le forçait au repos et ces promenades en bord de mer restaient son dernier plaisir. Albin veillait à l'accompagner le plus souvent possible.

— T'occupe donc pas de ce qui nous concerne, ta mère et moi, avait répondu Armand avant de le dépasser d'un pas nerveux.

Albin savait combien il lui était douloureux qu'un de ses fils fût à ce point contraire à ses attentes, aux valeurs qu'il leur avait pourtant enseignées. Il ne comprenait donc pas cette tolérance, ce laxisme, que seule la maladie pouvait à ses yeux justifier, et il avait été blessé par la rebuffade d'Armand. Son père lui avait livré les fondements qui font un homme : la droiture et la rudesse des marins, l'indéfectible amour de Sète et des femmes. Jonas, quant à lui, s'était sans cesse soustrait à ces enseignements. Il était resté l'échec de leur père, le déshonneur de la famille. Quelques jours après la marche sur la corniche, Hicham trouvait place à leur table, dans leur salon où, des années durant, la présence d'un amant de Jonas eût été impensable.

Albin fumait sous le porche quand la porte s'était ouverte. Jonas était sorti et lui avait demandé une cigarette avant de s'adosser au mur. Leurs souffles blanchissaient l'air.

— Le repas n'était pas si mal, non ?

Albin eut envie de frapper ce visage empreint de soulagement. Il lâcha son mégot pour l'écraser du pied.

— Tu viens de lui porter le coup de grâce.

Jonas avait pâli. Croyait-il vraiment, passant la porte pour retrouver son frère, que la venue d'Hicham serait le commencement d'une complicité nouvelle ?

— Tu sais bien que c'est lui qui m'a téléphoné. Il a voulu nous inviter...

Albin s'apprêtait à rentrer, mais il ne put contenir plus longtemps la vague de colère qui le submergeait et se retourna vers Jonas :

— Comment tu peux croire un instant que c'était son souhait à lui ? Il va mourir, Jonas, et il a voulu faire plaisir à maman, rien de plus. Tu me donnes envie de dégueuler.

Jonas était resté dehors, à faire les cent pas dans la rue. Lorsqu'il était revenu, il n'avait rien laissé paraître de la tristesse qui, quelques instants plus tôt, ravageait son visage. Il s'était simplement assis près d'Albin et avait entrepris de discuter avec Émilie, d'un ton égal qui ne trahissait rien.

Albin repensa à ses mots et se reprocha d'avoir été si dur

avec son frère. Il lui avait pourtant parlé avec sincérité et il
restait convaincu qu'il fallait que Jonas prenne conscience
du fardeau qu'il avait infligé à la famille. Longtemps, il avait
tenu son frère pour responsable de la maladie d'Armand,
du moins de son aggravation.

*

Albin se rasa et s'observa dans le miroir. Il vit le reflet de
son père, tel qu'il l'avait connu quand il était enfant : un
homme sec, au visage rigoureux, boucané par les embruns.
À ses traits se superposaient ceux du moribond qu'ils
avaient veillé à la fin de sa vie. Son corps déversait alors
dans la chambre une saveur âcre, exsudait une agonie qui
les drapait, les suffoquait, les obligeant à quitter la pièce
pour inspirer un air que les chairs d'Armand n'avaient pas
corrompu. Albin se voyait dans ce miroir comme la promesse d'être un jour à l'image de ce corps déchu.

Il arrivait que sa mère arrête sur lui son regard, ne dise
rien mais laisse percevoir un trouble. La présence d'Albin
l'emplissait d'une tristesse amère. Il avait mis tant de persévérance à ressembler à son père que son corps était tout
entier pétri de cette intention. Enfant, disait-on, il tenait
d'elle. Ses yeux s'étaient assombris avec le temps. Il était
blond, et brun désormais ; ses cheveux tombaient et dessinaient deux cimes au sommet de son front, à l'exacte
façon dont ils chutaient du front d'Armand. Une masse
adipeuse, le sédiment des années, se répandait sous son
épiderme. La lucarne qui donnait sur la rue éclairait à
peine la salle de bains et Albin alluma le néon du meuble
à pharmacie dont la lumière dénonça avec cruauté et pré-

cision le déclin de son corps. Albin rinça ses joues, se
recula pour observer son buste. Ses épaules étaient solides
encore, l'épaisseur de ses bras inspirait du respect aux
enfants. L'ensemble se délitait pourtant. La vétusté des
fondations mêmes de ce corps le menaçait. Albin réalisa,
tandis qu'Émilie et les enfants dormaient encore, que ce
corps n'était plus le partenaire sur lequel il s'était reposé.
Il avait côtoyé cette progression sans jamais en prendre
conscience avec la netteté qu'offraient l'aube et la lumière
artificielle du néon. L'image déconcertante le renvoyait à
la mort de son grand-père paternel. Cet homme, dont il
gardait des bribes surannées de souvenirs et des réminiscences olfactives, avait marqué son enfance par sa disparition. Et, plus que la finitude d'un homme, sa mort avait
annoncé la fin d'une innocence qu'Albin était, jusque-là,
parvenu à conserver intacte.

Le soir des funérailles, il avait attendu que ses parents
fussent couchés, sans parvenir à trouver le sommeil, hanté
par l'image du patriarche au visage cireux, sur son lit dont
les draps empestaient le formol. Les voix de ses parents, les
grincements de la charpente, les pas dans l'escalier de bois :
chacun de ces bruits lui apportait d'ordinaire une sérénité,
un intense sentiment de sécurité que la disparition de
l'ancien rendait dérisoires. Par la fenêtre, Albin percevait
l'épaisseur de la nuit, le ciel insensible à son désarroi. Dans
la chambre où reposait le corps, Armand lui avait demandé
de baiser la joue du défunt. L'immobilisme du grand-père
l'épouvantait, les volets avaient été rabattus, le chauffage
coupé, et Albin sentait l'odeur de fuel, de cuisson et de
lessive, puis ce parfum d'œillet de poète. Dans cette fraîcheur de morgue, ses tantes, noires harpies venues tout

droit d'Italie, veillaient la dépouille d'un père qu'elles n'avaient plus revu depuis des dizaines d'années et dont elles avaient oublié le visage. À la lueur d'une lampe de chevet sur laquelle un napperon avait été étendu, les mailles du crochet dessinaient sur les murs et la joue de l'aïeul une vérole ombrageuse. Devant l'hésitation d'Albin et l'austérité de ses sœurs, Armand avait posé une main implacable sur la nuque de son fils pour le pousser de l'avant et Albin se souvint s'être retenu de toutes ses forces au matelas pour que son corps ne rencontrât pas celui du patriarche. La joue était roide quand il l'effleura de ses lèvres. Il avait dû attendre que son père relâchât son étreinte pour se dégager du cadavre, et il gardait en mémoire l'odeur de crème dont un embaumeur avait imprégné la peau comme, du vivant de son grand-père, il retrouvait près de lui le parfum de l'après-rasage, du savon à barbe et, par association, celle du meuble en formica où il rangeait son blaireau. Mais cette odeur-là masquait à grand-peine le relent des produits désinfectants. Lorsqu'il avait quitté la pièce, Louise l'attendait à l'extérieur et elle l'avait vertement réprimandé avant de le tirer par la main vers la salle de bains. Albin avait pissé dans son pantalon, une auréole dévalait sa jambe gauche, imbibait sa chaussette et ses pas clapotaient honteusement. Le soir même, au lit, il pressentit avoir cru à l'immuabilité de leurs vies et de l'Instant. Il avait eu conscience des moments passés, mais il les croyait puisés à une source intarissable et la révélation de la mort — il revoyait alors le corps du patriarche et frottait ses lèvres pour en effacer la trace — ébranlait ses certitudes. La souillure de ce cadavre le condamnait à devenir lui-même un être périssable.

Il mesurait désormais l'hommage qu'Armand avait escompté de lui à l'égard de son propre père. Trente et un ans plus tard, les traits du vieillard s'esquissaient en filigrane sur son visage. Albin avait mis toute sa constance à répondre aux attentes d'Armand. Il couvrit son torse sournois d'une chemise de coton. Pouvait-il, à cet âge, comprendre ce que, par la pression de sa main sur sa nuque, son père exigeait de lui? Avait-il eu le choix de devenir un autre?

Louise

Les fenêtres ouvertes, l'air du matin lui donnait vie. Ses petits-enfants viendraient-ils? Elle les espérait à sa table et aurait tant aimé que la famille fût réunie sans exception. Les chaises, sur lesquelles chacun viendrait s'asseoir, reposaient sur la table. Le tapis était battu et étendu à la fenêtre. Louise avait poussé le sofa et s'affairait sur le carrelage du salon. Ses doigts l'élançaient maintenant avec force et régularité, impulsant la douleur jusqu'à ses coudes. Camille, Jules et Sarah, les enfants d'Albin, seraient présents puisque son fils l'exigeait d'ordinaire lors des visites qu'il lui rendait. Elle s'inquiétait en revanche de l'absence de Martin. Cet enfant s'éloignait d'eux, de sa famille, comme ses propres fils et sa fille l'avaient précédemment exclue de leurs existences. Louise éprouva un tiraillement dans la poitrine en songeant combien elle était impuissante à le rapprocher d'eux, à parler avec Fanny. Elle s'essoufflait, balai à la main, et sa gorge se serrait. Sa fille refusait ses conseils, les sentiments qu'elle lui exprimait sur son expérience de la maternité l'indifféraient. Louise voulait lui dire que ses erreurs devaient éclairer les siennes. Les malheurs du monde devaient-ils être le fait d'elles seules, les mères? Comment pourraient-elles se défaire de la culpabilité que, depuis toujours, les enfants leur font endosser? Elle posa le balai et, après avoir avalé un cachet, s'installa près de la fenêtre. Ses doigts gonflaient, le jour léchait son visage. Elle étendit ses jambes et inspira pour chasser l'inquiétude que l'absence présumée de son petit-fils faisait naître et pour faire abstraction de la douleur de ses mains. Toujours, l'odeur de la ville montait vers elle et s'engouffrait dans la maison. L'après-midi, elle croyait deviner les bruits de la criée, lorsque le vent marin rehaussait son souffle. La matinée avançait, le soleil siégeait avec despotisme et elle posa un chiffon sur le haut de son front, pour couvrir son visage. Les teintes du tissu tamisèrent la lumière du dehors et elle imagina le salon soustrait à son regard, baigné de teintes olivâtres. L'inquiétude s'étiolait. Louise reconnut avec soulagement qu'il était insensé de se faire tant de souci pour cet enfant. L'absence de Léa focalisait sur Martin ses craintes et sa sollicitude. Devant la fenêtre, le figuier à flanc de roche promenait ses feuilles dans la lumière blanche, éparpillait ses ombres sur le chiffon. Les yeux tout juste entrouverts, Louise distinguait la courbe de ses cils, puis le vert de ces ondulations comme un monde à part entière. Elle y vit les varechs ramenés sans cesse par la mer sur les plages, les vagues aux teintes de grège et d'ocre qui étincellent soudain, roulent dans le sable et paraissent nuancées de vert.

Louise marchait avec les enfants. Le vent les contraignait à se courber, le sable dévalait la plage à chaque bourras-

que et les dunes prenaient vie, vêtues d'un voile ondulant.
Louise tenait les mains d'Albin et de Jonas. Le benjamin
avait trois ans à peine, et elle devait le porter souvent.
Fanny les devançait avec sa conviction adolescente, les bras
rabattus sur ses épaules, enveloppée dans un silence obs-
tiné. Ce devait être un mois d'avril ; ils étaient seuls sur la
plage et Louise se réjouissait de longer la mer. La litanie
du vent emplissait leurs oreilles, le sable giflait leurs joues,
leurs yeux coulaient, mais ils avaient le sentiment d'être
libres, de se livrer à l'assaut de la plage. De temps à autre,
Fanny se retournait vers sa mère et ses frères, leur criait
quelque chose, mais Louise n'entendait rien, répondait à
son tour, les mains en porte-voix.

— Amène les gosses aux plages cet après-midi, avait
ordonné Armand, débarrassez-moi un peu le plancher.

Et voici qu'elle marchait avec eux, se pliant aux attentes
de son époux, sachant que la présence de trois enfants
dans la maison lui était difficilement supportable. Il n'avait
aucune patience pour leurs jeux et leurs cris, et Louise
veillait toujours à devancer ses éclats, à protéger les enfants
qui semblaient ronger l'espace vital d'Armand, corrompre
son oxygène. Jonas, en particulier. Depuis son plus jeune
âge, et sans qu'elle en comprît la raison, elle éprouvait une
angoisse à l'idée de laisser l'enfant seul avec son père. Il
arrivait à Armand de le scruter avec exaspération, d'un
regard méprisant, coléreux, quand bien même le garçon
jouait dans le calme. Louise l'avait senti, la naissance de
Jonas avait chamboulé quelque chose qu'elle ne pouvait
désigner ou nommer, mais dont elle éprouvait violemment
la fêlure. Elle voulait se convaincre qu'il était naturel qu'un

homme dont le commerce est celui de la mer cherchât le
calme dans son foyer.

L'air du dehors revigorait les enfants, embrasait leurs
joues et le bout de leurs nez. Albin courait parfois pour les
devancer et rattraper sa sœur. De longues bandes blanches
striaient le ciel, les nuages cavalaient à toute allure. Ils
continuaient de marcher contre le vent, et la mer rabattait
cette algue changeante ; la fluctuation de la nature alentour les happait, ils s'y abandonnaient. Ils dépassèrent un
homme accompagné d'un petit garçon quand les enfants
voulurent s'asseoir eux aussi. Une dune de sable, sur laquelle
s'enracinaient des buissons, les protégeait de la tramontane. Plus loin, de gros rochers formaient une jetée dans la
mer. Louise avait apporté un drap qu'ils étendirent à quelques pas de l'homme et de son fils. Les garçons déposè-
rent aux angles des cailloux, des poignées de sable, mais le
drap continuait de gonfler et Fanny s'y jeta, aussitôt suivie
de ses frères. Louise pouvait-elle dire combien cet instant
avait incarné leur bonheur ? L'ombre des mouettes s'es-
quissait sur la plage où le vent imprimait le froissement
d'une onde et elle semblait être une nouvelle étendue
d'eau. L'empreinte de leurs pas zigzaguait à perte de vue.
Au large, la mer les éblouissait, ils plissaient les yeux pour
distinguer la silhouette des bateaux, la ligne hésitante des
mâts de quelque voilier. Louise s'était assise à son tour et
les enfants se déchaussèrent. Ils enfoncèrent leurs pieds
nus dans le sable frais en profondeur. Elle laissait rouler
des débris de coquillages au creux de sa paume quand les
enfants se levèrent pour s'élancer vers la mer. Ils n'étaient
pas loin d'elle, elle percevait leurs silhouettes à contre-jour,
puis l'éclat de leurs voix, sitôt avalées par la bourrasque.

Un corps la dépassa, projetant sur ses jambes une gerbe de sable. L'enfant rejoignit Jonas, Albin et Fanny malgré les invectives du père dont les pas s'étaient arrêtés près d'elle.

— Il ne les dérangera pas, il doit avoir l'âge de votre aîné.

Louise leva les yeux vers cet homme. Elle était éblouie et le distinguait à peine.

— Ils seront contents, affirma-t-elle.

Prenant peut-être sa réponse pour une invitation, il s'assit près d'elle, à même le sable.

— C'est une journée magnifique.

Il inspirait et gonflait la poitrine, comme cherchant à s'imprégner de la scène tout entière, du jeu d'ombre des enfants sur le sable et de la couleur de la mer. Louise avait commencé à craindre Armand et, sans qu'elle s'en fût aperçue, elle nourrissait peu à peu une méfiance à l'égard des hommes en général, tous susceptibles de cacher une brutalité similaire, mais elle ne tarda pourtant pas à se sentir en confiance, partageant elle aussi ce sentiment de plénitude. Elle se souviendrait d'un homme élancé, de la rugosité de sa voix et d'un accent traînant, rien qui lui évoquât Armand, et cette différence, la singularité de son physique, sa tendresse pour le jeu des enfants la conquirent. Ce jour-là sur la plage, elle fut troublée et, pour la première fois depuis la rencontre d'Armand, Louise désira un autre homme, de ce désir animal, irraisonné. Fanny tenait Jonas par la main, les enfants se dirigeaient vers la jetée. Louise se leva, un peu inquiète, et secoua sa jupe :

— On devrait peut-être les rappeler ?

L'homme souriait, elle se sentit ridicule, hésita un ins-

tant. Elle désirait rester auprès de lui et prit conscience, de
nouveau installée sur le drap, de la nature du sentiment
qui la retenait de courir vers ses fils et sa fille. Louise n'en
fut pas honteuse, tout juste éprouva-t-elle une vague et
délicieuse culpabilité. Son estomac se creusa, ses mains
s'engourdirent et elle les enfonça de nouveau dans le sable.
Elle ne cessait de se répéter avec stupéfaction que l'inconnu
n'avait rien de commun avec son époux. Il s'était allongé,
les mains derrière la tête, les jambes repliées. Il portait un
pull-over que le mouvement de ses bras laissait remonter
au-dessus de son nombril et elle contempla ce ventre glabre,
cette peau à la douceur flagrante, la ligature dans la chair.
Le désir se hissait en elle, elle tremblait un peu, sa gorge
se nouait tandis que les enfants remontaient les jambes
de leurs pantalons et poussaient des cris en mettant les
pieds à l'eau, au bord de la jetée.

— Le ciel est magnifique, allongez-vous.

Louise lança un regard vers Fanny, Albin et Jonas, car
eux seuls pouvaient encore la rappeler à la raison. Ils n'en
firent rien. Albin — ou était-ce le fils de l'inconnu ? —
avait entrepris d'escalader les rochers. Louise se laissa
aller sur le drap et leurs épaules se touchèrent. La plage
se déroba à sa vue ; l'immensité, le bouleversement du ciel
s'offrirent à elle. L'homme l'exhorta à deviner des formes
parmi les nuages. Louise ne voyait rien, acquiesçait à tout,
se crut folle. Un regain de vie la traversait, une fièvre
incongrue.

— Je suis londonien. Ma mère a grandi ici, puis elle
s'est entichée d'un Anglais. J'avais besoin de revenir.

Elle approuva, mais l'idée d'une vie à Londres, pour cet
homme et son fils, la confrontait à l'étroitesse de son exis-

tence, à la présence d'Armand qu'elle en était venue à craindre. Louise jalousa l'inconnu.

— Vous revenez à Sète, mais moi, je ne l'ai jamais quittée. Je ne quitterai jamais cette ville, je le sais.

Sa voix se teinta de défiance ; elle voulut donner l'illusion d'une volonté. L'homme ne répondit pas, ne chercha pas à la contredire quand il eût pu lui parler de Londres, lui laisser croire qu'elle voyagerait. Mentir, puisque c'est ce qu'elle attendait de lui à cet instant. Mais il se contenta de changer de sujet :

— À force de regarder, on parvient à inverser ciel et terre. Imaginez que vous êtes au-dessus, et non au-dessous, que c'est nous qui dominons.

Louise se concentra, il lui importait qu'ils partagent quelque chose. Embrasser la vision que cet homme avait de l'instant. Elle finit par sentir ce vertige, la certitude d'être maintenue sur la plage comme au sommet d'une voûte, de défier les lois de l'apesanteur. La plage n'était plus, elle ne pensait plus aux enfants. Elle ferma les yeux, s'abandonna et sentit une main se poser au-dessus de son genou, remonter sur sa cuisse et se glisser sous sa robe. C'était une main ample, à la peau froide. Louise ne la rejeta pas et accepta cette caresse.

— J'ai envie de toi, souffla-t-il.

Elle sut qu'il avait tourné vers elle son visage bien qu'elle se refusât à rouvrir les yeux. Son pouls battait ardemment sous son sein, et elle ne répondit rien, car tout, dans l'attitude et les mots de l'homme, lui semblait obscène et suave. Elle voulait qu'il continue à lui parler et à la caresser. Son sexe rayonnait, il devint le centre d'un corps dont chaque parcelle semblait tirer substance. La main restait pourtant

sur sa cuisse, ne cherchait pas à gagner son sexe, et l'inep-
tie de ce geste, de sa présence sur la plage, de l'inquisition
de cet homme face auquel elle abdiquait, abandonnait sa
dignité d'épouse et de mère, la poussa plus avant dans la
sensualité. Il gardait maintenant le silence, imprimant du
bout de ses doigts une pression dans sa chair. Louise sentait ses phalanges dessiner à tour de rôle un ovale sur sa
peau.

— Maman ?

Albin était à ses pieds et observait cette main glissée sous
sa robe. Elle la retira avec violence et se redressa. Aux côtés
de son fils, le garçon falot tenait un crabe brun dans la
main et le tendait à son père. Fanny marchait vers eux.

— Où est Jonas ? demanda Louise.

Albin haussa les épaules, puis répondit :

— On a attrapé un crabe, regarde.

Elle se leva et balaya la plage du regard sans parvenir
à repérer son enfant. Une terreur sourde s'étendit de sa
nuque à ses jambes. Louise courut avec difficulté à la rencontre de Fanny, entravée par la sensation de ses membres
engourdis :

— Où est Jonas ? répéta-t-elle.

L'enfant se tourna vers la jetée :

— J'en sais rien, je croyais qu'il était avec Albin, alors
j'ai marché plus loin...

Louise saisit sa fille par les épaules :

— Oh, mon Dieu, mon Dieu.

Elle se mit à courir vers la mer. Elle hurla le prénom de
Jonas en direction de la jetée. Les rochers étaient bien
plus éloignés qu'elle ne l'avait supposé. La plage semblait
sans fin. Louise avait conscience de la course de Fanny, d'Al-

bin et de l'homme derrière elle, mais elle ne se retourna pas. Elle atteignit les rochers et s'y rua avec maladresse, saisissant les aspérités des pierres à pleines mains. Entre deux rocs, l'eau formait une cuve translucide et calme. Jonas y pataugeait. Lorsqu'elle surgit, il leva vers elle un regard effaré. Louise se précipita, tomba à genoux et saisit son fils entre ses bras, inspira sa peau, l'odeur de ses cheveux, pressa ses flancs entre ses mains, si fort que Jonas se mit à gémir. Elle se releva, trébucha puis se hissa de nouveau sur la jetée pour rejoindre la plage.

— Pardonne-moi, pardonne-moi, haleta-t-elle.

Elle était échevelée, un filet de salive écumeuse s'étirait sur sa joue. Elle posa son enfant au sol. Fanny l'avait rejointe et, sitôt que Jonas fut sur pied, Louise la gifla si fort qu'elle s'effondra sur le sable. Albin, l'Anglais et son fils s'immobilisèrent à quelques pas. Ils restèrent là, à se contempler sans esquisser un geste.

— T'es idiote? T'es irresponsable? dit Louise.

La force du coup stupéfia Fanny. Ses yeux restèrent secs. Une main à sa joue, elle n'osait se relever.

— Tout va bien, dit l'étranger pour l'apaiser, il n'a rien.

— Taisez-vous! Mais taisez-vous donc!

Louise avait accepté le jeu de séduction d'un homme qu'elle trouvait désormais, face à elle, insignifiant. Elle s'était prêtée à sa caresse et avait mis en péril la vie de son fils. Elle était salie par cette main, par le souvenir de son impression sur sa peau. Salie d'un adultère auquel jamais elle n'aurait supposé se prêter, avec un homme qui lui inspirait l'exact contraire de ce qu'elle devait aimer par-dessus tout. La peur, la rancœur et l'humiliation métamorphosaient la plage et le paysage dont elle avait cru percevoir la dimension poétique et infinie. Louise tendit enfin sa main à Fanny, puis prit Jonas entre ses bras. Elle s'était entaillé la cheville sur les rochers, son pied était écarlate, le sable s'y mêlait au sang et Jonas pleurait, mais elle n'entendait plus ses cris. Rien n'aurait su franchir le bourdonnement affluant à ses tempes.

— Rentrons, dit-elle.

Elle marcha, tournant le dos à l'homme, suivie de ses deux aînés. Elle ignorait la plaie à sa cheville ; le vent engouffré sous sa robe lui rappelait l'humidité des lèvres de son sexe. Louise marchait, avec pour seule idée de mettre la plus grande distance entre cette plage et eux, entre cet homme et elle, guidée par l'obsession de rejoindre la ville et la maison, de s'étendre sur un lit et de se convaincre que tout n'avait été qu'un rêve. Pourtant, lorsqu'elle repensa à cet après-midi, elle eut le sentiment de percevoir de nouveau le bien-être qu'elle avait éprouvé, les yeux levés vers le ciel. L'indifférence pour ses enfants. La main de l'homme sur sa cuisse. Et elle regretta de ne s'être pas retournée une dernière fois, tandis qu'elle s'éloignait de la plage, pour voir et fixer à jamais ce visage dans son esprit.

*

À soixante-neuf ans, Louise songeait à l'érotisme de ces heures qu'elle choyait encore en elle. Elle avait craint de perdre son enfant, de se le voir ravir par la mer pour s'être échappée, un moment, hors de sa vie. Jonas ne gardait aucun souvenir de ce jour-là, Louise en avait la certitude. Elle ignorait en revanche si Fanny et Albin se le rappelaient, mais aucun d'eux ne pouvait deviner la réalité de

ces instants que le temps élimait. Elle retira le chiffon de
son visage. Elle s'était assoupie au soleil. Louise tendit une
jambe dans la lumière. Elle observa la cicatrice qui ornait
sa cheville, parcourant la sécheresse de sa peau. Elle l'aimait,
cette vilaine marque, comme la preuve que ce jour avait bel
et bien existé, et qu'il y avait peut-être encore, quelque part,
un vieil Anglais pour se souvenir d'elle, dans ses rêves
surannés, telle qu'elle avait été à cet instant. La chaleur
et le médicament anesthésiaient un peu la souffrance de ses
mains. L'odeur du figuier, cette senteur de sève laiteuse,
l'étourdissait. Le ménage fait, décida-t-elle, elle irait aux
halles. Louise se releva et chercha à chasser le fantôme de
sa culpabilité. Elle avait été injuste envers sa fille, mais
encore? Des années plus tard, Fanny connaîtrait ce que
Louise n'avait fait que redouter ce jour d'avril : la perte
d'un enfant. L'irrémédiable perte de Léa.

Faites que Martin soit des nôtres ce soir, pria-t-elle en silence.

Jonas

Il longeait la berge près de Bouzigues. L'étang à ses
pieds lançait dans les terres son bleu de métal, sa blancheur d'opale saisie dans la lumière du matin. La noirceur
des tables de culture d'huîtres et de moules tranchait l'aube
luminescente à la surface de l'eau, et le reflet des pieds
dressés au-delà parsemait l'onde de mirages et d'ombres.
L'étang n'est jamais si majestueux qu'à l'aube et au crépuscule. Indifféremment, il se teinte et rougeoie, éclipse
l'empreinte des hommes, sublime partout leur marque.
Les maisons se figent dans le zinzolin des reflets; le bois

des barques, comme échouées entre limons et roseaux, bleuit et s'écaille. Les pêcheurs se font discrets et glissent, à la manière de passeurs antiques, dans les lointaines huées de cigales. Jonas y errait, sous l'emprise des eaux, dans l'attente de Samuel.

De Balaruc à Marseillan, l'étang embrasse Sète et s'enfonce de quatre à dix mètres de profondeur. Près de Balaruc, une faille plonge à trente mètres et la brise, une eau tiède, s'y glisse et contribue à l'exceptionnelle biodiversité aquatique. Ce que Jonas percevait, enfant, comme une étendue sans fin, à la superficialité propice à son érotisme, lui apparaissait désormais dans sa densité. Il croyait pouvoir céder à son appel, un de ces jours lointains dont il se plaisait à imaginer la possibilité, non par désespoir, mais par consentement, renonciation, par devoir d'être rendu à ce qui le façonnait et le pétrissait. Il lui arrivait de concevoir, avec un grand calme, son corps au fond des eaux, dans les forêts d'algues où évoluent les hippocampes et les blennies paons, et il le voyait alors rejoindre celui de Fabrice, comme intact, fidèle à ce jour où Jonas avait rabattu le drap sur son visage : étique, gris, tragiquement beau.

Il pensait au départ d'Hicham, le matin même, avec le sentiment qu'ils étaient devenus l'un pour l'autre, au fil des ans, une présence sans laquelle il leur eût été difficile de vivre, mais qui, souvent, ne leur était plus indispensable. Assurément, elle l'était, mais ils avaient accepté leurs engagements respectifs et fait le compromis d'une complicité. Jonas n'aurait pas supporté de renoncer à l'étang pour Hicham et jamais il n'avait cherché à s'en éloigner. Il arrivait à Jonas de croire qu'à travers lui, il continuait d'aimer

Fabrice. Il lui arrivait aussi de croire qu'Hicham n'était pas dupe et, d'une certaine manière, qu'il l'avait accepté.

Samuel et Jonas devaient prélever quelques spécimens, à la suite des pluies des jours précédents, pour les rapporter au laboratoire. L'urbanisation aux alentours de l'étang augmente les risques de pollution et les températures favorisent en été la malaïgue, la mauvaise eau. Les sulfures contribuent au remugle qui s'élève alors et embrasse la région, jusqu'à ce que la tramontane survienne.

Enfant, Armand pêchait ici la palourde et l'oursin. L'été de ses onze ans, il avait découvert la pêche en mer et regagnait l'étang durant les mois d'hiver. Jonas peinait à l'imaginer enfant, lui qu'il avait toujours perçu épais et redoutable. Armand leur parlait des prises miraculeuses, après la guerre, des cigales de mer et des langoustes amoncelées sur le pont, de leurs carapaces bleues et luisantes, d'un marin dont le doigt avait été brisé par la pince d'un homard gigantesque. Parce qu'il avait assisté à l'appauvrissement des côtes, à la raréfaction du poisson forçant sans cesse les marins à repousser les limites des zones de pêche, Armand accorda à Jonas son estime du seul fait de son engagement dans la sauvegarde de l'étang de Thau. Ils n'en parlaient jamais, mais Jonas sut par sa mère la fierté avec laquelle le père affirmait avoir légué à ses fils l'obsession des eaux qui encerclent Sète. D'une certaine manière, elles étaient son unique lien avec Armand, la seule reconnaissance qu'il pensait lui devoir. Et Jonas, condamné à n'être jamais père, songeait au sien, au bord de l'étang, et récitait Wojnarowicz en silence : *Ainsi, mon héritage, c'est une froide partie de baise sur un lit lointain baigné de soleil pendant que*

les rideaux volettent devant la fenêtre ouverte au gré d'une brise
légère.

*

Il n'avait, de sa vie, aucun souvenir avant l'année de ses
cinq ans, où il revoyait Armand suivre la première édition
de la Route du Rhum devant le poste de radio. Jonas ignorait tout de la course transatlantique. La gravité avec laquelle
son père gardait le silence, attablé à la cuisine, le fascinait,
et Louise exigeait que les enfants se tiennent au calme et
en retrait. Elle se glissait dans la pièce à l'heure de préparer le repas et, puisque son fils ne pouvait la suivre, ordon-
nait qu'il l'attendît dans l'entrebâillement de la porte. Jonas
tendait l'oreille aux commentaires du poste. Il aimait
l'odeur des herbes aromatiques, alignées avec soin sur le
rebord de la hotte, puis celle du gaz que les brûleurs incen-
diaient brusquement, bleuissant la joue d'Armand. Avait-il
souhaité que les enfants ne fissent pas irruption dans la
cuisine, ou Louise devançait-elle une fois de plus la colère
de leur père? Sans doute Jonas faisait-il d'une scène unique un souvenir récurrent — l'un des rares où Armand
figurait en père aimant —, lui laissant croire qu'elle se
renouvelait, comme l'absence de son frère et de sa sœur
dans chacune de ces réminiscences le lui laissait désormais penser.

Il le vit dans l'interstice de la porte et lui fit un signe de
la main pour qu'il vînt s'installer sur ses genoux. Jonas
entra dans la cuisine, poussé par la reconnaissance, monta
à l'assaut de ses cuisses, de ses bras noueux et ne bougea

plus. Le torse de son père contre son dos, il mimait son attention pour le poste de radio, sa main sur la main lourde et velue. Louise continuait de s'affairer à sa cuisine et l'odeur des oignons et des blancs de seiche qu'elle préparait en rouille les couvait, lui et son père, d'une bienveillance égale. Jonas était plus soucieux du plaisir qu'éprouvait sa mère à guetter la connivence et l'affection d'Armand pour l'un de ses enfants que de son propre ravissement. Son père passait une main dans ses cheveux, l'une des marques d'affection qu'il lui manifestait parfois. Sur ses genoux, comme du haut d'un trône d'où il aurait lorgné la fierté de sa mère, Jonas assistait au récit de la course et prenait conscience du lien d'Armand avec la mer. Comme il devait l'apprendre des années plus tard, au hasard d'une rétrospective, la première édition de la Route du Rhum fut marquée par la disparition d'Alain Colas, le navigateur en tête. Pris dans l'œil d'un cyclone, il disparut dans la nuit du 16 novembre et ils écoutaient, tous trois réunis dans la cuisine, sa dernière transmission radio :

— Je suis dans l'œil du cyclone. Il n'y a plus de ciel, tout est amalgame d'éléments, il y a des montagnes d'eau autour de moi...

Armand gardait le silence, et Jonas le devinait familier de ce que la mer pouvait avoir de terrifiant. Car de ces mots, dont il ne garderait pas le souvenir exact, lui resteraient des images d'enfer liquide, d'œil ouvert dans le ciel telle une entaille, d'immensités dressées, dans lesquelles se débattait le *Manureva*. Il n'y avait pas de mouvement dans cette image, mais ce que Jonas se représentait alors semblait dissoudre tout espoir et s'inscrivit en lui de manière indélébile. De fait, ni l'embarcation ni le corps de Colas ne furent jamais retrouvés. Son père éteignit le poste de radio et la griserie de Jonas laissa place à la tension plus coutumière qu'imposait la présence paternelle. Armand le saisit sous les aisselles et le suspendit sans mal au-dessus du sol avant de l'y déposer, comme un paquet soudain dénué d'intérêt, comme un chat trop affectueux dont on se débarrasse. Puis il se leva et quitta la pièce. Jonas resta sans bouger, la tête encore habitée par la furia des eaux, hésitant à suivre son père, craignant qu'il ne l'écartât de son chemin. Il n'y avait plus de ciel, tout était amalgame d'éléments... Louise supposa son trouble et le pressa dans l'odeur de sa robe, sous la caresse de ses mains grasses.

La vie de son père lui parut menacée chaque jour et il ne conçut plus la mer qu'à travers les paroles de Colas. Lorsque, au cours d'une promenade, ils s'approchaient des plages, Jonas ne reconnaissait rien de cette mer infinie, jetant son indolence à leurs pieds. Il guettait au large les murs d'eau auxquels Armand se confrontait. La mer, ce devait être une vague scélérate, un être doté de vie, au croisement des éléments et des mondes, dans les entrailles duquel flottaient les dépouilles ancestrales de marins. Dès lors, il perçut son père comme un être opaque, ou justifia son hermétisme par les dangers de la mer, l'auréolant injustement d'honneur et de tragédie.

Fanny

En quittant la rame, la place de la Comédie lui apparut comme une étendue éblouissante. Elle laissa le tramway filer derrière elle. Son reflet glissa sur le bleu des flancs de métal et son visage se confondit avec ceux des passagers restés à bord. La foule alentour la poussa vers la place. Son sac à main sous le bras, Fanny avança sur les dalles et abaissa ses lunettes de soleil pour contempler la façade du théâtre, l'agitation des terrasses de cafés où les brumisateurs dispersaient dans l'air, sur le hâle des corps, leurs molécules d'eau. La fontaine des trois grâces paressait, replète et adolescente, au soleil du matin.

D'ordinaire, Fanny se serait élancée à l'assaut du centre-ville, mais ce jour-là, sitôt descendue du tramway, la chaleur du matin l'abasourdit et elle ne bougea plus, comme dans l'attente de quelqu'un, cerclée et frôlée par le pas des touristes, étourdie par le claquement des nu-pieds et l'odeur de crème solaire que les peaux dispensaient ostensiblement. Fanny n'était plus certaine de l'objet de sa venue à Montpellier et l'idée de l'étole lui semblait vaine. Elle songea au départ de Mathieu, ce matin, à l'ostracisme de son fils, et éprouva sa profonde inanité au centre de la ville, comme au cœur d'une représentation de théâtre où elle n'aurait d'autre rôle à tenir que celui de figurante. La chaleur pénétrait sa peau, l'engourdissait, et il lui sembla osciller, son esprit saisi dans une enveloppe de chairs harassées et abruties, sous le miroitement des façades de pierre blonde où chaque fenêtre renvoyait l'éclat du ciel blanc.

Devaient-ils vraiment aller à Sète le soir? L'idée d'arriver chez sa mère sans Martin, et que le délabrement de son couple sautât aux yeux de tous, la terrifiait : donnerait-elle alors l'image d'une mère et d'une épouse déchues? Un sursaut de conscience la poussa dans la rue de la Loge et dans la discontinuité de la foule. Fanny se fondait dans l'humanité environnante, mais continuait d'avancer avec gêne, comme traînant derrière elle le fardeau de sa famille, exposé aux yeux de tous, de ces étrangers, offert à leurs railleries, à leur jugement. Elle chercha à dissiper son malaise et s'arrêta devant les magasins, détailla au milieu d'autres femmes, parfois accompagnées d'hommes ou d'enfants, des vêtements estivaux, l'agencement des vitrines. Elle suspectait chacune de ces femmes de masquer la même somme de regrets et de renoncements sous la futilité de leurs propos ou l'évanescence de leurs regards. Fanny les reconnaissait comme ses semblables et avait pour elles une affection immédiate ; elle se sentait en sécurité tandis que leurs bras se frôlaient et que leurs regards convergeaient vers les mannequins. Elles se côtoyaient, partageaient une brève complicité avant que le flot des passants ne les happât de nouveau.

Fanny revint sur ses pas vers la grand-rue Jean-Moulin et déambula d'un commerce à l'autre. Elle songeait sans raison aux années qui avaient précédé la naissance de Jonas, dont elle gardait un souvenir éthéré, sans parvenir à distinguer ce qui, de sa mémoire ou des photographies et des films en super-huit de son père, en composait l'image. Ces chroniques de son enfance se figeaient à la manière de clichés ou de tableaux dont l'évocation suffisait à restituer odeurs et perceptions. Une femme passa près d'elle et, n'ayant rien de commun avec Louise, ni la physionomie ni les traits, la lui évoqua pourtant, conforme au souvenir qu'elle gardait d'elle : le balancement de ses pas, l'inclinaison de sa tête, cette façon de porter une main sous son sein quand elle riait. Ainsi, l'image de sa mère dans ces années était celle d'un bonheur prolétaire et sans prétention, auquel suffisait la présence de deux enfants et d'un époux.

Elle la vit dans l'appartement qu'ils habitaient d'abord près des quais, dans la pièce unique, son ouvrage de tricot à la main et le jour glissé sur elle, de biais, par le vasistas, comme une bruine claire. Elle la vit ordonner ses cheveux devant la coiffeuse, les nouer d'une main distraite tandis qu'elle soutenait Albin de l'autre. Louise n'avait jamais été coquette et conservait de son enfance paysanne cette rudesse de traits et ce mépris de l'apparence. Mais, les soirs de fête, il arrivait qu'elle mît du fard à ses joues et donnât à son visage un air inhabituel, maladroitement apprêté, presque vulgaire. Fanny aimait alors l'odeur de la laque à cheveux. Elle la vit nue dans la salle de bains et ses seins étaient ovales et leurs aréoles sombres. Elle la vit transfigurée dans les bras de son père qui l'enlaçait au milieu de la petite cuisine. Sans doute y avait-il eu des éclats, sans doute Armand ne s'était-il pas improvisé le personnage opaque que tous avaient connu. Fanny conservait ces images d'Épinal dans lesquelles ses parents formaient un couple aimant, à l'espoir immaculé et que ne semblaient jamais atteindre la vie médiocre et les semaines de disette. Dès lors, songeat-elle, à quel moment de son enfance avait paru en elle la désaffection de sa mère ?

Par la rue du Petit-Saint-Jean, elle rejoignit la place Saint-Roch où l'église, dans son écrin de pierre poreuse, happait la lumière du matin. Les bistrotiers tiraient les tables au-dehors, hissaient l'étendard des parasols et elle marcha au milieu des chaises, longea une grille de fer ensevelie sous un jasmin. Durant les sept années qui avaient séparé la naissance d'Albin de celle de Jonas, Fanny avait ignoré combien chacune de leurs existences confrontait Armand à ce qu'il ne pouvait être. Sitôt que la venue au monde des

enfants posait les fondations de la famille, elle en annonçait dans le même temps le déclin. Armand ne pouvait être
père, Fanny l'avait enfin compris. Elle ne doutait pas qu'il
l'eût pourtant voulu, se fût réjoui de leurs naissances, mais
elle le savait maintenant incapable d'endosser ce rôle.
Comment aurait-elle pu restituer à Jonas ces années qu'il
n'avait pas vécues, ce temps où Albin et elle ne craignaient
pas leur père ? Elle se sentit fourbe et lâche, comme
lorsqu'elle portait un jugement sur Armand, sur ce lien
qu'elle ne pouvait, mais aurait tant aimé défaire.

Rue de l'Argenterie, à l'ombre des façades, la fraîcheur
l'apaisa un peu et Fanny resta un moment, une main sur le
mur, à reprendre son souffle et ses esprits. La ville semblait
dresser contre elle quelque obstacle invisible et elle luttait
pour avancer. Son père, se souvint-elle, s'absentait sans
raison, délaissant Louise et Jonas, alors nouveau-né, et elle
revit l'enfant endormi près de sa mère sur le canapé, et la
lumière du poste de télévision dont elle coupait le son et
fixait les images, comme une houle sur les murs. Elle s'inquiéta d'abord qu'Armand ne revînt pas de la pêche
comme à l'accoutumée, puis elle le soupçonna à juste titre
de boire et d'écumer les cafés de Sète. Fanny l'imaginait
ainsi : Louise avait cru à l'existence d'une maîtresse,
lorsqu'il s'éveillait et se glissait dans la nuit. Qu'en savait-
elle ? Jamais elles n'en avaient parlé, jamais elles n'en par-
leraient. Chacun d'entre eux possédait une parcelle d'Armand sur laquelle ils apposaient un silence farouche.
Louise veillait des nuits entières et ses enfants la trouvaient,
au retour de l'école, assoupie sur le lit, Jonas silencieux
contre son flanc. Quand les absences d'Armand étaient
devenues coutumières, elle s'était accrochée à son fils
comme s'il ne fallait plus vivre que pour lui. Elle était deve-

nue distante avec Albin et Fanny. Non qu'elle fût indifférente, mais simplement lointaine, comme désabusée.
Lorsque les enfants lui adressaient la parole, elle répondait
avec étonnement, surprise de les trouver là et, lorsque l'un
d'eux lui en faisait le reproche, elle répétait que Jonas
accaparait son temps et son attention, mais qu'ils étaient
bien assez grands désormais pour le comprendre. Cet été
avait laissé en Fanny le souvenir de la marche vers le port.
Elle s'y était rattachée pour contrer l'épais silence dans
lequel se murait son père et le détachement de Louise,
chaque jour plus perceptible.

*

Elle déambula longtemps dans la ville. L'hostilité des vitrines la tenait à distance, elle avançait sans conviction à l'encontre d'une foule pressée d'arpenter les rues et de retarder
sa marche. Par la rue du Bras-de-Fer, elle rejoignit la rue de
la Loge puis la place Jean-Jaurès. La lueur du souvenir éclairait d'un jour nouveau une promenade aux plages.

Ils marchaient au printemps le long de la mer. Fanny
devançait sa mère et ses frères, attisant sa colère à chaque
pas. Ils avaient quitté la maison pour la plage ; elle lui semblait inhospitalière, battue par le clair-obscur du ciel. La
mer verdoyait, brunissait par endroits, couvant de sombres
étendues, les ombres d'êtres surgis de ses profondeurs.
Fanny détestait sa mère d'avoir, une fois de plus, cédé aux
humeurs d'Armand, à ce désir de les évincer sans cesse. Le
soleil surgissait entre deux nuages, étincelait à la surface
des vagues, embrasait le large de reflets vif-argent ; les flots

devenaient écailleux, comme sertis de bancs de harengs.
Des amas de varechs et de broussailles dévalaient la plage.
Le sable gonflait à la façon d'un tissu puis, d'un claquement, se ruait vers eux, pulvérisait l'air, enlisait les dunes,
les pousses de doigts de sorcières et de joncs. Mis à part
eux, un homme et un garçonnet étaient la seule présence
humaine. À la demande d'Albin, ils étendirent un drap sur
le sable. Un vallon de sable, plus haut que les autres, les
abritait de la tramontane. Fanny tenait Jonas par la main
et elle suivit les garçons en direction de la mer. Elle désirait
en réalité mettre de la distance entre Louise et elle, car
pourquoi sa mère ne s'opposait-elle jamais à Armand ? Pourquoi semblait-elle approuver ce désir de ne plus les voir,
d'ignorer une fois de plus leurs existences ? Parfois, lorsqu'il
giflait un des enfants, Louise venait implorer leur pardon.
Dès qu'Armand tournait les talons, elle se glissait dans
leur chambre, la tête rentrée dans les épaules, les lèvres
pincées, comme un chien honteux d'avoir dérobé un os ;
elle caressait leurs petites têtes et les suppliait de cesser
enfin de pleurer. Fanny brûlait alors de la chasser impi-
toyablement.

Au bord de l'eau, elle se lassa des babillages de ses frères
et de l'enfant qui ne parlait pas leur langue. Tournant le
regard vers sa mère, elle la vit allongée près de l'homme.
Albin n'y prêtait aucune attention et Jonas s'affairait à
déloger des coquillages du sable. L'abandon de Louise sur
le drap voletant autour d'elle lui sembla un mirage. Le
vent dans ses oreilles, l'odeur des embruns, le chamboule-
ment de la plage : tout conférait à la scène une saveur
d'étrangeté et d'illogisme.

— Surveille Jonas, je reviens, dit-elle à Albin.

Elle marcha vers Louise, sans autre idée que de préciser sa vision, de définir les contours d'une curieuse image. Elle vit l'alanguissement de sa mère, elle perçut la fébrilité des voix sans saisir le sens des paroles, puis la main, d'une pâleur de mite, sur la cuisse offerte de Louise. Cette caresse sur la peau interdite coupa le souffle de Fanny, l'irradia de douleur et de dégoût.

— J'ai envie de toi, entendit-elle distinctement.

Aux touffes d'herbe enracinées, ses genoux plantés dans le sable, elle se hissa au sommet de la dune pour soustraire sa mère à ses yeux. Elle dégringola le long de l'autre versant, laissant l'empreinte de son corps dans le sable. Elle tomba sur un lit de roseaux et, quand elle finit par s'apaiser, elle enfonça deux doigts dans sa culotte et se masturba avec rage, puis resta là, immobile et pantelante, les joues baignées de larmes, à fixer le ciel et à souhaiter ne plus jamais se relever. Puis elle entendit la voix d'Albin et du garçon qui remontaient la plage et elle dut se résoudre à se relever. Fanny contourna la dune pour rejoindre son frère. Louise courait vers elle. Elle la saisit aux épaules et lui demanda où se trouvait Jonas. Fanny l'ignorait, indiqua une jetée de pierres au pied de laquelle elle l'avait laissé sous la responsabilité d'Albin. Le contact des mains de Louise la révulsait, elle croyait sentir l'odeur de sa vulve, ou de celle de sa mère. Fanny mentait, Louise ignorait tout de sa présence, quelques instants plus tôt, et du spectacle de son abandon. Ses souvenirs s'égaraient ici, dans une course éperdue vers la mer, sur cette vision de Louise surgissant du haut de la jetée, un pied en sang et Jonas dans ses bras, puis sur cette main lancée à son visage avec une

force telle qu'elle tituba et s'effondra sur le sable. Elle vit
Louise la désigner comme coupable de ce qu'il fût arrivé
quelque chose à son frère, et elle se vit, elle, aux pieds de
l'inconnu et de son fils, abasourdie par la haine, l'injustice
et la culpabilité du plaisir dont ses jambes chancelaient
encore.

Fanny avait atteint l'esplanade Charles-de-Gaulle sans
avoir conscience de la distance parcourue. Elle marcha vers
le centre commercial, dressé tel un exanthème de verre et
de métal dans la ville, puis se noya dans le fracas des
lumières artificielles, la convulsion désincarnée des allées
de la galerie marchande. Au hasard d'un magasin, elle
vagabonda entre les rayonnages, dans l'odeur de textile
neuf. Près des caisses, se trouvaient des écharpes en satin
et viscose. Fanny les observa avec soulagement, laissant
glisser les tissus fluides entre ses doigts. Elle jaugeait les
coloris et la précision des mailles quand elle remarqua une
femme qui lui était familière. Elle avait un enfant dans une
poussette, et Fanny trouva indécente l'idée que le nourris-
son lui appartînt, car elles devaient avoir sensiblement le
même âge. La femme la vit et vint vers elle avec un étonnement repu :
— Fanny? C'est bien toi?
Elle arrêta brusquement la poussette. Les étoles entre
ses mains, Fanny acquiesça, cherchant à attribuer aux traits
de la femme, sinon un nom, du moins un souvenir, une
connaissance commune. La femme ne jugeait pas nécessaire de préciser le contexte de leur ancienne rencontre
et, puisqu'elle s'en était elle aussi étonnée, Fanny n'était
pas certaine qu'elle la remît autrement que par son pré-

nom. Elles restèrent hésitantes, comme dans un flottement, puis la femme devança une question que Fanny n'avait pas posée :

— On ne l'attendait pas, c'était inespéré. J'en ai déjà quatre ; bien sûr ils sont grands aujourd'hui. Mais tu sais ce qu'on dit : une femme n'est jamais aussi épanouie que quand elle est mère. Je me sens si différente... J'ai la sensation de revivre. Après vingt-cinq ans de mariage, tu comprends, cet enfant, c'est insensé, mais je crois que je n'aurais pu continuer à vivre sans lui. Je n'ai jamais rien fait d'aussi bien dans ma vie. Je veux dire, enfanter, être mère, tu vois ? Je ne me suis jamais sentie plus... aboutie, vivante, que lorsque j'étais enceinte. Même à mon âge, tu te rends compte ?

Fanny hocha la tête, observa la face amorphe de l'enfant dans ses langes, couronnée de peluches, tandis que sa mère continuait de parler en prenant soin de ne jamais la questionner. Était-elle indifférente ? Fanny ne serait-elle jamais, pour les autres, que cette femme transparente, la mère de l'enfant morte au bord du môle ?

Le débit des paroles, l'odeur de lait de l'enfant, le brouhaha du magasin et la musique diffusée en fond sonore l'étourdissaient. Malgré ses efforts, Fanny ne parvenait pas à remettre ces traits qui, un instant, lui semblaient amicaux, puis malintentionnés la minute suivante, selon que la femme l'observait ou inclinait le visage vers son fils. Elle la trouvait inquiétante, assurée de sa toute-puissance sur l'enfant et de l'aura qu'il lui conférait. Elle parlait fort, pour être entendue de tous. Elle siégeait avec despotisme dans le magasin. Fanny songea à Louise : elle ignorait ce que ses enfants avaient perçu de cette journée à la plage,

un jour d'avril, et ne pouvait en mesurer les conséquences
sur leurs vies. Lorsqu'elle la verrait, plus tard dans la journée, elle savait qu'elle la trouverait vieillie, tellement différente de celle qui, ce jour-là, avait accepté la caresse d'une
main sur sa cuisse. Louise lui semblerait être une autre
femme, comme s'il était impossible à Fanny de la fixer en
une image qui lui fût tout à fait fidèle.

— Et toi, dit enfin la femme, que fais-tu là ?

Fanny baissa les yeux sur les étoles entre ses mains.
L'une d'elles était de couleur anis, la réplique exacte de
celle qu'elle avait égarée, et conviendrait parfaitement à
son ensemble.

— Oh, j'ai un dîner de famille...

La mère approuva, du dédain dans les yeux. La chair de
ses bras, de son cou, de ses seins gardait l'opulence de la
grossesse. Elle était vêtue sans goût, de couleurs désuètes
et de formes larges, pour engloutir et masquer la dilata-
tion de son corps, mais elle ne semblait pourtant en tirer
aucune gêne. Au contraire, sans doute trouvait-elle Fanny
apprêtée, mais infiniment plus dépourvue qu'elle, réduite
à choisir l'une de ces étoles quand elle fendait la foule avec
sa poussette et jetait son fils aux yeux du monde. Fanny
reposa les étoles.

— À vrai dire, je crois que je vais y aller, je suis pressée.

La femme approuva de nouveau, d'un air maintenant
soupçonneux. Elles se saluèrent froidement et Fanny fuit
loin d'elle.

Albin

Il était convenu qu'Albin irait chercher les marins au port.

Il arrive que les armateurs y abandonnent les bateaux. Afin de remporter les marchés, ils baissent le prix du transport, empiètent en contrepartie sur la sécurité et l'entretien des navires, ne versent pas les salaires des marins et feintent le paiement des taxes. Quand un syndicat inspecte, saisit le bateau à quai et dénonce les infractions, les armateurs disparaissent et délaissent leur équipage. Un homme s'était pendu dans sa cabine, à bord d'un navire marchand bloqué au port depuis plus de trois semaines et dont le capitaine s'était évaporé dans la nature, laissant derrière lui une vingtaine de gars de toutes origines, sans ressources et sans «légitimité» d'immigrants. De Gibraltar au Liberia, en passant par le Cambodge, une trentaine de pays sont libres d'immatriculation et n'imposent ni réglementation de travail ni contrôle des bateaux. Pour ces hommes, parfois improvisés marins, la mer est l'espoir d'une échappée. Mais, au large, les conditions de vie virent à l'esclavage : violence, privation de nourriture et d'eau, suicides et meurtres, épidémies par manque d'hygiène... Qui s'offensera que l'on jette un homme à l'eau quand deux mille marins trouvent la mort en mer chaque année de par le monde? Pour acheter le silence des hommes, les armateurs arguent d'une liste noire : que leur nom y figure et les marins sont assurés de ne jamais plus retrouver d'équipage. Le foyer pour lequel travaillait Albin assurait l'accueil de ces hommes comme leur ravitaillement. Un élan de solidarité avait été initié par des associations caritatives, effectuant chaque jour plusieurs voyages afin que les

marins puissent se doucher, téléphoner à leur famille ou
partager un moment de convivialité.

Sur le parking du foyer, Albin apprécia l'étendue de la
mer qu'il surplombait, son bleu de méthylène. Il pensa à
Émilie, regarda sa montre et songea qu'elle s'éveillait à
cette heure-là. Il regrettait de n'avoir pas tiré les jumeaux
du lit avant son départ et espéra que sa femme se montre-
rait ferme : il n'aimait pas que les garçons flemmardent en
son absence et il veillait toujours à leur confier une liste de
tâches dont il inspectait, le soir, l'avancement. Albin monta
dans le Trafic et chercha dans la boîte à gants le paquet de
Marlboro. Il s'adossa au siège et enclencha l'allume-cigare,
le regard toujours posé sur le large. Il frissonna en inspi-
rant une bouffée de fumée et entrouvrit la vitre. L'image
de la veillée mortuaire, dont il avait le matin même
éprouvé la réminiscence précise, l'habitait encore. La mort
du patriarche avait signé l'amorce d'un changement ou,
tout du moins, Albin avait perçu l'opacité de son père, le
mystère dont il s'était drapé au cours des mois qui suivirent
cette disparition. Il ne gardait du grand-père qu'un souvenir vague. Quelques images de fin d'après-midi en famille,
dans la maison qu'il occupait à la Pointe-Courte. L'aspect
pittoresque de ce quartier de pêcheurs, aux façades blanches, les filets épars couvrant les clôtures, les barques
d'azurite, restaient liés à la personnalité de l'aïeul. Albin
se souvenait du bruit de l'eau qui arrivait dans la tuyaute-
rie du robinet de la cour, et de son goût ferreux. De la
portée qu'une chienne errante avait mise bas, au creux
d'un pneu, dans un cabanon de pêcheur ; de cette odeur
de sang mêlé de caoutchouc, puis du regard de la bête,
hésitant entre méfiance et reconnaissance, quand ils soulevaient un à un les chiots humides de salive et d'humeur.

Ce jour-là, se souvint-il, Armand leur avait demandé de noyer la portée. Il se vit enjamber la porte en fer du jardinet, et s'enfoncer dans le mollet un fil de grillage. Le sang était épais et noir, Albin l'avait regardé dévaler sa jambe avec fascination et il avait fait le vœu de garder toujours cette balafre. Ce qu'il restait de l'aïeul, c'était aussi l'image des pommes de terre, au fond du placard, sous l'escalier, dans l'odeur de cuir et de cirage des chaussures. La fenêtre des toilettes, donnant dans l'obscurité du garage, et la difficulté d'Albin à uriner quand il ne pouvait quitter du regard ce trou noir d'où s'apprêtait à surgir un croquemitaine. Il se souvint que le vieil homme se rafraîchissait avant chaque repas, aspergeait son visage et sa tête, savonnait ses bras jusqu'aux coudes puis se coiffait en arrière avec cérémonie avant de s'asseoir en silence à la table. Enfin, Albin n'avait pas oublié le bruit de sa chaussure dont la jambe boiteuse traînait la semelle, la cadence irrégulière de ses pas. Il n'avait aucune certitude quant à son passé d'immigré italien, du voyage entrepris par-delà les Alpes qui, toujours, avait plané sur l'histoire d'Armand comme une épopée mythologique dont ils ne connaissaient que les grandes lignes et les silences par lesquels leur père s'était soustrait à leur curiosité. Cet héritage de l'exil s'amenuisait encore en eux.

Armand l'avait contraint d'étreindre le cadavre d'un homme qui, de son vivant, n'avait jamais manifesté pour Albin, Jonas ou Fanny le moindre signe d'affection. Albin l'avait deviné austère et rétif à chacun d'entre eux. Durant des mois, ils ne lui rendaient aucune visite puis, lorsque Armand le décidait, la famille prenait le chemin de la Pointe-Courte. Le grand-père les accueillait invariablement dans le salon empuanti par l'odeur des Gitanes qu'il fumait.

Les deux hommes ne parlaient jamais que de pêche ou de l'étang et Armand composait un homme inconnu de Louise et des enfants. Son dos se courbait perceptiblement, il parlait d'une voix douce, presque fluette, ne soutenait jamais les regards de l'ancien, à la façon d'un gosse fautif, il tirait sur ses doigts, glissait les mains dans ses poches, les posait gauchement sur ses genoux comme deux objets embarrassants. Les enfants avaient pour ordre de rester au moins une heure au salon, engoncés dans leurs habits du dimanche. Dans la maison de la Pointe-Courte, avant que l'heure de présence obligatoire ne fût écoulée, leurs jambes fourmillaient du désir de se lever et d'arpenter le quartier alentour, territoire de mystères. Il leur était inconcevable que leur père y eût été un enfant. Albin comprendrait par la suite qu'il importait à Armand, lors de ces visites, de donner d'eux une illusion d'abondance quand ils vivotaient sur son maigre salaire de pêcheur. Albin grandissait vite, l'unique costume devenait étroit. Louise l'avait reprisé aux coutures, mais il n'avait pas échappé à l'aïeul que les enfants étaient toujours vêtus à l'identique.

— Faut-y que j'te donne l'argent pour habiller ton gosse ? Son pantalon lui viendra bientôt aux genoux.

Il avait parlé en français, sur un ton de sarcasme, pour s'assurer d'être compris de tous et de confondre son fils. Armand avait rougi puis balbutié des excuses inaudibles, qui avaient pétrifié Louise et les enfants. Sur le chemin du retour, se souvint Albin, il l'avait vu, furibond, tendre un billet chiffonné à sa mère :

— Que ça se reproduise plus. Tu veux me faire passer pour un sans-le-sou aux yeux du vieux ?

Elle avait acquiescé, pinçant les lèvres, avant de glisser l'argent dans ses bas. De sa grand-mère, Albin conservait le

cliché d'une femme sèche, au tablier bistre, entourée de
ses deux garçons, une main posée sur leurs épaules et ses
filles devant elles. Emportée par la méningite quelques
mois après le départ de ses fils et de son époux pour la
France, elle n'avait jamais connu Sète. Sur cette photo,
Armand était un garçon frêle en culottes courtes, aux cheveux et aux yeux sombres dont rien, dans la physionomie,
ne laissait à penser qu'il deviendrait cet homme colossal
et violent. Albin termina sa cigarette et pensa, au matin
du dîner, combien leur famille portait le sceau du patriar-
cat, combien ces hommes avaient étendu leur emprise sur
leur descendance. Il avait conscience d'être l'un d'entre
eux, sans doute le plus digne héritier de cette humanité
insondable, de cette âpreté, puisque Jonas avait refusé ce
fardeau pour un autre.

Bien qu'Armand et son père n'eussent jamais montré
l'un envers l'autre le moindre attachement, la disparition
de l'ancien laissa le fils dévasté et ils le virent gagner les
quais dans la nuit — Albin avait vu les hublots s'embraser,
l'écume mousser aux écoutilles —, puis disparaître en mer.
Sa présence à la maison devint imprévisible sans qu'aucun
sût ni questionnât ses absences. Albin ne lui en tint cependant pas rigueur puisque Armand l'emmenait parfois, en
fin de semaine. Il éprouvait par instants de la culpabilité
face à la détresse de Louise, au sentiment de rejet dont
souffraient sans doute Jonas et Fanny, mais le privilège d'accompagner Armand en mer l'emplissait d'orgueil. Les états
d'âme de son frère et de sa sœur paraissaient alors méprisa-
bles. Albin savait aussi le désarroi d'être tenu à distance,
lorsqu'il découvrait au matin qu'Armand ne l'avait pas
éveillé et avait pris le large, mais il s'enveloppait dans l'idée

que tous deux partageaient ce qui échappait à tout autre : la solitude de la mer.

La route en direction du port, ce matin-là, lui évoqua leur marche dans l'obscurité des rues de Sète, percées çà et là par le halo des lampadaires. Ils gagnaient le chalutier à deux heures du matin et leurs silhouettes s'affairaient sur le pont, à la lumière des torches, au son des eaux glauques.

À trois heures, le chalutier filait treize nœuds. Albin observait le mutisme de son père et des autres hommes à la lueur des lampions dont les teintes donnaient aux reflets du gouvernail des allures factices. D'autres chalutiers se profilaient près d'eux. La course qu'ils menaient pour atteindre la zone de pêche l'excitait et, lorsqu'ils mettaient à flot le premier trait, leurs visages perdus dans la fumée empuantie de gasoil, le chalutier tirait de l'arrière et tanguait dangereusement. Albin jubilait. La tension des câbles, comme l'aurore enflammait le lointain, traçait à la surface de l'eau des lignes d'argent, et il lui suffisait d'enserrer l'une de ces amarres pour éprouver la puissance du treuil et la résistance des bas-fonds qu'ils écumaient de leurs filets. Enfin, l'heure venue de remonter la prise, Albin aidait les hommes à activer les poulies. Il se mêlait à la tension de leurs muscles, grognait dans le concert de leurs voix gutturales, s'enivrait de cris et de jurons, dévorait du regard l'extraction des chaînes dégoulinant sur le pont, fichées d'algues. Les bouées surgissaient comme autant de mystères issus d'un monde qui échappait à son entendement, et son père et les autres hommes crochetaient les filets pour les hisser sur les flancs du bateau. Ils les saisissaient à bras-le-corps et les amassaient sur le pont. Enfin, et c'était là l'instant de la jouissance d'Albin, le fond du

filet libérait sur leurs jambes un cortège de poissons et
d'algues. Poulpes, baudroies, anguilles, méduses déferlaient sur le pont et leurs couleurs brunes, rouges, éclatantes, leurs reflets de métal et d'acajou laissaient monter
dans l'air l'odeur du ventre de la mer. Dans cette moiteur
odoriférante, ils triaient la pêche, chassaient les nuées de
mouettes à l'affût des déchets qu'ils rejetteraient à la mer
et dont l'aube laissait entrapercevoir l'éclair blanc. Sur le
chemin du retour, ils buvaient au goulot des vins capiteux
et, quand venait son tour, Albin avalait une gorgée, sous le
regard crâne des autres hommes. Ils regagnaient Sète en
fin de journée, pour se livrer à l'effervescence de la criée.
Albin et Armand rentraient le soir escortés par le même
silence qu'au petit matin, mais pleins du sentiment d'avoir
été unis par cette confrontation avec la mer.

À treize ans, Albin opposait à la haine naissante de Jonas
et à l'incompréhension lasse de Louise une arrogance par
laquelle il se conformait aux attentes d'Armand. Il méprisait la sensiblerie de Jonas, son attachement incondition-
nel à leur mère et la spontanéité de ses sentiments, comme
une ébauche de féminité. Durant les deux années qui suivirent la mort du patriarche et virent l'avènement du père
nouveau, Fanny sembla quant à elle disparaître. Albin ne
garderait tout simplement aucun souvenir de sa sœur.
Jamais il ne la verrait figurer parmi eux. Quel âge devait-
elle pourtant avoir ? Dix-sept ou dix-huit ans ?

*

Camille et Jules, ses fils jumeaux, étaient âgés de dix-sept
ans, l'âge de ces jeunes qu'Albin croisa après s'être garé

près du port, et qui exposaient leurs torses élancés et leur arrogance glabre au bord du canal. Il pensa à Jonas, à la manière dont l'un et l'autre étaient devenus étrangers, et à la fraternité à laquelle le confrontaient ses propres enfants. Malgré leur gémellité, Albin avait veillé à ce qu'ils développent une personnalité propre et, très tôt, Émilie et lui avaient décidé de les vêtir différemment, puis de leur faire fréquenter deux écoles distinctes afin qu'ils ne se fondent pas dans un même moule, à l'instar de ces jumeaux dont les parents ne parviennent pas à citer une particularité. Albin avait bercé leur enfance de ses humeurs, et ses garçons s'éloignaient à leur tour. Il ignorait si Camille et Jules lui étaient trop étrangers désormais pour qu'il puisse rattraper le temps perdu, un reste de complicité. Albin ignorait même ce que devait être cette complicité, comment elle se suggérait et lorsque, à la manière d'Armand, il cherchait à partager un moment, ses fils l'évitaient et le redoutaient.

Albin était parvenu, l'année précédente, à les emmener assister aux joutes qui se tiennent à Sète le jour de la Saint-Louis. Le long du canal Royal, chacun de leurs regards, chacun de leurs gestes lui renvoyaient leur soumission et leur ennui : ils se pliaient à leur devoir, cherchaient à satisfaire leur père dans l'espoir qu'il les laisserait ensuite en paix. De retour, comme Camille tardait à descendre de voiture, Albin avait cherché à comprendre :

— Ça ne s'est pas passé comme je l'aurais voulu, tu ne crois pas ?

Il décelait l'impatience, la nervosité de son fils.

— Je sais pas, papa, je sais pas ce que tu voulais.

Faisait-il peur à son fils ? Avec maladresse, il lui avait proposé une cigarette que l'adolescent avait refusée. Albin n'autorisait d'ordinaire pas qu'ils fument devant lui.

— Qu'on passe un moment ensemble, je suppose.

— Alors, oui, t'as eu ce que tu voulais.

Camille ne regardait pas son père, ses yeux arpentaient le tableau de bord, ses doigts tapotaient nerveusement sur la poignée de la portière. Albin avait voulu porter une main à son épaule, mais, sitôt le bras levé, Camille s'était rétracté et avait protégé son visage. Albin avait reposé sa main sur le volant :

— Je n'allais pas te frapper, avait-il dit d'une voix blanche. Rentre. Rentre à la maison, maintenant.

Camille s'était empressé de quitter la voiture, laissant son père seul.

Bien sûr, il lui était arrivé de corriger ses fils. Par souci de leur éducation. Un jour, pour un prétexte quelconque, dont le souvenir lui avait échappé, Albin avait giflé Jules dans la cuisine, et son coup l'avait projeté contre un recoin de paillasse. Marchant toujours en direction du bateau où il devait rejoindre les marins, Albin revoyait son visage en sang, puis celui de Camille, révulsé par sa présence tandis qu'il lui parlait dans la voiture. Jules portait au front une cicatrice dont la vue était douloureuse à Albin. Il continuait d'avancer sur le port, submergé par le remords et la honte.

Louise

Les halles bourdonnaient du bruissement de la glace étendue sur les étals poissonniers et du chorus des voix.

Elle vaquait à ses achats, on la saluait de la main, on se pré-
occupait de sa santé puis de celle des enfants. La présence
de Louise était ici familière, elle y avait travaillé pour plusieurs producteurs et avait acquis la légitimité d'une femme
de Sète, d'une épouse de marin. Les regards se posaient sur
elle avec amitié, condescendance, et les amoncellements
de fruits, de légumes, l'appétence des tielles, l'éclat virgi-
nal des rougets et des tranches de saumon la rassuraient.
Elle hésitait encore sur le plat qu'elle cuisinerait le soir ; il
fallait quelque chose qui plût aux enfants. La rêverie qui
l'avait étreinte au salon se dissipait, mais Louise traînait
avec elle les vapeurs sensuelles de cet après-midi aux plages,
trente-deux ans plus tôt.

Elle ignorait à quel point elle était différente de la
femme qu'elle avait été ce jour-là. À la naissance de Jonas,
ils avaient marché vers le port et Armand les avait menés
au large. La mer était une immensité dont ils ne pouvaient
soutenir le poudroiement du regard. Fanny et Albin se
jetaient dans l'eau calme, les gerbes blanches que projetaient leurs corps brunis par l'été posaient une pluie lourde
sur la peau de Louise. Armand tenait la barre, son dos se
découpait à contre-jour et elle percevait la satisfaction sur
son visage, celle d'un contremaître pour l'accomplissement consciencieux de son ouvrage. Elle avait alors considéré ses enfants et son époux comme un aboutissement.
Elle avait la crédulité et l'abnégation propres aux jeunes
femmes de son temps, pensa-t-elle. Au commencement de
leur relation, se souvint Louise, il lui arrivait d'éprouver
avec fulgurance cet espoir, presque douloureux, logé en
elle, dans sa poitrine.

Elle décida de préparer des moules farcies et une maca-
ronade. Elle choisit un bouquet garni, quelques gousses
d'ail.

— Mes enfants viennent ce soir, crut-elle bon de justifier lorsqu'elle demanda la chair à saucisse et le paleron
de bœuf.

Louise en tirait une certaine fierté, et le boucher lui
adressa un signe de compréhension :

— C'est important, que les enfants soient près de vous.

Se souciait-il vraiment de sa solitude ? À travers l'étal de
verre, elle observa l'enfilade des charcuteries, l'écoulement rosâtre des viandes.

— Vous m'ajouterez un os à moelle. Bien sûr, je n'ai pas
à me plaindre. Ils sont présents. Plus qu'il le faut. Et puis,
eux aussi doivent vivre leur vie, je le leur dis sans cesse.

L'homme approuva, déjà lassé de ses confidences, et
Louise sentit un pincement au cœur : pourquoi avait-elle
en réalité la certitude que les enfants venaient à elle comme
pour l'exécution d'une corvée ? Fanny en particulier, bien
qu'elle fût la plus assidue dans ses visites. Qu'avait-elle fait
pour devenir à ce point dissemblable de cette Louise qu'ils
avaient un jour adulée ? Ses enfants avaient-ils oublié
— avaient-ils jamais su — qu'elle avait été une femme
avant d'être leur mère ?

Elle avait porté la culpabilité de ce jour à la plage mais,
tandis que les mains épaisses du boucher entaillaient la
viande, elle comprit avoir perçu bien avant ce jour le changement d'Armand, après la naissance de Jonas. Dès lors, il
s'était éloigné d'eux, jamais de manière définitive mais par
instants, par périodes ; ils le perdaient et, dans la traversée
que fut leur vie commune, les années qui suivirent la mort
de son père annoncèrent l'inéluctabilité de son boulever-

sement comme la période la plus éprouvante de leurs existences.

Ce fut un été aride. Pas une goutte de pluie ne vint
abreuver l'éventrement de la terre et pallier l'évaporation
des étangs. Les corps des touristes s'amassaient sur les
plages et leur affluence bariolait Sète. Les flamants roses
chatoyaient au loin, dans une eau chaude, verdie par la
malaïgue. Dans la touffeur de la maison de la Pointe-
Courte, où les coques des bateaux siégeaient dans un
limon durci, Louise assistait l'agonie de son beau-père.
Après avoir vécu à Naples, Antonio, le frère d'Armand, et
sa femme Anna avaient rejoint Sète. Louise avait ressenti
une affection immédiate pour cette grosse femme rieuse,
qui parlait le français avec un accent ronflant. Cet été-là,
elles trempaient des gants dans une bassine d'eau froide et
lavaient le corps moite de l'ancien dans la chambre où
aucune d'elles n'avait pénétré auparavant. Une photo près
du lit rappelait la femme courtaude et austère qu'avait été
la mère de leurs époux. Leurs sœurs, placées chez des tantes, n'avaient pas eu le choix de l'exil et Louise ne ferait
leur connaissance qu'aux obsèques du patriarche, avant la
fin de l'été.

Dans l'atmosphère empuantie de naphtaline, Anna et
elle se confrontaient à la nudité de cet homme à l'égard
duquel l'une comme l'autre n'avaient jamais éprouvé que
de la crainte. Lorsque ses fils lui rendaient visite, ils atten-
daient au salon qu'elles aient préparé leur père et l'aient
installé dans le lit. Ils parlaient peu, et elles sortaient pour
les laisser entre hommes. L'ancien, Louise le découvrit
alors, était un monstre. Jamais il ne manifesta pour elle ou
pour Anna la moindre once de reconnaissance. Lorsqu'elles

lui faisaient la toilette, il proférait des insultes à leur encontre. Maintes fois, il barbouilla ses draps de merde. Non par inadvertance, pas même par incontinence, mais pour la satisfaction de voir le dégoût se peindre sur leurs visages lorsqu'elles entraient dans la chambre. Elles passaient des heures à lessiver dans la baignoire draps et couvertures. Ces linceuls chauffaient tout le jour, horde de méduses laiteuses, sur les étendoirs qu'elles attachaient à même la rue.

Louise et Anna prirent l'initiative d'imposer des protections au vieillard. Elles n'en dirent pas un mot à leurs époux, aucun d'eux ne tenant à savoir qu'elles baignaient jusqu'aux coudes dans les déjections de leur père. Les séances de toilette ou d'habillage devenaient une épreuve. Le patriarche saisissait leurs bras avec force, les griffait et les giflait sans vergogne, arrachait leurs cheveux par poignées et, pour peu qu'elles aient esquissé un geste avec maladresse, tentait de les frapper de sa jambe raide. Le soir où elles lui enfilèrent une couche pour la première fois, il se débattit comme un fauve et les frappa avec une force telle que Louise garda longtemps des ecchymoses aux cuisses et aux seins. Elles craignirent que ses cris ne finissent par alerter les voisins, mais il s'épuisa enfin et elles le bordèrent tandis qu'il continuait d'hululer doucement dans son sommeil.

Le lendemain, Louise vint plus tôt que d'ordinaire et, sitôt la porte d'entrée passée, elle sut qu'il avait recommencé. L'odeur l'avait assaillie depuis le pas de la porte et elle gagna précipitamment la chambre avec la certitude de retrouver, comme de coutume, les draps couverts d'excréments. Le spectacle dépassait ses craintes : une fiente diarrhéique tapissait murs et rideaux. Il fallait qu'il fût parvenu à se hisser hors du lit pour atteindre chaque coin de la pièce, quand elles devaient être deux pour le porter sur son pot d'aisances lorsqu'il daignait les avertir d'une envie. Les traces de mains ne laissaient aucun doute quant aux intentions du vieillard, lui-même souillé des genoux au torse. Son sexe et les poils de son pubis disparaissaient sous une croûte sombre. La couche reposait au sol, déchiquetée. Les morceaux voletèrent pesamment et se glissèrent sous le lit lorsque Louise ouvrit les battants de la fenêtre. Elle porta une main à sa bouche et se précipita hors de la maison pour reprendre son souffle. Lorsqu'elle reparut, le vieil homme l'observait depuis le lit. Il jubilait.

Elle téléphona à Anna, qui la rejoignit au plus vite. Elles passèrent la matinée à éponger les murs de la chambre tandis que le vieillard les abreuvait d'insultes.

— *Mangia! Mangia! Scopami il culo!* cria-t-il à Anna quand elle lui torcha le derrière.

Puis, à l'intention de Louise, qui se tenait en retrait :

— Et toi, la grosse, t'aimes voir ça, non, t'aimes te rincer l'œil ?

Il désignait son sexe mou, reposant sur l'alaise entre deux cuisses maigres. Anna, qui avait jusque-là gardé le silence malgré ces invectives, saisit alors le patriarche au col, le souleva de l'oreiller et le tira vers elle, ramena de l'autre main le seau d'aisances qui reposait sur une chaise près du lit et le lui porta au visage :

— *Non sono la tua serva, vecchio. Appena caghi nelle tue lenzuola, giuro che ti faccio bere 'sto secchio fino all'ultima goccia.*

Le vieux la fustigea d'un regard halluciné. Anna le défia jusqu'à ce qu'il eût détourné les yeux puis reposa le pot sur la chaise et relâcha la chemise de nuit. L'ancien retomba lourdement sur son lit et se rallongea en tremblotant. Elles s'échinèrent à nettoyer la chambre, puis firent brûler un paquet entier de papier d'Arménie qu'elles trouvèrent dans les tiroirs d'une commode. Lorsqu'elles sortirent enfin prendre l'air, il était midi passé et la maison embaumait comme un temple hindou.

Anna glissa une main dans la poche de son tablier et en tira un paquet de Gitanes.

— Regarde, j'ai piqué ça au salon.

Aucune d'elles ne fumait, mais elles contemplèrent le paquet bleu comme un objet défendu. Elles sentaient à plein nez l'eau de Javel, leurs cheveux collaient à leur front, à leurs tempes, des auréoles se dessinaient à leurs aisselles et dans leur dos. Anna porta une cigarette à ses lèvres et l'alluma. Aux premières bouffées, elles toussèrent comme deux tuberculeuses.

— T'as dit quoi, au vieux, tout à l'heure? demanda Louise, enhardie par la prestance que lui donnait le mégot entre ses doigts.

— J'ai dit qu'on n'est pas ses bonniches et que, s'il continue de se chier dessus, je lui ferai boire son pot de pisse jusqu'à la dernière goutte.

Louise tourna le visage vers la fenêtre de la chambre, aux volets mi-clos.

— Oh, vraiment?

— Pour sûr, *la ultima goccia*!

Elles se turent d'abord, occupées à terminer la cigarette, méprisant leur mal de tête, puis Louise gloussa et toutes deux partirent d'un éclat de rire commun et irrépressible. Elles riaient à n'en plus tenir sur leurs jambes, s'effondraient l'une sur l'autre, épongeaient leurs larmes avec leurs tabliers, frappaient leurs grosses cuisses. Leur ventre était douloureux, elles se pliaient en deux, ramassées sur leurs genoux, au bord du trottoir, ignorant les regards en biais des passants.

À la mort d'Anna, quelques années plus tard, sur le parvis de l'église où ils célébreraient ses funérailles, ce serait cet instant que Louise se remémorerait, cette image d'elles, hilares et embrassées dans la rue, et elle courrait se cacher derrière le presbytère où elle rirait comme jamais plus elle ne le ferait à nouveau.

Louise y pensait, aux halles, et un sourire s'esquissa sur ses lèvres. Son beau-père ne s'était plus avisé de faire ses besoins ailleurs que dans la faïence de son pot de chambre, mais Louise et Anna avaient deviné l'homme auprès duquel leurs époux respectifs avaient grandi, bien qu'aucun d'eux n'en eût jamais rien dit. Louise avait cherché à parler avec Armand, à l'encourager pour qu'il raisonnât son père. Un soir, comme elle était rentrée épuisée, elle s'était effondrée en pleurs et l'avait supplié :

— J'en peux plus, j'en peux plus, tu comprends ? Dis-lui donc, toi, de faire un effort, le médecin dit qu'il le peut très bien.

— Mais que veux-tu que je lui dise, bon sang, Louise ? répondit-il avec une violence qu'elle ne lui connaissait pas encore. Tu sais pas torcher un cul ? T'es donc bonne à rien ? Tu voudrais que ce soit moi qui le lui fasse, c'est ça ? Crois-moi, c'est pas le genre d'homme dont on exige quoi que ce soit. Occupe-t'en comme si c'était ton propre père, c'est tout ce que je te demande. Ne discute pas.

Parfois, il ajoutait : « Je sais que c'est difficile », ou : « Je sais comment qu'il est, ce vieux salopard », et elle devait se contenter de cette sollicitude.

Le patriarche s'éteignit tandis que la gauche sortait majoritaire des urnes aux municipales, et Louise crut à une délivrance. Cette mort le fut pour elle, mais elle comprit bientôt combien, par son absence et un passé qui, toujours, lui était resté occulte, le vieil homme avait assis son influence sur la vie d'Armand. Perdre ce père, qu'il haïssait sans doute, c'était perdre l'armature de sa vie, l'incroyable poids des interdits avec lesquels il était parvenu à se construire. Elle le revoyait, par l'entrebâillement de la porte, contraindre leur fils à embrasser ce corps dont elle connaissait désormais l'intimité. Lorsque Albin avait quitté la pièce, l'urine auréolait son pantalon et clapotait dans sa chaussure. Elle l'avait sermonné avant de le changer avec brutalité, impatience, troquant son pantalon de velours contre un short trop grand qui avait appartenu au vieillard et donnait à Albin un air ridicule. Les années qui suivirent, l'enfant s'était pourtant rapproché de son père et ne lui avait jamais tenu rigueur de ses excès d'autorité comme de ses absences quand Jonas et Fanny, eux, semblèrent en pâtir.

*

Louise attendait la venue de sa fille et décida de lui parler. Il lui tenait à cœur qu'elles parviennent à discuter entre femmes avant le dîner. Sur le chemin du retour, elle se laissa bercer par la régularité de ses pas, le balancement des sacs de papier contre ses cuisses. Sur la place Léon-Blum, elle s'assit, les provisions près d'elle. Elle observa les pigeons qui erraient à ses pieds. L'église Saint-Louis sonnait onze heures et elle s'inquiéta que Fanny trouvât porte close, mais elle ne parvint pas à se presser de rejoindre la grande rue Haute. Les années prenaient consistance, tra-

çaient autour d'elle des cercles qu'elle contemplait depuis
le matin sans en saisir le sens. Albin s'était éloigné d'elle ; il
opposait à ses attentions une crânerie juvénile. Fanny était
devenue une adolescente et mettait toute sa persévérance à
fuir la maison ; Louise se demandait si sa fille la percevait
alors comme une spectatrice passive de leur démantèle-
ment. Peut-être même l'avait-elle jugée responsable de la
dissolution d'Armand ? Ces années-là, Fanny semblait avoir
nourri une aversion pour sa mère, contre laquelle Louise
n'était pas parvenue à lutter. Parler à ses enfants ne lui était
pas naturel : son éducation, dans une ferme des Cévennes,
excluait l'expression de tout sentiment et, à l'image de sa
mère, Louise avait de tout temps cherché à manifester son
amour pour les enfants par des attentions quotidiennes au
travers desquelles elle avait appris à exister.

Pour combler le vide que laissait Armand au profit de
sorties en mer dans lesquelles il s'échinait à faire d'Albin
un marin et son semblable, Louise ne céda devant aucune
tâche. Quand elle ne travaillait pas aux halles, elle reprisait
pour un atelier de couture du vieux centre. À la maison,
elle préparait les repas à heures fixes, lessivait le linge, battait les draps aux fenêtres, cirait meubles et planchers.
Lorsqu'elle se confrontait enfin au vide de la maison, elle
s'ancrait dans la présence de Jonas. Avait-elle pressenti, sans
se l'avouer jamais, la différence de son fils ? Elle s'émouvait
de sa réceptivité, de l'affection qu'il lui démontrait sans
cesse. Il était du reste falot, impressionnable, et elle entre-
tint cette émotivité en devançant chacune de ses attentes,
chacun de ses besoins. Rien ne lui semblait plus important
que de le couver. Jonas était son garçon, son petit, un
enfant osseux à la peau diaphane, à l'allure dégingandée,

à la poitrine étroite et creuse, et qui ne semblait pouvoir survivre sans sa protection. Ils continuaient de former un seul et même être, affectionnant la solitude et une certaine fantaisie de l'esprit. Les instituteurs de Jonas s'inquiétaient de son manque de concentration, mais Louise aimait qu'il fût si particulier et elle n'écoutait jamais leur pédagogie que d'une oreille distraite. Elle était un peu hautaine, méprisait leurs certitudes, assurée de le connaître bien mieux. Elle l'aimait pour ce qui le différenciait justement des enfants de son âge. Des années plus tard, lorsque Jonas s'exilerait loin d'elle, elle souffrirait de ne plus le comprendre et de le voir repousser avec intransigeance les gestes qu'elle esquisserait vers lui.

Sur la place Léon-Blum, elle se souvint d'un été durant lequel Jonas n'avait pas plus de neuf ans. Ils regardaient la télévision au salon ; la tête de son fils reposait sur ses genoux et ils suivaient sans grand intérêt un journal télévisé où l'on annonçait la suppression des législations anti-homosexuelles, à l'initiative de Badinter. Un reportage montrait plusieurs hommes qui s'enlaçaient sans pudeur, s'embrassaient à pleine bouche et revendiquaient leur droit à vivre leur sexualité librement. Certains parlaient d'une épidémie ravageant la communauté. Louise avait éprouvé une bouffée de chaleur, un fourmillement dans la main qui reposait sur le bras de Jonas, sans parvenir pour autant à définir le sentiment qui l'accablait, une forme de crainte, un mauvais augure : se pouvait-il que son fils devînt ainsi, qu'il fût voué à mourir d'une maladie infamante ?

— Ne fais jamais une chose pareille, c'est répugnant, dit-elle.

Jonas tourna vers elle un visage indécis, et Louise s'empressa de changer de chaîne, se reprochant aussitôt de
l'accabler. Elle chassa toute inquiétude de son esprit. Ce
soupçon ne s'était jamais plus représenté. Du moins l'idée
n'avait-elle jamais repris forme avec une telle précision,
même lorsqu'elle avait vu Jonas, adolescent, se désintéresser des jeunes femmes ou, plus tard, se détourner tout à
fait de la famille. Mais, dans la constance de son amour
pour son enfant, il lui arrivait d'éprouver l'élan d'une
colère irraisonnée : elle regardait Jonas jouer dans la rue,
chevaucher un tricycle, courir avec son frère ou s'amuser
avec d'autres enfants quand, soudain, l'idée qu'il vécût
quelque chose hors d'elle, qu'il partageât une complicité
avec d'autres lui devenait insupportable. Tout était réuni
pour qu'elle fût sereine et comblée de le voir heureux, mais
elle ne pouvait raisonner cette exaspération charnelle, cette
démangeaison, comme une impatience dans ses bras et
ses jambes, à laquelle elle finissait par céder. Louise était
convaincue que Jonas n'avait besoin de personne, puisqu'il
la possédait, elle. Elle le rappelait alors sous un prétexte
quelconque, quitte à interrompre ses jeux, et lui disait
quelquefois, serrant fiévreusement ses mains entre les siennes :

— On fait une sacrée équipe, nous deux, bien vrai?

Elle avait vécu l'annonce de son homosexualité comme
un échec cuisant, avec la certitude de n'avoir pas connu
véritablement son fils et d'avoir gaspillé des années auprès
de lui à chercher une compréhension, à réfuter l'évidence.
Puis la culpabilité avait surgi; Armand l'avait désignée
comme responsable :

— Si tu n'avais pas été cette mère stupide, on ne se retrouverait pas avec un foutu pédé dans la famille aujourd'hui.

Mais Louise était libérée de ce poids, assise sur un banc de Sète, ses provisions près d'elle. Elle avait fait le choix d'accepter tout de ses enfants, et il fallait pour cela comprendre qu'ils ne fussent pas conformes aux souhaits qu'un jour, sans conscience et égoïste, elle avait formés pour eux. La disparition d'Armand, devait reconnaître Louise, l'y avait aidée. Il était mort en la laissant dans cette ambivalence. Louise se leva enfin pour reprendre sa route.

Et puis, songea-t-elle, elle aimait Hicham. Il était un membre de leur famille désormais, au même titre que chacun de ses fils.

Jonas

Samuel et lui avaient prélevé une vingtaine d'huîtres et deux kilos de moules. Ils avançaient en silence dans les eaux, coutumiers de leurs présences respectives et des bruits de l'étang. Jonas laissait son esprit vagabonder sur les nervures d'or, le panache des herbes, l'élan d'un héron. Le jour embrasait la végétation, des éclats de lumière voguaient sur l'eau pourpre. La tramontane balayait les hautes herbes et Jonas frissonna, vivifié par la salinité de l'air. Les roseaux balançaient leurs couronnes et leurs plumes d'argent, les feuilles bruissaient et leur souffle gonflait dans l'air. Samuel et Jonas ne parlaient pas, sachant, pour la goûter tous deux, la griserie qui les gagnait au bord de l'étang.

Jonas songeait à son enfance, à l'odeur de bitume des rues de Sète sous le soleil de l'été. Les premières marches des fiertés, à l'appel du comité d'urgence antirépression homosexuelle et l'intense soulagement de pouvoir nommer ce qu'il se sentait être, la certitude d'une appartenance à une communauté qui, même inaccessible, existait bel et bien. L'ondoiement de la lumière glissant dans l'habitacle d'une voiture, le long d'une autoroute, les rares fois où ils partaient en vacances. L'odeur d'essence d'une station-service où des néons crèvent la nuit. La démangeaison de leurs jambes dans un champ en friche. Une fenêtre ouverte dans la nuit et le bruit d'un avion qui de loin en loin s'amenuise. L'apparition du sida, ce titre lu dans un journal : *L'épidémie du cancer gay* et l'idée d'être un jour ou l'autre rattrapé par la maladie. L'éclat bleu d'une veine au front d'Armand lorsqu'il s'emporte, l'odeur de sève des figuiers et le concert des cigales. La peau moite de Louise, ce parfum de transpiration et de crème pour le corps quand elle le prend dans ses bras. L'assourdissant tapage d'un orage. Un morceau bariolé du mur de Berlin dans un sachet en plastique, qui passe de main en main dans la cour de l'école. L'odeur de la ville qui exulte au tambourinement d'une pluie diluvienne. Une sieste dont les jeux d'Albin et de Fanny le tirent et Jonas les sait vivants et près de lui. Des soirées sur les toits des Abribus, sous la voûte immense, dans l'effluve doucereux des moteurs de mobylettes qui tiédissent en contrebas. Puis des rires, qui jamais ne cessent de répercuter leur écho et d'arpenter leurs vies. Ces souvenirs-là tendaient un kaléidoscope mouvant où Jonas contemplait une vue de lui, des instants et des sensations qui le composaient.

*

Lorsque Fanny avait rencontré Mathieu, elle s'était éloignée de la famille. Douze années la séparaient de Jonas et

jamais ils n'avaient été vraiment proches, aussi acheva-
t-elle de devenir une étrangère que Jonas ne retrouverait
pas avant la mort de Léa, dans le partage du deuil. Albin
avait acquis l'âpreté des marins. Il se comportait avec son
frère sans ménagement et continuait de croire que leur
père n'était pas, de manière systématique, ce personnage
dont la négligence restait, au souvenir de Jonas, le princi-
pal trait de caractère. Jonas se laissait aller à rêver de la
connivence qu'ils avaient jadis partagée à l'écoute des étapes de la Route du Rhum. Il advint quelquefois qu'Armand
délaissât ces affres connues de lui seul pour devenir à nouveau ce père attentionné. La famille était désormais coutumière de ces bouleversements, et elle les espérait. Lorsque,
de retour de la pêche, Armand franchissait la porte, Louise
et les enfants prenaient la mesure de son humeur. Jonas
voyait sa mère changer perceptiblement. Il sentait son allé-
gresse, l'alanguissement inhabituel de ses gestes. Sa chair
reprenait un droit sur la maison, la famille, et celle qui
s'était dévouée tout entière à son benjamin s'échinait de
nouveau à séduire Armand. Jonas souffrait de la voir ainsi
dévouée à son père. Il se pressait contre lui, cherchait à
accaparer son attention, car être aimé d'Armand semblait
alors l'unique façon de ramener Louise vers lui. Lorsque
Armand le prenait enfin dans ses bras, il rétablissait ce lien
privilégié par lequel il était uni à sa mère puisque, trop
heureuse qu'il s'intéressât à leur fils, elle cherchait par des
vétilles à encourager sa bienveillance.

Ils continuaient d'héberger des marins, et ces hommes
se substituaient à la présence de son père. Jonas ignorait
s'ils avaient été, comme Pavel, abandonnés au port. Beaucoup étaient étrangers, et il ne savait jamais combien de

temps ces hommes resteraient parmi eux. Armand impo-
sait-il leur présence à Louise? Albin, Fanny et Jonas la
subissaient sans mot dire. Parfois, les marins ne surgissaient
que le soir, puis reprenaient la mer le matin, aux côtés
d'Armand. D'autres séjournaient chez eux des jours ou des
semaines, sans que Jonas comprît jamais à quoi ils occupaient leur temps, ni s'ils vivaient durant leur séjour aux
dépens de ses parents. Ils rentraient ivres à toute heure du
jour ou de la nuit, empestant les mauvais alcools. Albin et
Jonas étaient tenus à la discrétion et jouaient en silence
quand les hommes décuvaient au salon ou dans leur chambre. Ils observaient avec effroi et fascination la dévotion de
leur mère pour ces hommes, les verres d'eau qu'elle portait patiemment à leurs lèvres, les gants humides à leur
front, les bassines de vomissures qu'elle récupérait au pied
de leur lit. L'étrangeté de leur odeur, le son inhabituel de
leurs voix, leurs langues exotiques, l'intrusion des marins
menaçaient toujours l'harmonie dans laquelle Louise et
Jonas vivaient, et sans doute aimait-il pour cela la présence
des marins : elle mettait sans cesse en péril la pérennité de
leur amour et le rendait par là d'autant plus intense et précieux.

   Chacun de ces hommes lui paraissait porter la rugosité
de caractère, mâtinée de désespérance, qui avait ému Jonas
chez Pavel, des années plus tôt. Il recherchait leur présence,
regrettait leur départ. Louise ne s'étonnait jamais qu'ils
soient repartis, parfois sans un mot de reconnaissance, pas
plus qu'elle ne justifiait leur absence auprès des enfants.
Le matin, passant devant la chambre d'amis, ils trouvaient
la porte et les fenêtres grandes ouvertes, le lit débarrassé
de ses draps. Jonas les cherchait au cellier, dans le panier
de linge sale, et il y enfouissait son visage pour retrouver

leur odeur, éprouver ce trouble que soulevait en lui le coton
saturé de leur sueur nocturne. Un assentiment tacite, presque un mystère, avait de tout temps plané sur la présence
des marins. Ils en ignoraient les raisons, l'habitude les dis-
suadait de chercher à les connaître. Les marins permettaient qu'ils soient rarement seuls, en famille, confrontés
les uns aux autres. Ils imposaient une distance salvatrice
entre eux et, Jonas le comprit plus tard, contribuaient à les
préserver d'Armand. Ces années d'aliénation familiale
mirent Fanny au banc de la famille, et Jonas continua à
rêver d'un chalutier qu'une mer sombre fait chavirer puis
engloutit. Mais, cette fois, Armand et Albin étaient sur le
pont, cherchaient à échapper au soulèvement des eaux. Ils
se débattaient puis disparaissaient, engloutis à la cassure
d'une vague.

Dans un autre rêve, Jonas les voyait couler à pic, comme
lestés de plomb, dans une immensité insondable, vers des
profondeurs où des formes se mouvaient dans les ténèbres.
Leurs visages et leurs mains se tendaient vers lui, et Jonas
était omniscient, à la fois la mer et le rêve, le dieu qui
veillait à leur noyade sans jamais esquisser un geste de clé-
mence.

Quelques mois plus tard, Albin vint à la maison en compagnie d'Émilie, et annonça à Louise et à Armand qu'ils
s'installeraient ensemble. À quinze ans, affranchi de la présence de son frère et de l'autorité de son père, Jonas délaissa
Louise pour vivre une sexualité qu'il expérimenta sur les
bords de plages, avec des touristes anonymes, dans des coïts
brutaux et désincarnés derrière la porte à peine rabattue
de toilettes publiques puant l'urine, dans des bars crasseux

où il se laissa prendre par des marins enivrés d'alcool et de
tabacs âcres, amants aux chairs répétitives et enivrantes.

— On a ce qu'il faut, Jonas, on peut rentrer, dit Samuel.

Jonas releva la tête et retrouva la dimension de l'étang.
Il croyait entendre la mer rugir, à quelques centaines de
mètres d'eux. *Les vagues se brisaient, et leur flot rapide se répan-*
dait sur la plage. Elles se soulevaient l'une après l'autre, puis
retombaient, entraînant leur embrun dans la violence de leur
recul. Un réseau de lumière diamantée tremblait sur leur échine
teintée d'un bleu profond, qui ondulait comme le dos des grands
chevaux en marche. Les vagues déferlaient, reculaient puis défer-
laient de nouveau, avec un bruit pareil au piétinement d'une bête
énorme.

Fanny

Elle suivait du regard les lignes en bordure d'autoroute,
les carrosseries, miroirs au soleil de midi, l'hésitation de
l'air brûlant au-dessus du bitume, les mirages verglacés et
les eaux indistinctes. Par la fenêtre ouverte, l'air chaud
s'engouffrait et enlaçait sa nuque moite. Fanny prenait
toujours la route de Sète malgré elle, le ventre noué par la
crainte de revoir la ville. Elle appréhendait l'esquisse des
étangs, le bleu de la mer dont on ignore par temps clair où
il se confond avec le ciel. Elle craignait l'imposante digue
de pierre derrière laquelle sombre le large et l'acier cor-
rodé des anciennes raffineries de pétrole, d'engrais ou de
soufre, sur l'autre rive du canal.

Avant que la ville ne prenne son nom, elle portait celui
de Cette, comme une désignation péremptoire. La pêche

attirait les hommes venus de l'intérieur des terres, mais aussi exilés d'Espagne et d'Italie. Son grand-père avait été de ceux qui délaissèrent leur patrie pour la promesse de cette «île singulière» et d'une vie prospère. Le brassage des cultures, des traditions et des communautés laissait une empreinte dans la ville et il fallait en arpenter les rues pour éprouver le sentiment d'un ailleurs, mais aussi la cause du malaise de Fanny, la certitude d'y être toujours étrangère. Elle marchait sans cesse dans Sète comme en terre hostile. Chaque pas déflorait sa découverte de la ville sans que, jamais, elle parvînt à lui sembler acquise. Lorsque, au hasard d'une rue, un ancien ami de son père, une connaissance de la famille, venait à la reconnaître ou l'interpellait, et bien que Fanny la remît et la nommât à son tour, elle hésitait et s'inquiétait qu'on la confondît avec une autre. Elle se souvenait des rues et des places, des commerces en bordure des canaux, elle reconnaissait l'épicerie ou le bazar dont les étals de fruits, de tapis et d'épices bariolaient le trottoir. Fanny savait de mémoire les enseignes des poissonneries, des restaurants à bouillabaisse sur les quais, mais aucun de ces détails ne lui inspirait de la nostalgie ou de l'attendrissement. De son enfance à ce jour, une chape de plomb se glissait sur sa mémoire.

Armand lui avait raconté qu'au début du siècle précédent, sur la route de la Corniche, se trouvaient des montagnes de sel dont il était impossible, au soleil de l'été, de soutenir l'éclat aveuglant du regard. De ces salins en partance pour l'Europe du Nord ou l'Amérique du Sud, Fanny avait bâti une cité aux hauteurs étincelantes, dont elle connaissait chaque recoin et dans laquelle elle avançait, les yeux clos, pour ne pas perdre la vue. La ville qu'elle élevait

en songe, elle y retournait désormais et Sète, bien réelle,
étendait à jamais ses ombres sur sa vie. Si Fanny baissait les
yeux dans les rues, si elle ne pouvait la soustraire à son
regard, c'est que Sète l'aveuglait encore, non par sa ruti-
lance, comme l'auraient fait les salins de Villeroy, mais
par les drames et les renoncements auxquels elle l'avait
contrainte.

Elle y avait pourtant rencontré Mathieu, et le souvenir
des prémices de leur relation affleurait à son esprit cependant qu'elle peinait à se concentrer sur la route qui la
menait vers Louise. Il suivait ses études de médecine à Montpellier. Lorsqu'ils prenaient le train ensemble, le matin, elle
l'observait et elle avait aimé son allure négligée, son dos que
le travail d'été sur les docks avait élargi, la manière dont
il pinçait le filtre de sa cigarette entre le pouce et l'index
puis le lançait sur la voie avant que le train n'entrât en gare.
Fanny ne retenait pas son attention. Elle s'effaçait sous des
vêtements informes, bien que son corps, lorsque, nue, elle
en observait le reflet, lui semblât désirable. Elle avait une
peau souple et pâle, des seins aux aréoles étroites, et chacun
d'eux pouvait reposer dans le creux de sa main. Sous le vallon de son ventre, le pubis dessinait une écume brune qui
se brisait à l'aine. Sur les photos qui la voient figurer à cet
âge, Fanny contemplait un visage replet, un peu quelconque, le dessin au biseau de ses lèvres et un regard interdit.

Elle ne pensait pas avoir ressenti de désir impérieux
pour Mathieu. Elle l'avait trouvé beau garçon, elle caressait l'idée d'une romance. Il lui fit l'amour dans ce train,
empoigna rudement ses seins et fit glisser sa culotte sous sa
jupe tandis qu'elle restait allongée et immobile. Elle craignait qu'on ne les surprît et surveillait la porte du compar-

timent. Fanny observait avec recul les gestes que Mathieu portait sur son corps. Son membre était sombre, la courbe de son sexe et l'épaisseur de son gland l'inquiétèrent d'abord. Elle craignit qu'il ne parvînt pas à la pénétrer et, dans sa crainte, elle resta étroite et sèche. Elle se sentait aussi nauséeuse, vaguement honteuse. Mathieu se pressa à l'entrée de son sexe puis, comme elle gémissait, porta une main à ses lèvres, cracha et lubrifia la hampe du sien. Ce geste révulsa Fanny, mais elle le laissa entrer en elle et garderait en mémoire l'absence de plaisir, l'embrasement de ses joues et la douleur vive tandis qu'il la déflorait, la langue de Mathieu dans sa bouche et la saveur étrange de son haleine, le souffle des rails et le cahotement des porte-bagages, la fenêtre qu'elle voyait par-delà son épaule et l'étalement impressionniste de bleu, de vert et de roux. Puis l'élancement des lignes à haute tension qui tremblaient, vrillaient et s'entrecroisaient dans l'air.

*

Mathieu loua un appartement sur le bord de mer, à quelques kilomètres de Sète. La plage évoquait la nostalgie des stations balnéaires désertées et Fanny trouva du charme à la blancheur bistre des immeubles délaissés, aux stores rabattus. Un convecteur chauffait la pièce unique et ils passèrent leur temps à faire l'amour. Elle s'habituait à son torse large et velu, à la course des poils du plexus au nombril, à leur frottement sur sa peau. Lorsque Mathieu la léchait, elle éprouvait une forme d'exaspération charnelle qu'elle sondait, sans savoir si c'était cela, le plaisir. Elle enlaçait sa tête entre ses cuisses et cherchait à comprendre ce vide en elle.

Ils faisaient pourtant l'amour avec rage, pressés par
l'exultation de leurs corps, la libération d'une tension qui
les laissait comme morts dans l'humidité des draps. Fanny
ne connaîtrait pas l'orgasme dans cet appartement; le
plaisir viendrait plus tard, avec la familiarité du corps de
Mathieu, mais toujours rare et ténu. Un éclat sans raison
qui la laisserait en proie à une détresse opaque. Le jour du
dîner, elle revoyait, sous la blancheur du pare-brise, le ciel
noir par-delà la baie vitrée de l'appartement. Ils ouvraient
les fenêtres et laissaient l'hiver se ruer sur eux. Les rideaux
étaient des spectres dans le jour morne. Ils l'ignoraient
encore, mais jamais plus leurs corps n'auraient pour eux
une telle importance. Leur attention se portait inlassablement sur leurs chairs, le déploiement de leurs humeurs,
l'exacerbation de leurs sensibilités. Par instants, Fanny ne
supportait plus cette peau contre la sienne, l'odeur de leurs
corps, de leurs sexes fleurissant au-dessus du lit éventré et
de la moquette bleue. La première fois que Mathieu avait
joui dans sa bouche, elle s'était précipitée dans la salle de
bains pour vomir. C'était une pièce étroite, enclavée et très
blanche sous la lumière crue des plafonniers. Assise sur le
bord du bac de douche, elle empoignait la cuvette des toilettes, plongeait le regard dans l'œil liquide tandis que la
semence écoulée de ses lèvres glissait mollement dans
l'eau. Fanny était saisie de convulsions, tout son corps
désirait extraire d'elle l'empreinte de Mathieu, de ce suc
écoulé dans sa gorge. Elle avait tiré la chasse, s'était rele-
vée pour défier son reflet pâle dans le miroir et venir à
bout des frissons qui grêlaient sa peau. Sur ses seins, elle
portait la marque des dents de Mathieu. Sans que l'idée se
dévoilât, formelle à son esprit, elle avait compris en essuyant
ses lèvres que le plaisir lui serait sans cesse soustrait et elle

avait décidé de venir à bout de ce dégoût profond que lui inspirait, non pas le corps de Mathieu, mais la conquête du sien, l'idée de ce sexe, de cette semence en elle. Fanny avait regagné la chambre, s'était lovée contre lui :

— Je suis désolée, je ne sais pas ce qui m'a pris.

— Je ne t'oblige à rien.

Il ignorerait tout de la longue lutte au terme de laquelle leurs rapports lui deviendraient familiers, tolérables. Du plus loin que Fanny s'en souvînt, ses rêves teintés d'érotisme laissaient sur sa langue un goût de souillure.

De la terrasse, ils surplombaient la plage, le souffle de la mer et le fracas des vagues, le ciel d'onyx. Ils léchaient indifféremment sur leur peau le sel des embruns, celui de leurs sueurs, fumaient de l'herbe, nus sous une couverture rêche qui piquait leurs épaules et leurs flancs. Ils grelottaient l'un contre l'autre et exhalaient dans l'air des haleines aussitôt dissipées par la tramontane. Elle sentait le menton de Mathieu dans le pli de son cou, son pubis contre ses reins, la moiteur de son sexe contre ses fesses. Ses bras l'enveloppaient, rabattaient la couverture et pressaient sa poitrine. Elle portait le joint à ses lèvres, des morceaux de tabac virevoltaient devant eux. Ils ne parlaient pas, oscillaient parfois sur un morceau de Joplin, *Piece of my heart, Kozmic blues*, et Mathieu tapait le rythme sur ses bras, de ses doigts longs. Transie de froid, Fanny parcourait du regard la façade obscure d'un immeuble, puis l'hostilité de la plage où personne ne s'aventurait. Elle se prenait à souhaiter des enfants, une vie de famille. Mathieu et elle formeraient alors un couple fort, à l'opposé de Louise et d'Armand. Ensemble, ils construiraient une famille aimante, veilleraient sur leur progéniture, vieilliraient près d'elle. Elle

serait cette mère prévenante et attentive. Jamais, pensait-
elle, elle ne reproduirait les erreurs de ses parents ; Fanny
formait le projet d'une vie exemplaire. Combien de fois
avaient-ils vécu cette scène durant ces quelques jours en
bord de mer ? Elle se dépliait et se reproduisait dans sa
mémoire, à la manière d'un origami. Fanny n'en avait
jamais parlé à Mathieu, de crainte qu'il ne s'en souvînt pas,
ou ne la confrontât à une autre réalité. Peut-être n'étaient-
ce après tout que de courtes secondes qui n'avaient pas eu
pour lui plus d'importance.

Fanny vit la pluie cavaler sur les vitres tandis qu'ils regagnaient le lit où le jour déclinant déversait des flaques
d'ombre. Leurs corps de nouveau emmêlés, de nouveau
n'en formant qu'un, et les dégradés de lumière sur leur
peau. Les volutes de fumée au plafond, oscillant avec eux,
plongeaient ses souvenirs dans une brume mate. Au volant
de la voiture, sa gorge se serra. Ils avaient été heureux, se
souvint-elle brusquement et, depuis la mort de Léa, elle ne
parvenait pas à se remémorer un nouvel instant de complicité, d'absolue connivence, celui d'une confidence ou d'un
plaisir partagé. Avait-elle compris la rareté de son bonheur ?
L'avait-elle trouvé commun, annonciateur de joies à venir,
plus intenses encore ? L'idée que ces instants fussent enfuis
à jamais et que rien ne lui permettrait de les vivre à nouveau
la terrifia. Une douleur sillonna ses côtes, elle étouffa un
sanglot d'impuissance, manqua abattre ses poings contre le
volant, par colère, pour apaiser ce qui lui apparut, avec
des dizaines d'années de recul, comme la marque d'une
regrettable insouciance.

Si son fils, Martin, partageait ce souvenir, quelle serait
sa stupéfaction de voir la femme qu'elle était désormais ?

Comment Fanny pourrait-elle alors justifier ce long chemi-
nement? Tout ne pouvait se résumer à la perte de Léa. Pourquoi éprouvait-elle du soulagement à penser que Mathieu
satisfaisait son désir au lit d'autres femmes? Leur passé
semblait friable, cédait par couches, et chaque réminiscence en appelait une autre, plus dense ou plus ténue.

Albin

Il raccompagnait au foyer les gars de l'équipage. Il faisait déjà chaud, l'odeur des hommes se mêlait à la sienne.
Il descendit la vitre, passa son bras par la fenêtre dans
l'idée de se rafraîchir. Ils parlaient de leurs voix lasses.
Albin saisissait au vol quelques mots dont il comprenait le
sens. Le reste du temps, les marins s'adressaient à lui en
anglais et ils s'entendaient tant bien que mal, mais il ne
parvenait pas vraiment à se consacrer à eux. Son attention
le ramenait sans cesse vers ses fils, vers une tristesse insidieuse. Était-il passé à côté de l'enfance de Camille et de
Jules? L'idée ouvrait une brèche dans le temps, Albin
s'éloignait des marins pour retrouver son père et l'hiver de
ses dix-huit ans.
Au fil des années, il savait avoir satisfait les attentes
d'Armand : il était devenu un homme de la mer. Le travail
de la pêche avait façonné son corps et son caractère. Ses
mains sciées par les cordes s'étaient couvertes d'une peau
grise. Lorsqu'il se trouvait seul avec son père, Armand lui
parlait de la famille :
— Ta mère, c'est malgré tout une sacrée bonne femme.

Faudra que tu trouves une épouse comme ça, qui accep-
tera la mer sans broncher. C'est pas rien, tu sais, fils.

Ces confidences flattaient Albin ; ils étaient entre hommes, parlaient d'égal à égal. S'il était question de Jonas,
Armand ne manifestait aucune compassion pour son benjamin :

— Il est pas comme toi, j'ai laissé ta mère se l'approprier.
Les femmes sont comme ça. Je trime, moi, pour nourrir
trois gosses. Le reste, c'est pas le boulot d'un père. Ta
mère s'est mis en tête de faire ce qu'elle entend de cette
famille, et elle en démordra pas. Alors, faut mettre de l'ordre dans tout ça, tu saisis ?

Albin approuvait avec vivacité ; jamais Armand ne levait
la main sur lui et, lorsqu'il s'emportait contre Jonas, Louise
ou Fanny, il finissait par admettre que ses raisons étaient
les bonnes. Son père, reconnaissant, serrait son épaule ou
sa cuisse et lui demandait parfois avec inquiétude :

— Tu deviendras pas comme ton bon à rien de frère,
toi ?

Albin secouait la tête avec ferveur et le rassurait :

— Jamais, papa.

Armand scrutait son visage, son regard hésitait alors
entre gratitude et abattement. Le reste du temps, leur relation se passait d'échanges, de complicité, et ce qui apparaissait aux siens comme une entente privilégiée laissait à
Albin le souvenir de l'omniprésence de la mer et des journées harassantes de pêche. Le quotidien s'était fait lancinant : il était ivre mort de ces embruns, des gestes réitérés,
des flots à perte de vue. Il finit par rêver d'autre chose
quand son père continuait de voir en lui un pêcheur-né, le
digne héritier de sa passion du large. Albin avait treize ans
quand il avait fait ses premiers pas sur un chalutier et, à

l'âge de sa majorité, il se prenait à envier l'émancipation de Fanny, des études à Montpellier, la possibilité d'une échappatoire. Il se heurtait à l'assentiment tacite de sa mère pour les projets d'Armand.

*

Des idylles de son adolescence avec des filles de marins, Albin ne connaissait que les étreintes et les baisers maladroits, les seins empoignés avec gaucherie et les mains glissées entre les cuisses jusqu'au coton d'une culotte laissant deviner les lèvres d'un sexe charnu. Il attirait les femmes et avait conscience de posséder ce charme trouble qui contrastait avec ses traits juvéniles.

Son père, soit qu'il le jugeât peu précoce, soit qu'il voulût lui manifester une considération virile, lui proposa une virée en voiture au lendemain de sa majorité. Albin le suivit, sans se préoccuper de leur destination, puisqu'ils roulaient parfois le long des étangs, pour le plaisir de s'éloigner de Sète et d'éprouver le sentiment de leur liberté. Ils prirent la direction de Montpellier et Armand rangea la voiture sur le bas-côté, au bord de la nationale, près d'une camionnette contre laquelle s'adossait une jeune femme. Ils contemplèrent longuement la putain à travers le pare-brise et Albin resta muet, incertain de comprendre l'intention de son père. Il hésitait, gagné par un malaise ; il soupçonnait les raisons de leur présence sur la nationale, au beau milieu de l'après-midi. Des détails insignifiants retenaient son attention : le gris vernissé du tronc des oliviers dont les branches ployaient sous le vent vers le goudron, le fourmillement vert-de-gris des feuilles, la colonne de poussière et de sable au déplacement somptueux près de la camionnette. Les cheveux décolorés de la fille, le fard à ses yeux puis le vrombissement des voitures dont les pneus raclaient l'asphalte et qu'Albin éprouvait dans la plante de ses pieds.

— Va, fiston, elle t'attend, avait dit Armand.

Puis, devinant son hésitation :

— C'est payé, t'as plus qu'à sortir de cette voiture. Elle te plaît, non, elle est à ton goût ?

Il opina sans attendre, se pencha pour ouvrir la portière et lui glissa une capote dans la main. Les bruits de la route se ruèrent vers eux quand Albin posa un pied au sol.

— Je t'attends, fils, je ne bouge pas d'ici.

La fille était menue, un chemisier l'engonçait et elle oscillait d'un pied sur l'autre tandis qu'il marchait dans sa direction. Elle lui adressa quelques mots, puis le prit par la main et l'entraîna à l'arrière de la camionnette. Un matelas semblait échoué sur le fer écaillé. Elle alluma une lampe de poche qui se balança au plafond, au bout d'un fil de fer. La lumière embrassait les parois, la couche et les couvertures, d'un halo pareil à une moisissure. Quand ils furent à bord, elle referma la portière et la lueur du dehors disparut tout à fait. Les vitres avaient été peintes en noir, le jour se glissait par endroits, dans un interstice, et tendait un fil clair jusque sur leurs corps ramassés l'un près de l'autre. Le véhicule sentait la sueur, la vieille ferraille, la pisse et le sexe. Le parfum de la fille empestait le musc et donna la nausée à Albin, mais elle était mignonne et il ne pouvait s'empêcher de bander dans sa paire de jeans, bien que toujours stupéfait à l'idée que son père l'eût mené jusque-là.

La putain déboutonna sa chemise, l'engagea à continuer, puis se dévêtit à son tour. La torche illuminait tantôt sa peau translucide, tantôt le torse d'Albin et laissait alors la fille reposer un instant dans l'obscurité, pareille à une gorgone, avant de la dévoiler à nouveau. Levant le bras, il stoppa le balancier incessant et contempla sa nudité quand elle s'allongea sur le matelas aux auréoles sombres. Elle n'avait pas plus de seize ans. Ses seins formaient deux monts pâles sous la peau desquels il devinait le réseau des veines. Un duvet obscurcissait le vallon des aisselles et elle ramena un bras derrière sa tête, lui offrant la vision de cette ombre parmi les ombres, en contraste avec la blondeur factice de ses cheveux. Son pubis était large et dense, deux lèvres s'ouvraient sur le renflement timide du clitoris. Une ecchymose empourprait l'aine et l'angle de sa hanche. Des traces d'injections parsemaient l'intérieur de la cuisse. Albin avait quitté son pantalon tout en la détaillant et il s'agenouilla devant elle, la queue dressée par la fente de son caleçon, le gland déjà humide et le cœur battant à tout rompre. Il était aisé de s'allonger sur elle, de la pénétrer de suite. Elle semblait essayer de deviner la manière dont il la prendrait et elle lui souriait vaguement, les cuisses entrouvertes. Albin hésitait. Les taches sur le matelas, le drap brun dans l'obscurité, le bleu de ses chairs... Sur le tissu, étaient-ce les humeurs répandues d'autres hommes ? Combien avaient éjaculé sur ces draps ou sur le corps offert de la fille ?

Un homme l'avait frappée. Ressemblait-il à Albin ? Aux yeux de la putain, étaient-ils semblables et craignait-elle qu'il ne la maltraite à son tour ? Le haut-le-cœur que le parfum avait soulevé en lui se fit plus insistant, et il pensa à Armand, assis à quelques mètres de là, dans l'attente que son fils se dépucelât. Lui-même avait-il été le client de la gamine ? Pouvait-il être l'homme qui avait abattu ses poings

sur elle à l'instant de sa jouissance, pour la satisfaction
d'éprouver son emprise ? Enfin : jusqu'où Albin pouvait-il
être la réplique de son père ? Son érection mollissait, et la
fille se précipita pour le prendre dans sa bouche, une bouche étroite et mécanique. Il la repoussa violemment et elle
retomba sur le matelas. Albin haletait, suffoquait, désirait
fuir au plus vite l'étroitesse de la camionnette et le contact
de la fille. Il renfila son pantalon et lui tendit son chemisier.
Elle hésita un instant, le vêtement chiffonné en boule sur
son ventre. D'un signe, il ordonna qu'elle se rhabille, et
elle s'exécuta. Alors, Albin s'étendit près d'elle. Ils ne par-
lèrent pas, l'un près de l'autre, scrutant au plafond la
lampe de poche et le cercle de lumière. D'un geste du
pied, il relança le balancier. Dans ces oscillations, la présence de la fille lui devint familière et Albin retira une
mèche de son visage. Sous le fard, elle devait paraître plus
juvénile encore. Elle contemplait sans comprendre ce visage
penché sur le sien. Il posa un doigt sur ses lèvres pour lui
suggérer le silence. Il vit que la fille le redoutait, et il laissa
son doigt glisser contre la pulpe de ses lèvres, jusqu'à ce que
la dernière phalange de son index vînt s'échouer à leur
commissure, sur l'angle des dents. Enfin, il s'assit et rouvrit
la portière. Le jour lui sembla d'une blancheur aveuglante
et le vent chassa les effluves de la camionnette dont ses
vêtements s'étaient imprégnés. Albin lança un regard à
la putain, rabattit la portière derrière lui, marcha vers la
voiture et vers Armand, vers ce regard qu'il devinait bouffi
de fierté, vers cette arrogance et ce soulagement stupides.
À cet instant, son père pensait s'être attaché un fils par le
lien si particulier du secret, de l'entente des hommes sur
la nature de leur sexe. Armand ignorait la distance qui
le séparerait désormais de son fils, et sur laquelle aucun

d'eux ne saurait jamais mettre de mot. Albin avait su qu'il ne reprendrait jamais plus la mer.

Le souvenir lui rendit la présence des marins douloureuse. Il désirait retrouver Camille et Jules et éprouva, à l'égard de son père, une rancœur que, souvent, il avait cherché à réduire au silence. Il l'accablait de son propre sentiment de culpabilité, celui de n'avoir été qu'un père médiocre, conforme à l'exemple qui lui avait été donné. Rien n'était plus rattrapable, désormais. Il lui apparaissait que leur histoire, celle de leur famille, partie d'eux depuis des générations oubliées, les recoins les plus obscurs d'une généalogie, pouvait se répéter sans cesse, sans que jamais ils parvinssent à y mettre un terme, à enrayer la machine, bloquer les rouages, dévier de route. Albin songea que l'histoire de leur famille, commune et si particulière, pouvait être, en définitive, l'histoire de tous.

DEUXIÈME PARTIE

Decima

Ainsi pensaient-ils, au jour du dîner, comme à travers un tunnel, une faille dans le temps qui les eût poussés au ressouvenir.

*

Les cloches de l'église Saint-Louis éparpillaient midi sur les hauteurs de Sète. Leur rondeur de métal vibrait dans l'air chaud, léchait la pierre des maisons, se dissipait dans la moiteur du port et sur les plages où les vagues s'ourlaient et chuintaient, drapaient les cris des enfants. Partout dans la ville, les passants distraits prêtaient l'oreille à la dispersion des gongs.

Fanny referma la portière et observa son reflet dans la vitre. Elle chercha à mettre de l'ordre dans ses cheveux. *Il est déjà midi*, songea-t-elle. Puis : *Je n'aurais pas dû ouvrir les vitres, j'ai l'air hagard.* Le matin était derrière elle. Fanny avait conscience de la fuite des heures. Elle pouvait retracer chacune d'elles, traversées comme en rêve. Était-ce l'inanité du matin qui faisait paraître le petit jour si lointain, quand elle l'avait vu rosir au-dessus des micocouliers

par la fenêtre de la chambre? Saisies par quelque dérèglement, les heures paraissaient une éternité sans saveur. La
nostalgie que Fanny avait éprouvée au volant de la voiture
se mêlait désormais à la douceur de l'amertume, à la certitude du temps gaspillé. Fanny se demanda pour quelles
raisons elle s'obstinait à aider Louise. Son entêtement à
s'occuper sans cesse de tout lui apparut avec cruauté au-
dessus du bitume flamboyant du parking, et elle hésita à
rebrousser chemin. Louise pouvait se débrouiller seule. Ne
songerait-elle d'ailleurs pas que sa fille cherchait à régenter
sa vie? Le dîner était l'initiative de sa mère, non la sienne.
Fanny resta sans bouger, ballottée dans l'effluve de goudron
chaud, la morsure du jour sur ses jambes pâles. Le chemin
parcouru depuis Nîmes était si long, si parsemé d'embû-
ches, si jonché de leur passé...

Fanny tourna résolument le dos à la voiture. Pour retarder son arrivée à la maison, elle s'était garée près du pont
du Tivoli, bien qu'elle appréhendât de marcher dans la
ville. Albin et Jonas n'étaient pas loin. La fratrie était réunie avant l'heure dans les rues de Sète, sans qu'aucun
s'en doutât. Fanny essaya d'imaginer ses frères et les gestes
qu'ils esquissaient à l'instant même, mais ils se dérobèrent
et elle se contenta de silhouettes, d'âmes dans la ville.

Le pont mobile se levait au passage d'un bateau, le reflet
s'étendit sur les eaux du canal où des nappes de carburant
s'irisaient au soleil, déclinaient des teintes polychromes
dans un remous indolent. L'odeur doucereuse se mêlait aux
gaz des pots d'échappement; la cohorte des voitures encen-
sait l'air. Fanny détourna les yeux vers le port et la saillie des
grues. *Cette ville ne changera jamais*, pensa-t-elle. Une angoisse
l'étreignit. Elle réalisa qu'il lui faudrait se confronter sans
cesse au souvenir de Léa, mais aussi que Sète lui survivrait

et que rien, pas même la plaie vive du deuil, ne viendrait perturber la frénésie de l'été. Le bateau glissa, le pont s'abaissa puis borda le canal d'un bras de rouille et de métal. Fanny le traversa ; les talons de ses chaussures glissèrent sur les aspérités du pont. Elle mit sa fatigue sur le compte de l'heure, puisqu'elle n'avait rien mangé depuis le matin, bien qu'elle ne fût pas certaine d'avoir faim. La chaleur contribuait à l'appesantir. Elle longea le quai Louis-Pasteur à travers la fournaise et une goutte de sueur exaspéra sa lèvre supérieure. Elle tira un mouchoir en papier de son sac, tamponna son visage. Malgré ses efforts, elle ne parvenait pas à accélérer l'allure et marchait le long d'un trottoir avec ce sentiment, éprouvé plus tôt à Montpellier, de lutter contre un air matelassé, contre la torpeur qui la gagnait.

Les touristes échouaient à se fondre dans la masse des Sétois : la négligence de leurs accoutrements estivaux, le hâle surfait de leurs épidermes, la redondance des nu-pieds battant le bitume les dénonçaient. Fanny avait l'habitude de ce déferlement, et il la rassurait un peu, car elle connaissait aussi Sète l'hiver, quand la ville se replie sur elle-même et que le froid la fige dans le spleen. Leur insouciance dupait les touristes, et ils marchaient avec l'arrogante certitude de contraindre Sète à leur frivolité.

Le jour dessinait de larges bandes jaunes sur les façades des maisons. L'air sentait l'iode, la friture et la suie. Cette condensation olfactive se déposait sur la luette de Fanny. Un malaise l'étreignait au rythme de ses pas. Elle voyait surgir Léa sous les traits d'une enfant qu'un homme ou une femme tenaient par la main au-devant d'un magasin de souvenirs, émerveillée par un étal de coquillages, à la table cerclée de lumière d'un restaurant, à la porte d'un commerce assoupi. Fanny ne tressaillait pas à ces visions. Elle avait cessé de suivre les apparitions de Léa, de marcher par exemple à distance de ce couple et de leur fillette à la peau rousse. Elle aurait aujourd'hui vingt et un ans. Il était insensé de lui prêter encore le visage d'une enfant, les traits des photos qu'elle feuilletait pour éviter que le souvenir ne s'estompât ou ne tombât dans la banalité. *Mais Léa aura toujours dix ans*, pensa Fanny, et la réalité de la rue se fissura comme cela arrivait parfois, pour laisser voir une éternité dans laquelle le souvenir de sa fille continuait de flotter, inaltérable. Lorsque cette modification, perceptible d'elle seule, engloutissait Fanny, elle devinait ce que pouvait être l'acceptation de la mort de l'enfant, l'issue d'un deuil inextricable. Elle se dévêtait d'un froid claustral, d'une noirceur insidieuse, suspendue au-dessus d'elle et qu'elle distançait d'un pas. N'y avait-il pas quelque indicible beauté dans la mort de Léa ? Elle conserverait toujours l'innocence de l'enfance, vivrait au travers d'elle, de Mathieu et de Martin, loin des souillures de la vie et du temps. L'amour de Fanny se déployait, drapait sa souffrance, se lovait autour du souvenir de Léa. Personne ne se doutait de l'existence de l'enfant. Les gens dont elle rencontrait les épaules, dont elle effleurait les peaux, dont elle humait les corps, ne pouvaient savoir qui avait été Léa. Ces souvenirs lui appartenaient. Elle seule et une poignée d'autres étaient les garants de cette vérité enfuie, saccagée. Léa semblait un peu plus loin dans ces instants d'éblouissement, et les années se dilataient, laissant Fanny apprécier les onze ans qui s'étaient écoulés depuis le jour de sa mort.

Son image se diluait dans le fantasme, dans les chimères engendrées par le temps, les croyances et les sensations erronées. *Ma fille, avec le temps, n'est plus une enfant*, songea

Fanny. *Depuis sa mort, elle est un mythe, un monde à part entière, et ne peut plus disparaître qu'avec moi.* Elle pensait au fils d'Emerson qui, par sa mort, donne naissance au père et fait de lui un homme. Elle était la fille de Léa.

— Léa m'enfante, murmura-t-elle.

Le soulagement la fit vaciller, l'accélération de son pouls piqua la surface de ses pommettes, mouilla le coin de ses yeux. Puis la chape qu'elle avait délaissée plus bas dans la rue la rattrapa et fondit sur ses épaules avec la parfaite constance du désespoir. La mort de Léa avait jeté l'enfant dans les limbes. Rien ne prouvait qu'elle eût vécu, sinon une dalle de marbre brûlant au soleil d'un mois de juin, que Fanny se refusait à voir et dont elle avait oublié l'emplacement. La pellicule de plastique d'un album de photos sur un sourire flou. Léa était vive, sans cesse en mouvement, il n'était jamais possible de la faire poser dans le calme. Beaucoup des clichés qu'ils gardaient d'elle étaient flous, comme si Léa ne devait jamais laisser que des impressions, des contours indistincts, comme si elle ne devait jamais être qu'une esquisse. Elle avait pourtant été l'image d'un parfait espoir en la vie ; un espoir dont il restait une pile de linge dans un recoin du grenier, où l'odeur d'enfant avait laissé place à celle du carton humide. Léa avait été réduite au néant. La fissure s'ombrageait et ramenait Fanny au gouffre familier du passé. Elle baissa les yeux sur l'asphalte et marcha, accablée d'avoir seulement perçu, dans la fulgurance d'un instant, l'idée du renoncement.

Elle rejoignit la vieille ville par le pont Virla. En bordure du canal, les estrades annonçaient le début de la saison des joutes et Fanny détourna le regard des ombres étendues sur le canal. Elle s'engagea dans la rue Gabriel-Péri. Les rues se firent étroites. Le soleil tachait les façades hautes, déclinait le gris, le rose et le jaune des pierres. Une odeur d'assouplissant débondait des étendoirs aux fenêtres. Les vêtements gouttaient et se détachaient sur l'uniformité du ciel. Sur certaines maisons s'étendaient de grandes fresques crayeuses à la gloire du port ou des jouteurs. La ville, monolithe, restait étrangère au trouble de Fanny.

Louise trouva Fanny dans la rue Haute. Elle la jugea élégante, mais vêtue avec exagération ; l'agacement pointa et, aussitôt, l'élancement familier dans ses mains reparut.

— Viens m'aider à porter ces sacs, mes doigts me font très mal.

Fanny marcha vers elle et, quand elles furent proches, Louise tendit les provisions et l'embrassa. Sa fille avait cette manie détestable d'effleurer tout juste la joue qu'elle embrassait, sans un bruit, comme si ce seul contact lui était douloureux. Louise la dévisagea brièvement.

— T'es bien décoiffée, je trouve.

Elles se tinrent au milieu de la rue, dans un bloc de lumière, ajustant les sacs entre leurs mains et Louise songea qu'elle ne pouvait s'empêcher de chercher à la blesser. Elle l'aimait pourtant, comme chacun de ses enfants, et Fanny était la plus dévouée des trois, mais sa présence l'exaspérait. Peut-être était-ce dû à son attachement aux apparences ? Sa résistance aux efforts de Louise pour la décharger du souvenir de Léa ? Elle se refusait à en parler, comme de parler de Martin ou de sa relation avec Mathieu. Il ne restait de sa fille qu'une bourgeoise guindée et attentive, vouée tout entière à la superficialité de sa vie. La perspective du dîner incita Louise à s'apaiser et, comme de coutume, elle sentit poindre la culpabilité. Fanny esquissa un geste las pour remettre en place ses cheveux :

— Je passerai à la salle de bains avant l'arrivée des garçons. Tu aurais dû me prévenir, pour tes mains. Je serais venue plus tôt.

— C'est sans importance, tu vois bien comme je suis mise moi aussi.

Fanny ne répondit pas. Elles marchèrent vers la maison, pesant toutes deux le lien ténu de leur relation. Sur la marche de béton poli, un cyclamen séchait au soleil. Fanny reconnut le pot de faïence, offert quelques semaines plus tôt. Tandis que Louise cherchait les clés dans son sac à main, elle saisit une pincée de tourbe et l'effrita entre le pouce et l'index. Puis, comme tirée d'une rêverie, Fanny épousseta le devant de son pantalon :

— Tu n'en as pas pris soin, la terre est sèche.

Elle reconnut aussitôt, en son for intérieur, la disproportion de la rancune qu'attisait en elle la négligence de sa mère. Louise regarda à peine le pot, haussa les épaules et s'empressa d'introduire la clé dans la serrure. Elle ne comprenait pas que Fanny se lamente sur une plante, et c'était pourtant le type de détail qu'elle ne cesserait de relever tout au long de l'après-midi. *Croit-elle que je l'ai laissée sécher intentionnellement ?* se demanda Louise quand elle poussa la porte. Elle était bien assez angoissée par la venue des enfants le soir, pour que sa fille l'exaspère si tôt. Elle chercha malgré elle à se justifier :

— Je l'ai pourtant arrosé, ce cyclamen. Il était dans la cuisine. Il est mort sans raison. J'ai pas la main verte, tu sais bien.

La porte s'ouvrit sur la maison et Louise s'engouffra à l'intérieur. Fanny resta sur le perron, contempla le rose fade des pétales. Elle appréhendait la compagnie de sa mère. Sur le seuil de la maison de famille, Fanny réalisa que son ressentiment était nourri par les souvenirs qui avaient afflué depuis le matin. Cette rancœur dévoilée sur le pas de la porte semblait couver en elle depuis long-temps, puisqu'elle n'en était pas surprise. C'était une sen-sation pesante, plus qu'un sentiment, dont elle avait tou-jours eu l'intuition sans parvenir à la nommer ou à en déceler la source. La plupart du temps, elle se contentait de penser que son lien avec Louise était bel et bien un lien d'amour filial et donc, nécessairement, de détestation. Le cyclamen n'était qu'une broutille.

L'odeur éventée par l'ouverture de la porte d'entrée glissa dans la rue, se dispersa dans la brise apathique, et évo-qua à Fanny ces vieux tiroirs dont le remugle est l'un des parfums de l'enfance. Elle se vit se glisser avec Jonas dans le garage jouxtant la maison du grand-père, à la Pointe-Courte, s'enivrer de l'odeur d'essence, dans une lueur de zinc. La maison de ville semblait rapetisser au fil des ans. Elle s'étonnait toujours de la trouver plus étroite, comme si sa vision d'enfant se substituait après chacune de ses visi-tes aux dimensions réelles de la maison. Un temps lui fut nécessaire pour se familiariser avec ce lieu de solitude. Elle entendit Louise déposer les sacs de provisions sur la table de la cuisine.

— J'ai laissé les fenêtres ouvertes pour aérer, tu peux les fermer, s'il te plaît?

Fanny n'était plus certaine de vouloir s'imposer la pré-sence de sa mère. Elle était tentée de trouver un prétexte pour fuir la maison. Peut-être devait-elle refermer discrète-ment la porte, s'engager dans la rue et laisser Louise affai-

rée dans la cuisine ? Qu'espérait-elle, au fond ? Le semblant
de complicité dont elle arriverait jusqu'au soir à se satisfaire lui donnerait-il bonne conscience ? Elle aiderait sa
mère, ignorant ce que le temps partagé leur coûterait à
toutes deux, et elle aurait alors ce sentiment du devoir
accompli. Entre les mains de Louise, le froissement des
sacs de papier fit un bruit d'élytres.

Fanny marcha jusqu'au salon. L'air tiède entrait par les
fenêtres et porta jusqu'à elle une odeur de viande braisée,
le son lointain de voix et de rires. Une lumière ocre baignait
la pièce où flottait le parfum de la cire pour meubles et du
savon noir. Ces effluves évoquèrent à Fanny la sclérose
dans laquelle semblait avoir sombré la maison d'enfance,
mais aussi la vanité de sa mère et du dîner à venir. L'inertie
du salon l'appesantissait, et elle referma les fenêtres à
contrecœur. Puis, pour retarder son entrée dans la cuisine,
elle descendit une à une les chaises de la table. Bien que
conforme à son souvenir, la pièce la mettait mal à l'aise.
Le fauteuil dans lequel Armand avait passé les mois précé-
dant sa mort gardait l'empreinte de son corps comme une
marque indélébile. Le vieux téléviseur avait été remplacé
depuis longtemps, mais un indélogeable napperon jaunis-
sait au-dessus. Elle pensa aux jouets dont elle ne parvenait
pas à débarrasser la chambre de Léa et se convainquit que
l'attachement de Louise pour les objets qui jonchaient le
salon n'avait rien de commun avec la nécessité de sauve-
garder la mémoire de sa fille. Fanny soutint du regard l'insignifiance des bibelots sur l'étagère murale. Elle se heurta
à la surface d'une estampe sur le mur, dans laquelle elle
devinait autrefois des paysages. Tout manquait de goût,
s'engluait dans l'ancien temps, dans l'absence d'Armand,
ployait sous l'appel de l'abîme. Elle s'assit dans l'un des

fauteuils de velours bistre et le rembourrage éventa une odeur de vieux tissu et du tabac que fumait son père. Maintenant qu'elle était dans la maison, et comme chaque fois qu'elle se confrontait à ce qu'il restait d'Armand, le souvenir d'un jour particulier affluait à sa conscience.

L'année de ses quatorze ans succéda à la marche vers le port, et Armand trompa dans l'alcool l'ennui de l'hiver et des mauvais jours de pêche. Il s'effaça au profit de l'homme atrabilaire et tempétueux qui devait leur devenir familier. Un soir comme un autre, il était rentré ivre, empestant la sueur et l'alcool. La famille était à table, et Fanny comprit, aux pas titubants de son père dans le couloir, que ce serait *un de ces soirs-là*. Il s'affala sur le siège des toilettes et pissa bruyamment. De sa place, elle voyait ses mollets bruns où plissaient les jambes du pantalon, les coudes plantés sur ses cuisses au-dessus des genoux, ses avant-bras couverts de poils drus. Elle devina qu'il avait enfoui son visage dans ses paumes et restait là à somnoler. Louise jetait vers le couloir des coups d'œil dont l'inquiétude ne trompait pas Fanny. Lorsque Armand fit enfin irruption dans la cuisine, il manqua sa chaise et envoya au sol le broc d'eau qui explosa sur les jambes de Louise et macula sa robe. Fanny et Albin veillaient à ne pas quitter leur assiette du regard. Leur mère se baissa pour ramasser les bris de carafe. Elle s'efforçait de donner le change, comme si elle ne s'apercevait pas de l'ébriété d'Armand et de l'état de sa robe dont le tissu collait aux cals de ses genoux, au rebond de son ventre, dévoilait l'élastique de ses bas et lui donnait un air grotesque. Louise n'esquissa pas un geste pour s'essuyer et c'était là la preuve qu'elle avait déjà pour habitude de composer un rôle, de camoufler la violence d'Armand et de chercher, en feignant la banalité, à protéger les enfants. Il posa les mains de part et d'autre de l'assiette, oscilla de la tête et leur lança un regard furibond. Jonas, que la chute du broc avait effrayé, s'était mis à pleurer sans que Louise parvînt à l'apaiser.

— Nom de Dieu, fais taire ce gosse ! Est-ce qu'il a besoin de brailler comme ça à longueur de temps ?

Louise, maintenant pâle, comprit qu'elle ne parviendrait sans doute pas à éviter que les choses s'enveniment mais chercha vainement à apaiser Armand :

— Il a faim, chéri, voilà tout. On t'attendait pour manger.

Elle tira sa chaise vers l'enfant, prit d'une main le bol de purée de légumes et porta une cuillère à la bouche de Jonas.

— Qu'est-ce que tu veux dire par là ? Tu trouves que je rentre trop tard, peut-être ? J'ai donc pas droit à un peu de bon temps après m'être saigné pour vous tous toute la sainte journée ?

Armand articulait laborieusement.

— Rien, je ne veux rien dire du tout. On est heureux que tu sois là, maintenant. Les enfants ? Allez-y, ça va refroidir.

Fanny et Albin commencèrent à manger, guettant leur père avec méfiance.

— Tu voulais forcément dire quelque chose, dit Armand après un silence où il sembla mesurer les mots de Louise. Oh que oui, tu voulais forcément dire quelque chose, sinon tu te serais tue. Bon sang, Louise, sinon tu n'aurais pas ouvert ta putain de grande gueule !

Elle ferma les yeux et Fanny vit sa mâchoire se serrer, ses joues s'enfoncer le temps d'une déglutition. Elle comprit que sa mère ravalait un hoquet de stupéfaction plus qu'un sanglot. Puis, sans un mot, Louise rouvrit les yeux et revint à Jonas. Elle tremblait perceptiblement et la cuillère de plastique cogna les petites dents lorsqu'elle porta la purée aux lèvres de l'enfant. Quand il eut terminé, Louise essuya son menton puis se leva pour aller à l'évier.

— Autre chose, dit Armand en la désignant du doigt, j'aimerais qu'on me dise ce que c'est que ce foutoir dans les toilettes.

Fanny et Albin n'avaient pas terminé leur plat mais Louise commença de débarrasser nerveusement la table.

— De quoi tu parles ? Les enfants, allez vous coucher maintenant, il est tard.

Ils se levèrent d'un même élan, mais Armand leur fit aussitôt signe de se rasseoir.

— Personne ne bouge de cette cuisine tant que je ne saurai pas qui a dégueulassé les chiottes. Est-ce que tu crois, Louise, qu'un homme a envie de trouver une eau rouge de menstrues quand il rentre chez lui et va pisser ? Est-ce que c'est à moi de nettoyer votre jus ? À croire que je vis dans une porcherie. À croire que j'ai épousé une truie. Vous pensez que ça ne me donne pas envie de dégueuler, avant de passer à table ? Vous croyez peut-être que je vais nettoyer, que je vais récurer les chiottes à votre place ? Laquelle de vous deux a ses *machins* ?

Il affichait une moue de dégoût absolu et fustigeait tour à tour Louise et Fanny du regard. Fanny ne comprit pas ce qu'Armand leur reprochait, mais elle avait appris à ne jamais répondre à son père lorsqu'il était ivre.

— C'est moi, répondit Louise. C'est moi, c'est moi, c'est moi ! hurla-t-elle aussitôt.

Jonas hurla à son tour, le visage cramoisi, il s'étouffait dans les pleurs. Louise le prit dans ses bras et le berça pour qu'il se calme.

— T'es content? Regarde ce que tu fais. Tu crois ressembler assez à ton père, maintenant? Tu m'as assez humiliée devant tes gosses?

Aussitôt, la fureur d'Armand parut le déserter. Il s'affaissa sur sa chaise, prit sa fourchette, la reposa, hésita, regarda les enfants d'un air brusquement las et ahuri, se leva, puis quitta la cuisine. Louise berçait fiévreusement Jonas contre elle.

— Allez au lit, dit-elle, c'est terminé. C'est terminé.

Le lendemain, se souvint Fanny, lorsqu'elle s'était éveillée, elle avait trouvé au pied de son lit un paquet de serviettes périodiques et, sur sa chemise de nuit, à hauteur des fesses, deux petites taches brunes.

Fanny songea qu'un jour ce serait elle et ses frères qui trieraient, jetteraient et prendraient soin d'effacer de leurs mains ce que leurs parents avaient consacré une vie à bâtir. Ils vendraient la maison, cette vilaine petite maison grise qui lui avait si souvent fait honte, et elle se vit descendre la grande rue Haute, encadrée par les silhouettes d'Albin et de Jonas, soulagés d'être en partie débarrassés de la mémoire d'Armand. Puis elle se vit, plus âgée encore, revenir sur ses pas, accompagnée de ses petits-enfants aux visages indistincts — ce ne pourraient être que les enfants de Martin, pensa-t-elle —, impuissante à transmettre ce qu'avait été ce lieu désormais investi par d'autres. Enfin, Fanny se souvint d'un jour de grand vent, lorsque les algues roulaient pesamment vers la plage et, par transparence, dessinaient des nébuleuses dans le corps des vagues. Combien de fois leurs pas, à tout âge de leur vie, avaient-ils été imprimés sur le sable, puis ravalés par l'écume? Ses parents n'avaient rien construit, pas même une famille, et

Fanny et Mathieu avaient échoué à leur tour. Martin lui était à présent étranger et finirait par la rejeter. Elle douterait d'avoir contribué à faire de lui l'homme qu'il était pourtant en voie de devenir. La maison, pensa Fanny, voici ce qu'il reste des êtres, des murs auxquels ils trouvent des saveurs d'éternité. Elle embrassa la pièce du regard, en quête d'un détail qui résumerait à lui seul ce qu'était Louise, ce qu'avait été sa vie si modeste et négligeable, d'un objet qui concentrerait son souvenir, sa marque dans le temps. Fanny se sentit lasse, incertaine de pouvoir endurer jusqu'au soir la solitude de sa mère. Le jour siégeait sur le salon et reposait sur chaque meuble, exacerbait les angles, élançait les lignes. Louise apparut dans l'encadrement de la porte et sa silhouette se découpa sur l'ombre de l'entrée, auréolée de désastre.

— Quelque chose ne va pas ?

Fanny passa une main sur son visage, sourit à sa mère et se leva avec un effort considérable.

— Je vais bien, je me reposais juste un instant.

Louise opina sans cesser de scruter avec suspicion le visage de sa fille. Elle tordit un chiffon entre ses doigts noueux, resta sans bouger un instant puis disparut de nouveau dans la cuisine où Fanny la suivit et se tint à son tour interdite sur le seuil de la pièce. Louise s'affairait au-dessus de l'évier et raclait au couteau la carapace des moules. Chacun de ses mouvements devait être incroyablement douloureux. Louise avait étendu les provisions sur la nappe cirée. La fenêtre était ouverte et les volets à demi rabattus. Fanny eut peine à observer la courbe que formait le dos de sa mère en s'inclinant au-dessus de l'évier. Le gris de ses cheveux semblait jaune et translucide. Le jour traçait un arc de cer-

cle sur la courbe de ses fesses devinées sous le tissu de la
robe. Elle lui parut amoindrie, antédiluvienne.

— Que veux-tu que je fasse ? demanda Fanny.

Sa gorge s'était serrée, aussi s'empressa-t-elle d'ajouter :

— C'est beaucoup trop, il y a de quoi nourrir une armée.

Louise pinça les lèvres. Bien sûr, elle avait prévu plus
que nécessaire, mais Fanny ne pouvait-elle comprendre
qu'il lui importait de se montrer généreuse envers ses
enfants ?

— Pile l'ail et le persil, dit-elle d'un ton péremptoire, et
sa fille s'installa à la table.

De la rue parvenaient des cris d'enfants, le rebond d'un
ballon lancé contre un mur, l'aboiement d'un chien. À
l'étage, pensa Fanny, les chambres étaient depuis longtemps
désertes.

— Je suis allée au cimetière hier, dit Louise.

Une gousse d'ail céda sous la pression des doigts de
Fanny et une pluie de pelures blanches se répandit dans le
creux de sa paume et sur la table. C'est aux supplications
de Louise pour que Léa fût enterrée à Sète, dans le caveau
familial, plutôt qu'à Nîmes que Mathieu et Fanny avaient
cédé et, en dix ans, Fanny ne s'était jamais recueillie sur la
tombe de sa fille. *C'est au-delà de mes forces*, pensa-t-elle. Et,
comme d'ordinaire, elle ne répondit pas à l'allusion de
Louise.

— Au salon, mentit Fanny pour dissiper une réminiscence trop intacte, je me suis demandé si tu avais le souvenir des soirées que nous passions ensemble. Je veux dire,
en famille.

Les mains de Louise disparaissaient dans l'amoncellement de moules.

Le sel

— Sans doute, finit-elle par répondre, cherchant à comprendre l'intention de sa fille.

Souvent, Fanny la piquait au vif, brandissait les souvenirs, ceux qui mettaient Armand en scène.

— Je m'asseyais au sol, entre ses jambes, et mes mains reposaient sur ses chaussons. Tu t'installais sur le canapé avec un des garçons sur tes genoux. C'est étrange, qu'il soit parvenu à concilier ces moments de tendresse et cette...

Fanny hésita, veillant à ne pas peiner sa mère, puis renonça à terminer sa phrase. Louise déposa une poignée de moules dans un saladier, songeant que, depuis la mort d'Armand, elle n'avait de cesse de chercher à rétablir chez les enfants l'image de leur père.

— Il arrivait qu'il soit prévenant. Ces années-là, tu sais bien qu'il était *malade* en quelque sorte...

Fanny acheva de dénuder une gousse d'ail qui roula dans sa main. Elle ravala un éclat d'amertume au tréfonds de sa gorge.

— Ça n'était pas un reproche, dit-elle, je voulais simplement savoir si tu t'en souvenais.

Elles se turent et s'enfermèrent dans la rancune et la défiance, faussement affairées. Louise éprouva la tension glissée dans la cuisine et la distance qui, à nouveau, l'éloignait de sa fille. Fanny observa de biais le dos de sa mère sans cesser de dépiauter les gousses et de les aligner sur la table. Ses doigts garderaient plusieurs jours durant l'odeur de l'ail comme la marque de cette confrontation. Chacune d'elles possédait du passé un souvenir différent, et cette incohérence les contrariait, les séparait douloureusement dans le silence de la pièce.

À la naissance de Fanny, pensa Louise, ils louaient un appartement vétuste sous les toits d'un vieil immeuble de Sète. Il fallait se courber pour atteindre le berceau dans un angle de la pièce. De ces instants, sa fille ne gardait bien entendu aucune image. Louise peinait elle-même à évoquer ces années où elle se voyait pourtant faire l'amour avec Armand. Fanny ne pouvait se douter d'avoir été conçue ainsi, puisqu'il lui était impossible de songer que sa mère se fût laissé prendre, parfois à même le sol, et qu'elle eût joui de nombreuses fois, du sexe et de l'amour d'Armand. Louise éprouvait encore la tension de ce corps sous ses mains, le galbe duveteux de ses fesses. Les années bien plus longues durant lesquelles elle avait côtoyé le déclin de la chair d'Armand n'étaient jamais parvenues à estomper ce souvenir-là. De la sérénité qui auréolait la venue au monde de Fanny, Louise garderait la perception d'une lumière aux teintes des lés de tapisserie. Un bonheur sans entrave, baigné de fauve, où filtrait le bruit du monde, l'Algérie en murmure de fond. Elle se souvenait de s'être sentie, avec un vague effroi, tout à fait indifférente, devant le poste de radio, aux rares dénonciations du massacre d'octobre. Tout était si lointain, et sa vie à elle si chargée de promesses... Il était facile de ne rien voir, de ne vivre que pour Armand, leur fille et le serment d'une vie à bâtir. Un nuage tamisa la clarté de la rue et plongea quelques instants la cuisine dans la pénombre.

Fanny pilait maintenant l'ail et le persil dans le mortier de pierre grise. Ses articulations blanchissaient tandis qu'elle enserrait le pilon. L'ombre glissée dans la pièce arpenta le visage de Louise, la vieillissant cruellement, et Fanny éprouva de la pitié. Ce visage-là ne trahissait rien, pareil à une eau

plane dont elle ne pouvait deviner les tréfonds et les courants. Le regard perdu dans la chair juteuse de l'ail, elle
songea que sa mère ne parlait jamais de l'enfant qu'elle
avait été. Les photographies s'étaient substituées à la
parole de Louise. *Et moi*, pensa Fanny, *ai-je parlé à Martin ?*
Ai-je parlé à Léa lorsque la possibilité m'en était offerte ? L'illusion du temps avait fait obstacle à tant de partages qu'il
devint brutalement nécessaire d'arracher à Louise des
souvenirs que Fanny n'avait su transmettre à sa propre
fille.

— Parle-moi, dit-elle en reposant avec force le pilon sur
la table. Dis-moi comment j'étais, parle-moi de ma naissance.

Sa mère secoua lentement la tête, posa les mains sur ses
reins, s'étira puis massa sa nuque avec lassitude.

— J'avais vingt ans.

Louise essuya ses mains sur le devant de son tablier puis
s'installa face à sa fille. La douleur de ses doigts n'avait cessé
de s'accroître depuis l'arrivée de Fanny. Elle savait que, le
soir, elle devrait demander aux enfants de servir le repas,
car elle en serait incapable. Elle ne mangerait pas, de peur
de se salir, de leur paraître sénile et dépendante. Louise
roula de petites boules de farce qu'elle étala avec maladresse
sur le billot. La peau de son bras était sèche, parcourue de
sillons et de veines. L'arthrite donnait à ses doigts des courbes végétales, les tordait comme des ceps. Elle était à la fois
fragile et lourde d'histoire.

— Ton père, il voulait un fils, dit-elle, mais il n'a pourtant pas été déçu. Les parents finissent toujours par aimer
leurs enfants, quels qu'ils soient.

Elle vit aussitôt Armand au seuil d'une chambre encore
chargée des effluves de la parturition, ce bref instant d'hé-

sitation qui le retint sur le linoléum du couloir. Peut-être Louise n'était-elle pas tout à fait honnête quant à la satisfaction d'Armand, mais il avait bien sûr aimé sa fille, comme ses autres enfants. Voilà ce qui importait aujourd'hui, ce qu'elle voulait faire entendre à Fanny.

— Je suis restée alitée. J'avais des douleurs terribles et, quand tu es née, le cordon ombilical était enroulé autour de ton cou. T'étais bleue et effrayante. Ils t'ont emportée tout de suite ! Pendant deux jours, on ne savait rien. Je gardais juste cette image de toi dans les langes, une petite chose comme morte, couverte d'humeurs. Dieu merci, tu as survécu.

Fanny se sentait fiévreuse et observait l'affairement de sa mère.

— Ensuite ?

Louise haussa les épaules, ignorant la portée des mots qui fusaient au-dessus de la table et percutaient sa fille au cœur.

— Ensuite ? Eh bien, je ne sais pas, la vie a repris son cours, je suppose. Les choses se sont améliorées, puis il y a eu la naissance d'Albin.

Fanny fut tentée de tendre brusquement les bras et de saisir sa mère aux poignets, de la contraindre à lâcher une boule de viande. Mais elle n'esquissa pas un geste. Elle avait la certitude que Louise ne l'avait pas aimée comme une mère se devait, selon elle, d'aimer son enfant. Rien ne le prouvait pourtant, mais elle n'ignorait pas qu'Armand avait entaché leurs relations d'une terreur insidieuse. Ce sentiment indéfinissable, attisé par la perception d'un manque, d'une injustice, la forçait à rechercher comme à la fuir la présence de sa mère.

— J'ai besoin de comprendre pourquoi tu n'as jamais

su m'aimer comme tu as aimé Jonas. Albin, lui, il avait
papa, mais moi?

Louise tressaillit, chercha à articuler un mot — Fanny
pensa qu'elle était sur le point de délivrer un secret —,
puis referma la bouche en un claquement de mâchoires.
Elle se leva enfin avec précipitation, voulut ramasser un
couteau sur la table et s'entailla la paume de la main. Elle
ne s'aperçut d'abord de rien, la douleur de l'arthrose masquait celle de l'entaille, et lorsque Fanny vit cavaler un filet
de sang sur l'avant-bras de sa mère, son cœur se serra. Elle
se leva à son tour et arrêta Louise au milieu de la cuisine.

— Tu t'es blessée.

Fanny déroula quelques feuilles de papier absorbant et
essuya la traînée de sang. Les mains de sa mère, serrées
comme des poings, achevèrent de la déstabiliser.

— C'est rien, dit Louise.

Elle quitta la cuisine et trouva dans le meuble de l'entrée de la gaze et du sparadrap dont Fanny la pansa.

— Je t'ai aimée, dit Louise quand elles se rassirent. À
ma manière. Je n'avais pas la moindre expérience et tout
est allé si vite. C'est un âge auquel on ne devrait vivre que
pour soi, pas pour un enfant. Tu peux comprendre ça
aujourd'hui?

Fanny ramena ses bras vers elle et ses mains glissèrent
sur la table. Elle paraissait extraordinairement lasse.

Louise se détourna, hésita puis se mit à chercher un
fait-tout dans l'un des placards. Elle cachait le tremblement de ses mains. Elle avait conscience de n'avoir pas
accordé à Fanny la même prévenance qu'aux garçons.
Peut-être, reconnut-elle intérieurement, ne l'avait-elle pas
aimée autant qu'eux. Mais qu'y pouvait-elle? Les choses

s'étaient faites ainsi, sans qu'elle en eût clairement
conscience. Fanny avait grandi si vite, avait si vite acquis son
indépendance alors que Louise pensait avant tout à protéger Jonas. Il lui paraissait légitime qu'il réclamât bien plus
d'attention. Le dos toujours tourné à sa fille, elle posa le
plat sur le gaz et alluma les brûleurs. Les flammes répandi-
rent dans la pièce une odeur doucereuse et elle s'appuya
au bord de la gazinière. Elle se sentait rompue, anéantie.
Elle ne pouvait résumer en quelques mots la complexité
de sa relation avec Armand, les choix auxquels elle avait dû
se résoudre, le renoncement à Albin quand il lui avait été
ravi par son père. Le divorce n'avait pas été envisageable.
Louise s'était rattachée à sa vision du couple, aux conces-
sions qu'exige une vie commune, et elle ne le regrettait
pas. Elle versa un filet d'huile qui grésilla sur le fond en
inox. Louise se souvenait de Fanny. Elle gardait de merveilleux souvenirs de sa fille. La petite robe bleue qu'elle
portait un jour de rentrée scolaire, s'éloignant dans la cour
de l'école, puis disparaissant dans la masse mouvante des
autres enfants. L'eau vinaigrée qu'elle versait après le bain
sur ses longs cheveux noirs. Cet hiver durant lequel Fanny
avait trouvé la dépouille d'un oiseau tandis qu'elles longeaient les plages, emmitouflées dans d'épais manteaux.
Elles ne sentaient plus leurs doigts en creusant le sable
durci, et Fanny s'était soudain interrompue, tournant son
visage rond vers sa mère, pour lui demander si elle devrait
mourir à son tour.

Louise se rassit et ne dit rien. Elles roulèrent la farce
dans de fines tranches de lard qu'elles piquèrent de cure-
dents, puis Louise déposa les rouleaux au fond du fait-tout
où ils commencèrent à frémir. Il faisait chaud, le soleil

avait reparu au-dehors et leurs fronts luisaient. Elles éplu-
chèrent les carottes. Sous l'entaille du couteau, les lamel-
les de peau tombaient une à une, avec régularité.

— Laisse-moi faire, dit Fanny.

Devant la mine défaite de sa mère, elle sut qu'il serait
facile de prendre le dessus. Elle ne souhaitait pas l'humilier, mais il était nécessaire qu'elle comprît que ses actes
posés par le passé, avec indifférence ou frivolité, avaient eu
une incidence sur sa vie. Il ne suffisait pas que Louise admît
son erreur, il fallait qu'elle expiât, et ce désir se matérialisait dans la cuisine où le jour léchait les volets et faisait
exsuder du vieux bois une odeur de solvant qui s'évanouis-
sait dans le parfum de cuisson. La clarté de la mi-journée
nimbait la table, parsemait le visage de Louise et chassa
l'apitoiement que Fanny avait éprouvé quelques instants
plus tôt.

— Ce matin, dit-elle, j'ai pensé à ce jour où nous sommes descendus aux plages. Tu m'avais confié la garde de
Jonas, mais je me suis éloignée et il s'est aventuré sur une
jetée de pierre. Il y avait cet homme, un étranger, et son
fils.

Pour y avoir songé elle aussi lorsqu'elle sommeillait au
salon, Louise se rappelait ce jour avec exactitude. Elle pensait que ses enfants ne gardaient aucun souvenir de la rencontre avec le Londonien. Elle éprouva de nouveau la main
sur sa cuisse et Fanny, une fois de plus, perçut son émoi. Il
eût été facile de dénoncer le secret qui, depuis tant d'années, scellait cet instant. Un mot aurait suffi, ce mot qui formait dans la bouche de Fanny une masse incandescente,
brûlait de se répandre dans la chaleur de la cuisine et de
fissurer l'apparence de Louise. Car, sous la diligence de sa
mère, son obstination à les réunir pour le dîner, Fanny

devinait la femme qu'elle désirait mettre à nu, dépouiller
de son enveloppe de temps, de sa chair harassée, de l'impunité de l'âge. Elle lui apparut alors méprisable, égoïste,
et Fanny aurait aimé la blesser, lui faire courber l'échine,
l'humilier. Louise, assurée d'être la seule à posséder la
réalité de ce jour aux plages, défia sa fille du regard, et la
colère et le frisson sur sa cuisse la rendirent plus forte, au
point qu'elle brûla de dévoiler la tentation à laquelle elle
aurait cédé si Jonas n'avait pas échappé à l'attention de
Fanny. Oui, pensait Louise, elle lui parlerait de cette main
longue, blanche et molle qu'elle aurait pu laisser plonger
dans son sexe. Cette caresse à laquelle elle s'était soustraite
aurait eu sur sa vie une incidence dont elle ignorait tout.
Peut-être l'aurait-elle émancipée de son fardeau de mère
pour faire d'elle, l'espace d'un instant, une femme qui,
des années plus tard, aurait fait face sans ciller aux accusa-
tions de sa fille? Le désir tisonnait la fierté de Louise. Un
homme était venu vers elle et avait touché son corps. Elle
avait été désirable, à l'âge où Fanny était déjà tellement
fade et éteinte. Louise n'était pas dupe de ces apparences.
Elle avait depuis longtemps senti cette étrangeté que
Mathieu et Fanny mettaient tant d'obstination à dissimuler. Il ne faisait pas de doute pour elle que son gendre
entretenait une liaison, et sa fille était d'ailleurs conforme
à ce genre d'épouses qu'elle imaginait trompées, pour lesquelles elle concevait une lointaine mésestime, méprisant
chez les autres ce qu'elle avait souvent redouté pour elle-
même.

Louise hésita, puis renonça. Il lui revenait de ne pas salir
plus avant la mémoire d'Armand, de la protéger sans jamais
dévoiler aux enfants les failles de leur relation, et passer aux
yeux de sa fille pour une femme frivole. Fanny ne savait rien

de celle qu'avait été sa mère, de ses rêves d'ailleurs, de ses désirs lointains, des amours folles et de la vie affranchie, des grandes causes auxquelles elle avait un jour désiré se consacrer. De ces mille vies auxquelles Louise avait renoncé pour Armand et ses enfants qui la jugeaient désormais, en la personne de sa fille, assise à la table de la cuisine, Fanny ne saurait jamais rien.

— Alors, tu as couru après Jonas jusque sur la jetée et, lorsque tu l'as retrouvé, c'est moi que tu as frappée au visage. Je suis tombée par terre. Du sang coulait sur ta cheville. Tu t'étais blessée sur les rochers.

Fanny se tut. Elle s'apprêtait à confondre sa mère, et voici que le souvenir se concentrait en un détail infime qui semblait contenir la plage : la perle de sang bordée de sable, comme un joyau voué à la dissolution, vu d'elle seule, et dans lequel elle avait perçu ou fantasmé Louise en colosse de marbre. Fanny détourna le regard. Le chuintement de la cuisson et l'exhalaison du gaz densifiaient le silence. L'évocation de Louise la ramenait au souvenir de Léa, sans qu'aucune larme de sang fût jamais parvenue à amoindrir sa peine. Louise parla à mots perdus :

— Tu peux me reprocher mon injustice, Fanny. C'est comme ça, les adultes ont des paroles, des gestes, qui hantent la vie des enfants et ils n'en savent rien.

Elle vit se dresser devant elle la ferme des Cévennes, la bassine de cuivre que l'on remplissait un soir par semaine et devant laquelle sa mère déshabillait pour le bain frères et sœurs sans distinction malgré le duvet qui noircissait les lèvres pâles de son sexe, malgré le renflement pubère de ses aisselles et de ses seins. Puis le regard naissant de concupiscence de ses frères quand elle devait se glisser à son tour dans l'eau attiédie et noircie par la crasse de la famille. L'image de Léa enfermait Fanny dans cette vision de Louise, oubliée jusqu'alors, aussi n'entendit-elle rien.

— Je n'avais pas à endosser la responsabilité de Jonas et de ton inadvertance.

Elle hésitait à accabler Louise, vacillait entre ses certitudes et l'amour qu'elle lui portait cependant. L'âpre idée que Léa, à son tour, l'aurait un jour désignée comme coupable de quelque manquement chamboulait sa détermination.

— Je t'ai peut-être mal aimée, dit Louise, mais je t'ai aimée du mieux que j'ai pu. Qu'est-ce que tu attends de moi, maintenant? C'est pas bien assez de le reconnaître, d'accepter tes reproches?

Elle se leva pour clore la discussion, poussa les épluchures de carottes dans le creux de sa main et se détourna de la table.

— Tu as raison. Tu ne m'as pas bien aimée, et tu ne m'as laissé d'autre choix que celui d'aimer ma fille dans la démesure, l'exclusivité.

La lassitude exhorta Louise à s'appuyer contre l'évier. Ses mains ravinées, dont Fanny devinait l'odeur de Javel et la peau épaissie, ses mains de femme de marin, plongées une vie durant dans le détergent, le crésyl et les entrailles de poissons, semblèrent vouloir empoigner le métal pour s'y retenir.

— Pas assez cependant pour l'empêcher de mourir, dit Louise. Qu'est-ce que tu crois? Que si j'avais été une meilleure mère, ta fille ne serait pas morte? C'est ridicule. Ce qu'il s'est passé ce jour-là sur la plage, ça n'est la faute de personne. Si tu veux parler de Léa, parlons de Léa.

Fanny songea qu'elle n'obtiendrait rien de plus de sa

mère, qu'il lui faudrait la confronter à sa lâcheté, à l'homme qu'avait été Armand et qu'elle s'évertuait à défendre plus qu'elle n'avait jamais cherché à protéger ses propres enfants.

— C'est assez, tu n'entends rien, tu es enfermée dans tes certitudes. Tu es tellement... froide et sûre de toi... Il faut que tu aies des œillères pour ne pas voir le mal que vous nous avez fait, pour ne pas comprendre que vous nous avez anéantis.

Le sang battait à ses tempes et, ne pouvant plus supporter la présence inébranlable de Louise, elle se leva enfin et quitta la pièce.

Elle pénétra dans sa chambre comme dans une mélasse et se dirigea vers le lit qui, un jour, avait été le sien. Son corps s'affala sur le matelas avec la lourdeur d'un morceau de bois mort. Fanny était exténuée, ses dernières forces l'avaient quittée lorsqu'elle franchissait la porte de la cuisine et montait l'escalier en se hissant d'une main sur la rampe. Avant sa mort, Armand avait repeint la pièce, ne laissant rien de la tapisserie aux motifs familiers, remplacée par la menace des ombres sur le plâtre livide. Des cartons de vêtements s'entassaient contre un mur. L'odeur des boules de naphtaline glissées dans la penderie imprégnait la chambre. Dans un angle, au plafond, une toile d'araignée formait une abside de soie. Les rideaux bleuissaient dans le jour écoulé de la cour, à l'arrière de la maison. La lumière n'était plus celle de la cuisine, mais une clarté indécise et terne. Fanny n'osait bouger. La sensation de son âge, le poids de la maison et du temps, la présence de Louise au rez-de-chaussée la plaquaient sur le matelas et le drap rêche. Elle passa une main sur son visage, gifla ses joues. Ses gestes semblèrent anormalement silencieux, assourdis. Avait-elle été odieuse ? Pourquoi lui importait-il de confronter Louise à ses défaillances ? Bien sûr, Léa était sous sa responsabilité ce jour-là, et Fanny restait l'unique coupable. Cherchait-elle alors à se venger de la violence d'Armand ? Était-il possible encore de rétablir une justice ? Fanny se tourna sur le flanc, enfouit son visage dans le traversin, mais l'odeur de cellulose n'avait rien de familier. *Comment ma mère peut-elle supporter l'écrasante absence de mon père ?* se demanda-t-elle. *Où Louise trouve-t-elle la force de continuer seule ?* Sitôt la question formulée, la réponse s'esquissa. Elle y était préparée, comme l'éloignement de Martin et la lassitude de Mathieu devant le deuil inachevé de Léa annonçaient leurs séparations. La touffeur de l'après-midi plongea Fanny dans une somnolence rêveuse. Des images affluaient, se jetaient dans l'opaque mer de ses songes sans qu'elle cherchât à démêler les parcelles de sa vie de celles, réelles ou supposées, de l'existence de Louise. Comme autant d'atomes, les rêves étaient des bribes et composaient un tout, une illusion. Fanny saisissait la confusion de l'ensemble, et chacun des fragments avec netteté. Il y avait eu les amis, les soirées où ils parlaient fort, jusque tard dans la nuit, l'ivresse et les idéaux gauchistes, l'évocation de leur jeunesse. *Tu répands des parfums comme un soir orageux.* Des nuits et des matins sur Sète, la rencontre imprécise de deux sexes. Il y avait eu des femmes sirotant un muscat sous une tonnelle et des hommes dont l'entrebâillement d'une chemise dévoilait les torses épais. Il y avait eu des soirs où les portes de la salle à manger s'ouvraient sur le jardin, l'odeur fade des hortensias et le bruit des arroseurs automatiques. Des amoncellements de mégots dans des cendriers. Elle traversait la pièce, attardait sa main sur

l'épaule de Mathieu, la fumée de sa cigarette s'élevant lentement autour d'elle. Elle en avait conscience, comme de
la moiteur de sa peau sous la robe sans manches. Elle se
sentait désirable. Il y avait eu l'alanguissement sur un
canapé — mais était-ce Fanny, Louise ou Léa ? — et la perception étrangère d'un lieu. Les voix échauffées des adultes,
les éclats de rire autour d'un café, d'une interminable
partie de tarot. Puis il y avait eu des bras qui la soulevaient
sans parvenir à l'éveiller tout à fait. La nuit noire et lourde
des senteurs de l'été quand la terre expire. Les voix désormais basses et repues. La banquette arrière d'une voiture.
Elle, enveloppée dans une couverture. Un trajet dans des
ténèbres insondables, traversées de fulgurances jaunes, de
feuillages sombres et le lit dans lequel la déposait Armand
ou Mathieu et, peut-être bien avant, le père de Louise. Ce
sentiment de puissance et d'immunité, pareil à une tension
électrique, qui la transportait lorsqu'elle était enfant. Le
monde ne nous apparaît avec clarté qu'à l'instant du sommeil ou aux premières heures du matin, mais toujours
quand la conscience est délestée du corps. De ces sensations, il ne restait plus rien. Elle n'éprouvait plus le besoin
de présences autour d'elle. *Ils ne savent pas parler de Léa, aussi
font-ils comme si elle n'avait jamais existé.* Les amis s'étaient éloignés, elle les avait trouvés embourgeoisés, sur le déclin,
plus libéraux que socialistes sans percevoir qu'elle avait
pourtant suivi le même chemin. Les souvenirs qu'ils évoquaient nécessitaient désormais de mobiliser la mémoire
de tous, si bien que l'image ainsi recomposée n'était plus
tout à fait exacte. Ils s'en accommodaient : tout était bien
loin, après tout. *Tu te souviens ? Non, je ne m'en souviens pas,
tu es certain que c'était moi ?* Ce qu'il restait, c'étaient des sensations : un jour chaud de printemps quand les arbres

morcellent la lumière et que l'on marche pieds nus sur une herbe courte. Il flotte dans l'air une odeur de résine. Des mains enfoncées dans le ventre d'un poisson et les entrailles froides au creux de ses doigts. Un matin d'hiver enneigé où l'on avance avec prudence le long du canal pour ne pas glisser sur les pavés verglacés. Des îlots blancs ballottent contre la coque des bateaux. L'odeur d'une transpiration, un été, dans un champ de l'arrière-pays où les avant-bras sont à sang et les lourds ballots de paille que l'on vient de rouler sèchent au soleil blanc. Le retour au port des chalutiers, les visages harassés des hommes, un jet d'eau sur le pont, des bacs de poulpes mauves. Une fête foraine, le tournoiement des néons, le corps brun des forains qui se glissent dans la nuit. Enfin, le souvenir d'un cri qui ricoche sur les murs d'une rue commerçante : *Tout doit disparaître!* *Tout doit disparaître!* Fanny sommeillait désormais, bercée par l'évocation de ces enfances, de ces mémoires amalgamées.

*

Leur famille est ce fleuve aux courbes insaisissables dont il n'est possible de cerner la vérité qu'en l'endroit où la mémoire de tous afflue pour se jeter, unifiée, dans la mer.

*

De la cuisine, Louise avait perçu les pas de Fanny à l'étage. Elle était entrée dans sa chambre d'enfant. Puisque rien ne devait la détourner du dîner, Louise avala une double dose d'anti-inflammatoires et acheva la préparation du plat. Elle versa le concentré et la pulpe de tomate, ajouta une rasade de vin rouge, le bouquet garni et déposa les rouleaux de viande. Elle attendit l'ébullition pour couvrir le fait-tout, recula de deux pas et s'installa pesamment sur la chaise. Un regard par l'entrebâillement des volets l'assura du bleu du ciel. Non, elle ne pouvait endosser la culpabilité de Fanny, elle ne pouvait être désignée comme responsable de ce que la mort de Léa avait engendré. Par son effronterie d'enfant, puis par son flegme de jeune fille, Fanny n'avait cessé de porter un jugement sur la famille, de chercher à s'en distinguer ; ainsi de son désir de vivre à Nîmes et de fuir la vie de Sète qu'elle jugeait avilissante. La présence de Fanny dans la maison avait tôt fait d'imposer une comparaison, d'opposer la vie recluse de Louise, l'atrophie existentielle à laquelle condamnait la mer et ce qu'elle percevait comme une émancipation. Fanny s'était affranchie de l'enclave de Sète. Elle vivait dans l'abondance d'une maison proprette de banlieue. Mais elle aussi avait échoué à préserver ses enfants et l'amour de Mathieu. Seules lui restaient les apparences dont sa mère était dépourvue, un pavillon à la façade immaculée et des tenues modernes et exemplaires. L'année de la majorité d'Albin, Fanny lui avait annoncé sa première grossesse, et elles s'étaient tenues toutes deux enlacées dans cette cuisine où, des années plus tard, elles venaient de s'affronter. Le corps de Fanny réfugié contre le sien, tout en renflement fertile de seins et de ventre, lui avait semblé étranger et Louise avait maladroitement passé les mains sur le creux de ses reins, l'angle de ses omoplates, le frisottis des cheveux qu'elle portait alors courts, à la naissance de la nuque. Un sentiment s'était fait jour en Louise : la nécessité de saisir la connivence qui les rapprochait un instant, celle de deux femmes unies par l'expérience de la maternité et qu'elle ressentait en écho dans sa propre chair. Il fallait que Louise délivrât à sa fille un message, qu'elle trouvât par les mots l'essence de l'existence et la transmît à Fanny, qu'elle la mît en garde contre les désillusions, les compromis auxquels elle se confronterait et dont elle ne pouvait se douter, tout enhardie par l'abondance de son corps. Louise n'avait-elle jamais cherché à dire à sa fille combien il importait qu'elle conservât l'espoir ? Cet espoir que l'on trouve intact le matin quand le soleil chenille dans une chambre encore fraîche. Cet espoir d'après l'amour lorsque l'on est repus et en vie et que l'extase fait exulter le corps et pulvérise l'esprit. Cet espoir qui est l'aube de toute existence quand la conscience et le monde ne font qu'un, que le Sens est à portée de main. Louise avait balbutié :

— Je voudrais que tu sois épargnée, aussi longtemps que possible.

Sa fille s'était imperceptiblement raidie, mais la proximité de leurs corps enlacés avait assuré à Louise son échec. Il était trop tard pour qu'elle parvînt à se faire entendre. Fanny avait éprouvé de l'attendrissement pour cette femme soudain vieillie, lourde de regrets. Elle s'était promis, en l'étreignant plus fort, de ne jamais avoir à faire l'aveu de sa défaite à la fille que, peut-être, elle enlacerait un jour à son tour.

— Allons, maman, n'en fais pas trop. Ne te fais pas de souci, avait affirmé Fanny en riant, consciente qu'elle la tournait en ridicule.

Louise se souvint que la luminosité était autre : c'était un jour gris, au ciel lourd, et elles se figeaient dans la cuisine, redoutant de ne trouver à dire ce qu'imposerait la séparation de leurs corps. Il n'y avait plus rien d'évident dans les gestes qu'elles esquissaient. Leurs mains empoi-

gnaient un bras, une épaule, désiraient s'éloigner l'une
de l'autre, se soustraire à leur étreinte respective. Louise
se leva. Dans le hall, elle guetta le haut de l'escalier. Par un
ajour, la lumière dégringolait le long des marches, se brisait
aux angles et glissait sur le mur. Le silence dans lequel
s'appesantissait la maison fit douter Louise de la présence
de sa fille, de la réalité de leur dispute. Elle hésita puis
gagna l'étage, trouva Fanny assoupie et vint s'asseoir près
d'elle. Elle ne l'éveilla pas de suite et laissa son regard errer
le long des murs, puis sur le visage apaisé de Fanny. Elle
glissa enfin une main sur son front. Fanny ouvrit les yeux,
contempla sa mère :

— Je rêvais, dit-elle.

— Tu semblais paisible.

— J'étais dans le même temps toi, moi et Léa.

Louise acquiesça, continua d'effleurer le front de Fanny
puisqu'elle ne se soustrayait pas à son geste. Elles restèrent
un instant sans bouger, puis Fanny invita sa mère à s'allonger près d'elle. Louise se laissa glisser sur le côté. Elle fit face
à sa fille. Elles éprouvèrent le sentiment de leur intimité
dans l'immobilisme de la maison, la pâleur de la chambre.

— Est-ce que tu as mal ? demanda Fanny en caressant
du doigt une main de sa mère.

Le rêve avait ouvert une voie en elle. Scrutant le visage
de Louise, elle cherchait une origine à sa rancœur dans la
régularité des traits, le froncement du front, le plissement
des joues. Une idée indistincte, une lointaine certitude lui
laissaient croire qu'il était advenu quelque chose dont elle
n'avait gardé aucun souvenir. Fanny arpentait sa mémoire
à la recherche d'une image qui se dérobait sans cesse, fuyait
sitôt qu'elle l'approchait. C'était, pensa-t-elle, une évanescence teintée d'humiliation, de lassitude et de répulsion.

Que s'était-il passé dont Louise posséderait le secret et dont Fanny ne parviendrait pas à retrouver la trace ? Le passé était un labyrinthe aux sombres détours, aux ambages obscures. Il y avait, pensa-t-elle, un ciel bleu ce jour-là, si bleu qu'il paraissait blanc, insoutenable au regard ; un soleil fracassant qui flamboyait au-delà de la ville, puis une clameur, un bruit d'hommes s'élevait et se dissolvait dans la patine du ciel. Mais cela ne ramenait Fanny à rien, rien ne justifiait l'authenticité d'une évocation que son sommeil l'avait conduite à suspecter. Cette résurgence se nourrissait de sa désillusion, de son ressentiment à l'égard de Louise. Face à elle, la mère semblait inoffensive, comme une bête fourbue, repue de l'intimité qu'offrait le rapprochement de leurs corps, le drap de silence sur elles. Qu'avait fait Louise, quel acte avait été posé pour mériter l'accusation définitive de sa fille ? Était-ce son acharnement à défendre Armand, à couvrir ses emportements, sa violence ? La mémoire, cette traîtresse, laissait affleurer à la surface de ses eaux d'hypnotiques éclats dans lesquels Fanny éprouvait la possibilité de se perdre. N'avait-elle pas vécu mille fois la blancheur d'un ciel sur sa peau, la rumeur de Sète, le joug du soleil ? Fanny n'était-elle pas victime d'une illusion, de ces ellipses qui jalonnent toute vie et que la mémoire cherche à combler pour recouvrer son unité ? Faisant à Louise le reproche de sa défaillance, Fanny voulait obtenir l'aveu de ce qui avait condamné l'enfant qu'elle avait été. Une sensation funeste enlaça son thorax, brisa son souffle. Fanny discernait avec précision les plis et replis de l'oreille de Louise, le calice de ses pupilles, l'éparpillement des veinules sur la nacre de l'œil, les sillons dans la peau de son cou.

— Un jour, dit sa mère, j'étais dans la chambre, et tu t'es assise sur le lit. Tu m'as regardée et tu m'as dit haut et fort que tu ne m'aimais pas, avec toute cette conviction dont tu étais capable. Tu restais là, les poings campés sur l'édredon et tu attendais ma réponse. Tu voulais me faire du mal, tu attendais que je te supplie de m'aimer un peu. Je t'ai répondu que rien ne t'obligeait à m'aimer, mais que moi, en revanche, je t'aimerais quoi qu'il advienne. Que tu resterais ma petite fille. T'étais folle de rage de n'être pas parvenue à m'atteindre et t'as quitté la chambre en courant.

— Je me souviens avoir vécu cette scène avec Léa, quand elle ne jurait que par Mathieu.

La sensation qu'avait éprouvée Fanny plus tôt sembla se dissoudre et ne laisser à sa conscience qu'une lame de tristesse.

— Et si je te disais aujourd'hui que je ne t'aime pas ? Que je ne t'ai jamais aimée ? Que je n'y suis jamais parvenue ?

Louise porta une main à la joue de Fanny. Sa peau sentait l'ail, le laurier et l'eau de Cologne. Les veines pourpres dévalaient ses avant-bras, enlaçaient ses os frêles.

— Je te répondrais ce que j'ai dit ce jour-là, je suppose. Tu resterais ma petite fille, quoi qu'il advienne.

Elles souriaient maintenant et leur histoire n'eut soudain plus d'importance : il ne restait qu'elles, comme suspendues dans un ailleurs où rien ne comptait sinon ce partage éphémère. Les choses étaient dénuées de gravité et Louise voulut se repentir de n'avoir pas su être à la hauteur de ce que Fanny avait attendu d'elle. Mais Fanny pensa qu'il était temps d'abattre ses résistances. Le doute nourri sur sa mère était l'amorce d'un renouveau : Fanny serait-elle sans cesse poursuivie par ce passé opaque, vénéneux, par l'ombre de son père ? Il fallait tout accepter, pardonner, même ce qu'elle ignorait de Louise. Pardonner aussi

Armand, puis la mort de Léa. Elle se sentit capable, pour la toute première fois, de se défaire de sa fille, des vêtements entreposés, capable de refermer les albums de photos. C'était même — elle le sentait désormais — une nécessité. Lâcher prise, renoncer à Léa, grâce à Louise, à ce qu'elle avait ponctionné d'enfance en Fanny. Elle prit le visage de sa mère entre ses mains, éprouva la flexion de la peau sous ses paumes, le duvet invisible, chaque aspérité de cet épiderme, puis l'ossature de son crâne. Fanny ne serrait pas, mais, entre ses doigts, elle tenait sa mère tout entière, consciente qu'elle disparaîtrait à son tour. Fanny porta ses lèvres au front, aux pommettes, aux joues de Louise. Avec passion, elle embrassa les yeux clos, l'arête du nez, le menton et les lèvres de sa mère. Elle l'embrassa comme une amante, goûtant le sel de la sueur à ses tempes, le goût de sa salive entre les lèvres que Louise, stupéfaite, ne desserrait pas. Au rez-de-chaussée, le téléphone retentit. Elles laissèrent quelques sonneries achever de corrompre leur connivence, puis Louise dit d'une voix haletante :

— Il faut que j'aille répondre.

Elle eut le sentiment de s'arracher du lit, de replonger dans la réalité de la maison et du dîner à venir. Quand elle fut hors de portée de sa fille, elle s'adossa au mur pour reprendre son souffle. Sa tête grondait, sa vision se dispersait au rythme de son pouls frénétique. Louise se sentit libérée par la bouche que Fanny avait portée sur elle. Cette bouche folle, avide, avait happé en elle une bile, l'avait libérée d'une pesanteur. Fanny entendit les pas de sa mère dans l'escalier, puis sa voix, sans distinguer le sens de ses paroles. Toutes deux, savait-elle, venaient de vivre leur dernier instant de complicité et, bientôt, elle se lèverait à son tour, délaisserait la chambre où rien ne subsisterait sinon le vide, la lumière blême sur le dessus-de-lit, l'image de leurs corps. Louise y songerait encore, lorsqu'elle tendrait le drap puis, plus tard, quand elle entrerait dans la pièce. Leurs paroles lui seraient lancinantes et y résonneraient longtemps. *Qu'importe ce qui a eu lieu ici*, pensa Fanny, *il nous faut nous résigner*. Elle entendit Louise reposer le combiné du téléphone, s'assit sur le lit, embrassa la chambre du regard, puis la quitta. Au bas de l'escalier, Louise était immobile, une main sur la poitrine :

— C'était ton frère, dit-elle, Albin. Il ne viendra pas ce soir.

*

Il y a une dynamique, une vie propre au passé. Les souvenirs en enfantant d'autres et de ces unions incestueuses naissent des fables.

*

Le soleil embrasait avec indifférence les peaux, la pierre, la surface rutilante du canal, densifiait et électrisait l'air. Rien ne semblait tangible, mais perçu à travers une épaisseur de verre brut. L'inerte et le vivant formaient un camaïeu indécis pour qui ne cherchait pas à focaliser son attention. Jonas marchait pesamment, car l'idée du dîner le hantait à nouveau et lui donnait la sensation de charrier dans la ville un poids indicible. Le coton de sa chemise, mouillé de sueur, semblait gris par endroits et collait à sa peau. Sa nuque était rouge. Le soleil y coulait comme au long des façades. Un frisson rayonnait parfois alentour, sur la peau de son cou. Il n'était pas certain de vouloir déjeuner en compagnie de Nadia. À la manière dont un mauvais rêve teinte une matinée d'appréhension, Jonas gardait l'arrière-goût de ses réminiscences.

Il était convenu qu'ils se retrouveraient sur la place Aristide-Briand et Jonas s'installa sur un banc, parcourut du regard les vagues successives de passants, sans y trouver Nadia. Le jour tombait en lambeaux à travers les branches des arbres, sur le toit du kiosque à musique, serpentait le long des piliers. Plus loin, sur une aire de jeux bordée de gazon synthétique, quelques enfants se hissaient sans entrain sur des carcasses de fer peintes en vert et jaune. Un manège stridulait dans l'odeur de churros d'une baraque attenante. Près des prunus et des palmiers, en bordure de place, un témoin de Jéhovah cherchait à attirer l'attention avec une pancarte :

> *Demain vous semblera :*
> *a) radieux*
> *b) sans importance*
> *c) désastreux.*

Jonas avait connu Nadia ici même, au début de l'hiver. La place, à présent baignée dans la clarté de l'été, évoquait un lieu proche et pourtant bien éloigné de l'étendue battue alors par le vent du large. Par instants, se souvint Jonas, les feuilles des érables jonchant le sol se soulevaient, tournoyaient et dévalaient la place. Les passants ramenaient des écharpes sur leurs visages et s'effaçaient sous d'épais manteaux. Nadia marchait parmi eux, dans l'un de ses sempiternels boubous. Ses cheveux étaient courts et crépus. La peau de ses mains était sèche ; son corps oblong et musculeux. Nadia n'était pas son nom. Elle avait demandé une cigarette à Jonas — sur la place, ce jour d'été, des années plus tard, il ne parvenait pas à se souvenir des raisons de sa présence — et ils avaient fumé ensemble, leurs souffles opaques balayés par la bourrasque. Il était insensé de croire que cette vision de Nadia en homme affublé d'un boubou, et de la femme qui traversait désormais la place vers lui, exposant l'ébène et l'opulence de sa chair, fussent une seule et même personne. Seule la bariolure de ses pagnes faisait écho en Jonas, lui permettant de les rapprocher l'un de l'autre, puis le souvenir du périple au long duquel il l'avait accompagnée, celui de sa transformation. Jonas se leva et Nadia l'embrassa avec ferveur.

— Je suis heureuse de te voir. Installons-nous vite, peu importe, là, par exemple.

Le traitement hormonal avait adouci sa voix. Elle gardait un hématome à l'endroit de son cou où s'était trouvée la pomme d'Adam. Il n'était plus qu'une nébuleuse sur la peau sombre. Elle tint Jonas par le bras jusqu'à la terrasse du café où ils s'installèrent, parla avec effervescence, ignorant la difficulté qu'il avait à suivre le sens de ses paroles. Les clients posèrent sur eux leurs regards, attirés par l'ambiguïté que déployait Nadia autour d'elle. Un garçon prit leur commande et déposa sur la table deux verres de vin blanc. Jonas éprouva sous ses doigts l'étrangeté de la buée sur le galbe de la coupe.

— C'est, disait Nadia, précisément ce qui m'insupporte, ce folklore, ces maisons napolitaines, ces vieux loups de mer désœuvrés le long des quais...

Jonas souriait, coutumier de ces plaintes. Il savait que Nadia ne parviendrait jamais à quitter Sète. Comme tant d'autres, sa relation avec la ville était tissée de frustration et de tendresse.

Le soleil au zénith se posait sur l'efflorescence des parasols et Jonas devina que la mer devait être une étendue miroitante, une plaque de verglas sur laquelle crissaient les angles saillants des rochers. Le théâtre de la mer se découpa dans son esprit, blockhaus austère, ouvert aux quatre vents. Était-ce, pensa Jonas, l'image sur laquelle s'était achevée l'existence de Léa? Le temps avait fait de cette croyance une conviction. Il ne pouvait songer sans révolte à cette vue de Sète. Mais pourquoi n'avait-il de cesse qu'il n'ait réuni les morceaux épars d'un passé dont il eût préféré se défaire?

— Tu m'écoutes, ou bien? finit par demander Nadia.

— Excuse-moi, c'est le dîner de ce soir. Je n'ai la tête à rien d'autre.

— J'ai aperçu ta mère en ville ce matin. Cette femme me crève le cœur, elle semble triste comme les pierres. Comment va-t-elle?

— Bien, je crois qu'elle va bien. Elle nous surprend, elle se remet de la mort d'Armand mieux que nous ne le pensions.

— On sous-estime toujours la capacité des gens à survivre à la disparition des leurs.

Jonas haussa les épaules.

— J'ai depuis longtemps renoncé à comprendre la nature de leur lien. La mort de mon père était peut-être la meilleure chose qui pouvait lui arriver. Nous arriver.

Souvent, il pensait qu'il n'aurait pu en être autrement, plus longtemps. Mais Jonas pesait aussitôt le poids de cette absence. Nadia tira de son sac un paquet de cigarettes, en alluma une, puis fronça les sourcils.

— Je crois que nous sommes entrés sans nous en apercevoir dans l'âge des mises en bière.

Le filtre de sa cigarette disparaissait entre ses lèvres épaisses. *Mais il y a Hicham,* pensa Jonas, et il s'accrocha à l'idée d'avoir bâti quelque chose, cette relation qui perdurait au-delà des éclats, des séparations, des départs, puis des morts autour d'eux. Au-delà de la mort de Fabrice. Devait-il à Louise et à Armand son entêtement à construire une histoire, sa fidélité à Hicham ? Lorsque tout les éloignait pourtant, ses parents ne s'étaient pas séparés, acceptant l'échec de leurs vies plutôt que de reconnaître celui de leur mariage. Jonas connaissait la solitude dans laquelle Nadia s'éreintait.

— J'avance sous la surface d'un lac gelé, lui avait-elle confié un soir d'ivresse. Je vois au travers, mais je vois flou. Je distingue des ombres, des contours qui me sont familiers mais dont je suis sans cesse tenue à distance. Puis, parfois, il y a cette faille dans la glace. Je parviens à faire surface, à respirer. Ça peut être une sensation, ou ça peut être toi, Jonas. Quelque chose ou quelqu'un qui me ramène à la vie, me fait sentir en vie, *dans* la vie, mais tout cela est si... fugace.

Elle s'était épuisée sur les quais, sur les parkings au bord du canal et près de la gare, dans des nuits baignées de senteurs d'asphalte et de pétrole, à prêter des sentiments, de l'amour au rabais à des pères de familles anonymes et honteux qui l'empoignaient sur le capot d'une voiture. Puis il y avait eu cette junkie dont elle s'était amourachée, ignorant le pourpre de ses bras et de ses cuisses et qu'elle avait retrouvée, affalée dans la baignoire, l'écume aux lèvres. L'image du corps confondu à l'émail se superposa en Jonas avec l'un de ses derniers souvenirs de Fabrice, et il se vit dans le même temps enfant, auprès de Louise. Il était terrifié à l'idée qu'un malheur vînt s'abattre sur elle, car le bonheur que lui conféraient sa présence et l'absolu de son amour ne pouvait durer : il fallait qu'une fatalité le contrebalançât. Aussi, lorsqu'il arrivait que Louise fût malade, Jonas ne vivait plus, assuré que la maladie — fût-ce un malaise insignifiant — finirait par la terrasser. Et, lorsque de sa chambre ou de la salle de bains, quand elle s'y trouvait seule, lui parvenait un bruit qui ne lui était pas familier, il dévalait l'escalier et se précipitait auprès d'elle, bouleversé d'avance à l'idée de la trouver morte. Elle avait fait tomber un objet, le pommeau de douche dans la baignoire, ou rabattu une porte trop fort, et elle se moquait gentiment de son fils. L'humiliation causée par l'excès de sa prévenance semblait mille fois préférable, pour Jonas, au drame que, sans le savoir, Louise venait peut-être d'éviter, et il débordait d'amour pour la nudité de sa mère, pour le renflement de ce corps.

Il en viendrait aussi à craindre et à anticiper sa propre mort, mais pour une tout autre raison. Jonas n'ignorait pas l'aversion de Louise pour cette sexualité qu'il sentait éclore et qui le façonnait peu à peu. Malgré ses efforts pour la reléguer au fond de lui, l'ensevelir, la travestir d'illusions et de faux-semblants, il arrivait à Jonas de sentir que sa mère percevait quelque chose de cette noirceur, comme elle aurait palpé dans l'obscurité, pour en deviner la nature, les formes d'un objet dont la consistance l'aurait rebutée. Et, même un bref instant, Jonas la sentait alors se rétracter, se détourner de ce que désignait implacablement son instinct, son acuité de mère, repoussée par le doute, l'appréhension de ce qu'elle pourrait découvrir. Ce sentiment, Jonas l'avait eu depuis sa plus tendre enfance, et il s'était construit dans une tromperie permanente, avec l'idée toujours muselée de sa déloyauté à l'égard de Louise, puis celle d'une malfaisance innée, contre laquelle il était impuissant à lutter et qui faisait de lui un être indigne et retors. Lorsque l'on demandait à Jonas ce qu'il envisageait de son avenir, il répondait comme tout autre garçon de son âge, et nul ne se doutait qu'il lui était en réalité impensable de se projeter plus loin qu'un présent semblant toujours remettre à plus tard l'instant d'une sanction fatale, d'une mort vengeresse, rédemptrice, qui viendrait le frapper de plein fouet et effacer l'erreur inscrite en lui. Les croyances s'amenuiseraient avec l'âge, mais Jonas garderait intacte sa surprise de se voir atteindre ces âges de la vie auxquels, enfant, il ne pouvait penser que sous de funestes auspices. Contrairement à Fabrice, il était passé à travers les mailles du filet et, comme ceux qui survivent à leurs proches, son étonnement d'être encore en vie s'était mâtiné d'une culpabilité amère, celle d'avoir été épargné sans raison. De s'être par instant réjoui, comme d'une respiration vitale, avide, d'être là, en dépit et contre tout.

— ...Comme du désamour, disait Nadia, sans qu'il eût saisi ses premières paroles. Un basculement dans nos vies, dont on ne s'aperçoit pas, où l'on finit d'exister avant l'heure. On se détache des choses. On fait partie de ceux qui restent.

Elle avait consacré son existence à la conquête d'un corps qui ne lui appartenait pas, et disait qu'il était trop tard, au crépuscule d'une vie, pour qu'elle aimât quelqu'un d'autre. Nadia mentait et caressait cette attente comme l'unique probabilité d'un bonheur en ce monde, mais Jonas se taisait. Les assiettes furent déposées devant eux. Ils commencèrent à manger. Nadia semblait abattue. Elle alluma une nouvelle cigarette, mordit le filtre, et Jonas songea

qu'il y avait en elle cette fierté africaine intacte, cet entêtement à ne jamais laisser paraître de faiblesse. Il la jalousa,
voulut tendre sa main par-dessus la table et saisir le poignet de Nadia en un geste d'affection, mais elle se déroba
et tourna son visage vers la place. Quand elle tapota de
l'index sa cigarette, la cendre cavala sur le bitume.

— Quelque chose ne va pas? demanda Jonas.

— Que veux-tu dire? Tout va bien.

Elle le défia du regard, avec agacement. Il renonça à
trouver les mots qui l'apaiseraient et se laissa aller contre
le dossier de sa chaise. Les images du passé se superposaient sans cohérence et semblaient n'en former qu'une :
Fanny sur une plage, sa peau roussie et perlée d'eau. Le
Lycra noir de son maillot de bain cisèle sa chair adolescente. Ce même été, Armand repeint la coque d'un bateau,
ses aisselles ruissellent sur ses flancs et le soleil est dense.
La peinture orange se reflète et oscille dans une autre
image, sur une eau au bleu profond. Jonas exhorte Fabrice
à livrer à voix haute son fantasme masturbatoire le plus
secret et Fabrice répond : «Je pense à tout, sauf à toi», et
ces mots sont dans sa bouche des mots d'amour. L'odeur
du formica dans une cuisine vide, une lumière d'hiver. La
courbe du sexe d'Hicham entre ses mains, les mots qu'il
murmure à son oreille et dont le sens se perd dans le
temps. L'odeur particulière des corps en bord de plage, de
ces hommes qui se glissent dans l'eau, de leurs haleines
lourdes. Tant d'autres images saisies à l'improviste, qui
toutes composaient son existence. Jonas eût aimé donner
à sa vie une unité, accorder entre eux ces instants, dégager
une harmonie qui justifierait sa présence à la table de Nadia,
en ce jour présent, comme un aboutissement. Leur vie,
songeait Jonas à la terrasse du café, continuait de se

dérouler dans l'ignorance ou l'indifférence à la réalité du monde. Ce regret de ne pouvoir donner une ampleur à son existence, de se heurter sans cesse au drame monotone du quotidien, Jonas croyait le porter en lui depuis toujours. N'était-ce d'ailleurs pas ce qu'avait détruit Fabrice lorsqu'il s'était éteint? Cette confiance en l'avenir, la naïve certitude d'une destinée qui leur aurait été réservée à tous deux? Cet été-là, il avait pourtant cru pouvoir s'extraire du carcan de la famille et entrapercevoir la possibilité d'un autre horizon.

La naissance de Léa avait éprouvé Fanny. Chaque fin de semaine, Armand et Louise lui rendaient visite et Jonas, le dernier des enfants à vivre avec eux, les accompagnait. Louise cherchait à profiter de sa présence, n'ignorant pas qu'il les quitterait bientôt à son tour. Elle qui, depuis toujours, avait considéré les loisirs comme une perte de temps, prenait maintenant soin d'emporter leurs affaires de plage. Au retour de Nîmes, ils s'arrêtaient au Grand-Travers. Sur trois kilomètres, le sable y étendait une bande étroite et sauvage, préservée de l'empreinte des hommes. Dans le souvenir de Jonas, le ciel y était pâle, indissociable de la mer. Ils se dénudaient maladroitement derrière une serviette pour enfiler leurs maillots de bain. La vision de sa mère ainsi vêtue forçait Jonas à détourner le regard avec embarras, mais Louise ignorait la gêne de son fils, bien décidée à jouir des heures encore chaudes de la fin d'après-midi. Elle plantait le parasol, tirait du sac de plage les nattes à l'odeur de foin qu'elle faisait claquer dans l'air pour les étendre sur le sable. Jonas avait honte de la maigreur blafarde de son corps, de ses membres filiformes, de l'atrophie de ses muscles. Armand se dévêtait sans pudeur, cou-

tumier du regard des autres sur sa solide carrure, bien
qu'il vieillît et bedonnât de plus en plus. La toison de son
torse grisonnait, il était devenu plus poilu avec le temps,
mais il gardait l'allure massive, le muscle sec. Sa peau ne
craignait plus le soleil, tandis que Jonas devait céder à l'insistance de Louise pour qu'il lui offrît son dos qu'elle endui-
sait alors de crème solaire, frottant vigoureusement ses
omoplates. Elle s'exclamait :

— T'es blanc comme un linge !

Ou bien, apitoyée soudain que son fils fût si chétif :

— Mais quel sac d'os, celui-là, c'est pourtant pas faute
de te nourrir !

Armand se tenait à distance. Il les observait sans un mot,
et son silence mortifiait Jonas. L'adolescent souhaitait que
son père partît se baigner sans l'attendre.

— Je te rejoindrai, ne reste pas planté là.

Armand ne répondait pas, ne cherchait pas à protester
contre l'obstination de Louise à blanchir plus encore la peau
de Jonas d'une épaisse couche de crème qui laisserait bientôt derrière lui, à la surface de l'eau, une pellicule grais-
seuse. La présence de son père suffisait à Jonas en guise de
réprobation. Armand restait là, les orteils enfouis dans le
sable, les mains plantées sur les hanches. Lorsque Louise
s'allongeait enfin, Jonas était contraint de marcher vers la
mer aux côtés de son père, et il détestait ce moment où ils
ne trouvaient rien à se dire, jouaient une fausse complicité. Jonas hâtait le pas pour le dépasser et s'avançait dans
l'eau jusqu'à camoufler son corps dans une vague.

Armand lançait à son fils des défis : atteindre par exemple
une bouée lointaine, dont ils distinguaient par intermit-
tence le plastique rouge dans les creux de la houle. Il s'élançait, le visage ruisselant. Ses bras s'arrachaient aux flots et

son dos glissait sous l'eau, traversé de nervures blêmes. Jonas essayait de le suivre, mais il s'essoufflait vite et jetait des regards inquiets par-dessus son épaule, en direction de la grève et du corps étendu de Louise, pâle tache sur le sable. Une main en visière, elle les regardait et leur adressait parfois de grands signes. Elle leur reprochait invariablement de s'être trop éloignés, mais avec indulgence. Ce jeu était pour elle l'expression du dévouement d'Armand et du courage juvénile de Jonas. Armand atteignait la bouée, disparaissait à son tour parmi les vagues, puis surgissait à nouveau. Jonas désirait rejoindre Louise, abandonner son père à la mer, mais il était subjugué par la vitesse à laquelle Armand s'élançait à l'assaut des vagues et il restait à nager sur place, gagné par une de ses crises d'asthme, recrachant l'eau entrée par inadvertance dans sa bouche. Derrière lui, des cris montaient de la plage. La mer scintillait, brûlait ses rétines et il plissait les yeux, suspendu aux plongeons d'Armand qui disparaissait encore sous la surface des eaux. Il y avait, à observer l'éloignement du père, une attente extatique que Jonas ressentait en sa chair et qui le forçait à endurer son souffle court et le rabrouement des vagues. À tout instant, Armand pouvait disparaître, happé par le courant. Personne, sinon lui, Jonas, n'en verrait rien. La nature alentour couvait la possibilité de la mort du père et l'envoûtait. Mais Armand revenait, les bras durcis par l'effort et, goguenard, s'élançait en quelques brasses vers la grève. Étendu près de Louise, le corps d'Armand luisait lorsque Jonas les rejoignait enfin.

— Tu t'es bien amusé ? demandait sa mère.

Il s'allongeait sans répondre et observait de biais le repos du père. Le torse d'Armand se soulevait au rythme de ses inspirations. Il ne remarquait rien de la culpabilité de son fils, du désarroi laissé par l'idée d'une noyade qui eût été, si elle était advenue, la réalisation effective de ses rêves d'enfant.

Une autre des distractions par lesquelles Armand cherocha à renouer avec Jonas fut de confronter leurs forces par un jeu de corps à corps. Il était aisé de prendre le dessus sur l'adolescent, et ce qui devait n'être qu'un divertissement prenait l'allure d'un face-à-face au cours duquel aucun d'eux ne mesurait plus la portée de ses gestes. Jonas garderait de ces instants le souvenir du corps nu de son père et la puissance à peine retenue des mains qui enserraient ses poignets pour le pousser à l'eau ou l'allonger sur le sable. Elles laissaient sur sa peau la marque des doigts. Asseoir sur son fils une domination devenait nécessaire à Armand, et Jonas se faisait un devoir d'y résister, laissant déferler sa rage, frappant à poings fermés la souveraineté du père abattu sur lui. Sans doute Armand percevait-il dans la riposte bien plus qu'un combat futile, mais jamais il ne dénonça la violence de Jonas. Un jour, à force d'empoignades, Armand l'étendit et l'assiégea de tout son poids. Jonas éprouva la brûlure du sable, l'humiliation qui s'abattit sur lui et, dans ses contorsions pour se dégager de l'étau, il balança son poing au visage d'Armand. Il vit nettement ses phalanges s'écraser à l'angle de la mâchoire, la tête de son père dégager de côté. Jonas resta au sol, le souffle court, le cœur suspendu par la crainte des représailles, retrouvant une terreur intacte, celle de l'enfant qu'il avait été lorsque son père tournait sa colère contre lui. Armand l'observa longuement, avec stupéfaction. Sa lèvre inférieure était fendue, le sang rosissait ses dents. L'ombre de son corps s'étalait sur le sable. Il s'était contenté d'essuyer la bave à

ses lèvres d'un revers de main, puis de renifler bruyamment avant de se détourner de son fils.

Une route séparait la plage des dunes ensauvagées. De
là montait vers eux le chant des cigales mêlé au bruit des
vagues et au charivari des vacanciers, à l'odeur des oliviers
et des bosquets de thym. Jonas attirait le regard d'autres
hommes. La mer encourageait la parade, enveloppant et
dévoilant tour à tour les corps étrangers. Le jeu de séduction échappait à l'attention des autres baigneurs. Un regard
suffisait, l'échange d'un mot, un frôlement masqué par
l'onde. La proximité d'Armand et de Louise laissait irra-
dier en Jonas la conscience de l'interdit. Un autre monde se
dévoilait à lui, sous-jacent de celui où il avait vécu jusqu'alors.
Un monde de plaisirs qu'il se rappellerait éblouissant, silencieux, peuplé de corps brutaux, de peaux couvertes de sel.
— Je vais marcher, dit-il.
Louise ne releva pas le nez du magazine qu'elle lisait. La
gorge de Jonas se serra. Un homme attendait, adossé à la
clôture de bois qui s'enfonçait dans les dunes. Jonas n'en
était éloigné que de quelques pas. Il percevait le brun de sa
peau, l'humidité du maillot rouge, l'esquisse de son sexe
recourbé au-dessous. D'un hochement de tête, il accepta
de le suivre. Il ignorait le nom de l'homme, son âge, mais il
avait effleuré sous l'eau sa cuisse large et velue. Armand
somnolait. Louise ne percevait rien du vertige de son fils.
La plage, par excellence le lieu de l'enfance, dénonçait
l'ardeur de Jonas. Il marcha jusqu'à la route, suivant
l'homme. Le soleil luisait sur l'alignement des caravanes
et des voitures, embrasait l'air et soulevait le relent du
caoutchouc des pneus. Par-delà la route, ils pénétrèrent
dans les dunes, délaissant la frénésie de la plage. L'excita-

tion forçait Jonas à déglutir, contractait son ventre, rayonnait dans ses testicules et le bas de son dos. Le soleil frappait son front et ses épaules, forçait les chardons bleus, les immortelles des sables et les bouquets d'oyats à déverser leur odeur suave. Le dos de l'homme était large. Il devait avoir dix ans de plus que Jonas. Par moments, il tournait vers lui son visage, ses yeux pâles s'assuraient de sa présence et il continuait de marcher, s'enfonçant plus avant dans les dunes. La chaleur assourdissait Jonas. Le vent de la mer ne leur parvenait pas ; tout se figeait dans l'ambre des vallons de sable, le concert de milliers d'élytres crissant dans les pins. Il ne percevait plus la morsure cuisante à chacun de ses pas, ni son souffle. Seule l'odeur de l'homme tendait un filet dans sa marche. La sève des conifères s'écoulait en gouttes d'or sur l'écaille des troncs et emprisonnait la lumière. Les aiguilles rousses jonchaient le sol, piquaient la plante de ses pieds, la naissance de ses chevilles. Plus haut, les branches nervuraient le ciel d'opale, répandaient sur eux une pluie de feu.

Le chemin qu'ils suivaient n'était pas unique. Autour d'eux, d'autres sentiers s'enfonçaient dans la végétation. Les marcheurs semblaient les avoir formés par l'obstination de leurs pas. Jonas vit que d'autres hommes y avançaient comme au hasard, dans un même silence. À leur passage, ils le détaillaient du regard, s'arrêtaient parfois dans l'attente d'un signe. Ils surgissaient de derrière un arbre, une dune, et empoignaient leur sexe sans manière. Car tous, comprit-il, marchaient dans l'espoir d'une étreinte et leur seule présence levait toute ambiguïté : cette nature était vouée à leur désir. Par endroits, leurs ébats avaient formé des niches végétales. Les branches dénudées portaient en guise de feuilles les lambeaux rosâtres de papier hygiénique dont les sexes et les culs avaient été torchés. Des capotes fondaient au soleil, échouées dans le sable et la terre. Jonas se sentit nauséeux, sans qu'il parvînt à décider la cause de son malaise. Il bandait outrageusement dans son maillot de bain rouge et sentait son sexe un peu disproportionné sur son corps malingre. Il cherchait à cacher son érection d'une main et l'homme l'observait avec amusement. Rien n'eût pu détourner ses pas alors qu'il continuait de marcher au milieu de l'affleurement des corps. Ces présences mâles dégorgeaient une transpiration âcre, l'odeur du stupre. Leurs ombres inquiétaient Jonas autant qu'elles l'enivraient.

L'inconnu s'arrêta enfin. Sa peau était tannée et douce. Il continuait de mâcher un chewing-gum avec indifférence, comme si leur étreinte n'était qu'une distraction anecdotique. Sa salive avait le goût du menthol et du tabac froid.

— T'es beau, dit-il. J'aime bien ton corps.

Sa main s'étendit sur la forme plane du torse de Jonas qui grelottait, allongé sur le sable. Son sexe tendait le tissu du maillot et l'homme glissa l'index sous l'élastique puis parcourut la moiteur claire du pubis. Jonas observait le renflement du biceps, l'ombre que dessinait sur le cou une barbe naissante, la saillie de la pomme d'Adam. Il percevait sur sa hanche la caresse d'une toison, celle qui dévalait l'inclinaison du ventre, sous le nombril de l'homme, puis l'érection contre sa cuisse. L'homme se rehaussa pour porter un sein aux lèvres de Jonas, une aréole couronnée de poils bruns. Il mordilla le téton et le sentit durcir sur sa langue. Son nez reposait contre le pectoral de l'homme. Il respira l'épiderme chaud, ferma les yeux et se laissa pénétrer par l'odeur masculine, dissemblable. Une main qu'il ne discernait plus abaissa son maillot et empoigna son sexe.

Jonas téta avec ferveur, blotti contre le corps désinvolte. Rien ne laissait supposer que l'homme fût ému par Jonas. Il se consacrait à sa jouissance, s'affairait d'une main sur son sexe et plaça le sien dans la main de Jonas. L'inconnu s'abaissa et le prit dans sa bouche. La langue râpait son gland. La bouche semblait plus chaude encore que la chape de plomb fondue sur leur alanguissement. Jonas avait levé le regard vers l'infime tremblement des branches de pins et, au-delà, la lactescence du ciel. Il devinait non loin la présence d'autres hommes, leurs regards sur lui, mais rien n'importait, sinon la caresse poisseuse sur la hampe de son sexe, le battement tyrannique de son pouls lançant des fourmillements à l'assaut de ses membres. Il jouit dans la bouche de l'homme qui resta immobile, les lèvres refermées sur son gland. Lorsqu'il se releva, il sourit et déposa un baiser sur le flanc de Jonas. Le sperme de l'inconnu perlait sur sa cuisse, sur la tranche de son poignet, l'écœurait et le fascinait à la fois. Il débordait d'affection pour l'homme qui pissait maintenant avec nonchalance dans les buissons puis rajustait son maillot de bain. Les voyeurs s'étaient évanouis dans les dunes.

— Tu reviendras? demanda Jonas, tant le désir de le revoir était impérieux.

L'homme lança un rire par-dessus l'épaule puis disparut à son tour. Jonas observa l'écoulement opalin. Il le toucha du bout du doigt, et constata qu'il était déjà froid et clair. Il porta le doigt à ses lèvres, garda sur la langue un goût de sel puis frotta sa cuisse avec plusieurs poignées de sable, laissant sa peau à vif. Il regagna la plage. Les dunes étaient un autre monde, enseveli par les cris des enfants. Armand dormait, Louise lisait encore, dans l'ignorance de son bouleversement, de l'étranger qui se tenait devant elle et était encore son fils quelques instants plus tôt. Jonas avait nagé loin ce jour-là, pour ne plus percevoir le bruit de la plage. Il s'était laissé dériver sur le dos. Les profondeurs au-dessous n'avaient plus rien d'une menace. Les courants froids le berçaient. Il pensa que la houle pourrait l'emporter, comme un morceau de bois flotté. Son corps n'était plus dissociable des eaux. Son esprit se dispersait dans l'immensité.

J'étais à la fois semblable et si différent. J'étais l'un d'eux désormais. J'étais fier et terrorisé.

Jonas retourna aux plages. L'insalubrité des dunes lui devint familière. Il se moqua bientôt de l'identité de ses amants et riait à son tour, pour toute réponse, lorsqu'un garçon qu'il venait de dépuceler demandait à le revoir. Ce qu'il lui fallait, c'était un corps qui fît expier le sien. La jouissance le lavait du dégoût qu'il avait eu à préméditer la scène, puis de la souillure du corps des hommes. Il arrivait qu'ils lui répugnent, mais jamais il ne se refusait à eux. Leur accouplement était un acte tout à fait égoïste. Puis l'été avait passé, engloutissant dans l'oubli la plage du Grand-Travers et le corps des hommes. Était resté le souvenir d'une seule chair, assemblage de dizaines d'autres, l'arrière-goût d'une longue et douloureuse jouissance à la saveur de sel. Sète s'y était substituée par d'autres errances.

Désertée par Fanny et Albin, la maison s'était tue et baignait dans la grisaille de septembre. L'absence des enfants et la délivrance de Jonas laissèrent Louise dans l'hébétude des journées ternes de solitude, mais c'est Armand, contre toute attente, qu'elles rongèrent intimement. Quelques mois suffirent à effacer la splendeur du père sur laquelle ruisselaient les débris d'un ciel coruscant. Son dos se voûta sous le fardeau de cinquante-trois années. Il devint maussade et prévisible. Les séjours des marins s'espacèrent. Ils ne vinrent plus du tout et le dessus-de-lit de la chambre d'ami resta lisse et les volets rabattus. Ces présences s'étaient installées des années durant. Elles formaient une identité singulière, comme s'il n'y avait eu qu'un homme, un sixième membre de la famille, qui eût brutalement disparu. Ce manque flottait dans la maison, autour des gestes que Louise répétait pour occuper ces heures qu'elle consacrait autrefois aux enfants ou aux hommes. Armand continuait de gagner le port avec lassitude. Le départ d'Albin semblait avoir harponné son désir de la mer.

Louise lut *Mrs Dalloway* cette année-là et rabattit les pages sur une phrase qu'elle avait soulignée au crayon mais oublierait cependant : *Il y a une solitude, même entre mari et femme, un gouffre ; et cela, on doit le respecter.*

L'année passée, au mois d'avril, le parti communiste s'était effondré au premier tour de l'élection présidentielle. Le Front national perçait. La faille avait eu lieu, une cassure à laquelle Armand avait opposé un silence lourd d'amertume. Au fur et à mesure de son émancipation — en réalité, la lascivité découverte au lit des hommes —, Jonas cessa de craindre son père. L'abattement de l'homme-écorce provoqua la pitié du fils puis, dans le même temps, le besoin de le tourner en ridicule, l'impériosité d'une vengeance. Le soir, à table, il se mesurait à lui au long d'interminables discussions échouées sur des éclats de voix, le départ cinglant de l'un ou de l'autre, le désespoir de Louise.

Le désir l'enorgueillit, Jonas devint presque beau. Le sentiment d'exister pour d'autres que sa mère l'auréola d'une superbe devant laquelle Armand finit par courber l'échine. La toute-puissance du père, mise à mal par le départ d'Albin et de Fanny, continuait de s'effondrer. Son empire diminuait au fur et à mesure de l'affranchissement des enfants et, lorsque Jonas partit pour Toulouse l'année de sa majorité, son père, par un effet de perspective, ne lui sembla plus digne de la crainte qu'il lui avait jadis inspirée. Il considéra son souvenir avec dédain. Lorsque, au cours d'une des rares visites que Jonas rendit aux parents durant les années de son exil, Armand resurgissait du passé et investissait à nouveau l'existence d'un père, il le trouvait insignifiant. Le regardant parfois sans qu'Armand s'en doutât, Jonas s'étonnait que l'homme au front haut, au cheveu rare, fût celui-là qui, de tout temps, avait régné en maître sur la famille, avait été l'architecte consciencieux et impitoyable de leurs existences. Dans le même temps, Jonas commença de faire un rêve qui deviendrait récurrent et dont il s'éveillerait invariablement avec un sentiment d'aversion, de salissure et de plaisir coupable. Il était adulte, mais se trouvait dans sa chambre d'enfant, glissé dans le petit lit en bois bleu clair. Armand était contre lui sous les draps et les couvertures. Il le serrait, le caressait et le rudoyait. Jonas sentait la peau rêche de ses paumes sur ses cuisses, son ventre, enserrant son sexe. Il cherchait à se dégager de cette étreinte, mais le poids d'Armand, la force de ses bras le contraignaient à ne plus bouger, à tolérer les caresses qui exacerbaient ses muscles, le laissaient pantelant et écœuré. Puis le sexe d'Armand forçait ses fesses. Un chibre qu'il devinait épais, implacable, déchirait et brûlait ses entrailles.

Toulouse, dit Jonas à Nadia, s'était imposé à lui comme l'unique échappatoire. Malgré les protestations de Louise pour qu'il suivît son cursus universitaire à Montpellier, il s'entêta à quitter la région. Il ne supportait plus d'avoir pour seul horizon cette mer étale, cette noirceur d'encre. Des jours qui précédèrent son départ, Jonas retint l'image de sa belle-sœur Émilie, sur le point de donner naissance aux jumeaux. Une main sous l'ovale de son ventre, elle passe la porte du salon, celle qui donne sur la terrasse. Le soleil l'inonde. Elle plisse les paupières pour distinguer Albin et Jonas. Que faisait-il ce jour-là chez son frère ? Qu'avaient-ils trouvé à se dire, attablés au jardin ? Jonas l'ignorait, mais il savait qu'aucune animosité ne les mettait à distance. Sans doute ce lien du sang si souvent méprisé avait-il eu raison de leur rancœur. Ainsi, leur temps commun était jalonné de ces rencontres au cours desquelles ils n'étaient que deux frères, dans l'éclat d'une complicité retrouvée et inattendue.

— Gamins, dit-il à Nadia, nous n'avions pas besoin de parler pour nous comprendre, notre silence nous indifférait.

Ce silence était devenu l'abîme entre eux, car ils n'avaient précisément rien à partager, rien à se dire, et en souffraient chacun à sa manière.

Le quai de la gare où le train miroitait et s'étirait s'esquissa à son souvenir, et la silhouette de Louise en retrait, les valises jonchant le sol à ses pieds. Elle retenait ses mains contre elle, pour ne pas les lancer à l'assaut de ce fils, laissant sur sa lèvre inférieure la trace de deux incisives. À un mètre d'elle, Jonas n'était pourtant plus là, ne lui appartenait déjà plus. Son visage tourné vers l'ailleurs embrassait du regard un champ inconnu, vu de lui seul, dont Louise serait absente. Il laisserait aussi dans son sillage le père déserté, Albin et Fanny devenus étrangers. Jonas enterrerait avec eux celui que chacun avait jusque-là représenté. La vie commençait à l'heure où les moteurs du train ronronnaient dans le jour gris de lin de Sète. Sitôt le pied posé sur la marche de ferraille, Jonas se délesterait de la famille et de la ville, des visions lancinantes du passé. Le cercle morose d'un bac à sable dans une cour d'école. La clarté des toilettes où les lavabos exhalent des senteurs d'eau fade, de sueur juvénile et de papier détrempé. Cette image de lui, hissé sur le rebord d'une des fenêtres donnant sur la rue. Le dos d'Armand glissé sur le macadam en direction du port. L'ombre chevrotante des lampadaires qui s'étire sur les murs. L'odeur de la nuit — l'a-t-il perçue par le bâillement de la fenêtre ? — y glisse le voile d'un autre souvenir : la serrure de la chambre devant laquelle Albin et Jonas s'abaissent tour à tour et perçoivent la nudité de Louise. Elle glisse ses jambes dans une culotte en dentelle couleur chair. L'espace d'un instant, l'un d'eux devine le mystère lustré, comme une mousse orageuse au bas de son ventre. Tout cela, et bien plus, resterait sur le quai, parerait la silhouette de Louise, vouée à disparaître.

— Tu reviendras bientôt ? demanda-t-elle, saisissant le bras de son fils.

— Ne rends pas les choses difficiles.

Il y avait dans son ton le reproche de trop en faire, d'outrer son départ. Il bafouait les promesses faites à Louise quand il était enfant. Tous deux avaient fait mine de n'en garder aucun souvenir. Ces vœux d'éternité étaient mièvres et sans importance, mais ils avaient pesé à l'instant où Jonas s'en détournait. Il désirait brusquement la blesser, pouvoir lui dire : « Regarde-toi, comme tu es vieille et misérable, tout juste folklorique dans ta blouse à fleurs. » Il retira son bras des mains de Louise pour empoigner ses valises mais il percevrait, dans le train encore, quand il lui adresserait un signe par la fenêtre, l'empreinte de ses doigts sur sa peau.

— Je dois y aller.

Le baiser claqua à la joue de Louise. Jonas se détourna sans lui laisser le temps d'une effusion, le menton luisant des larmes de sa mère qu'il essuya, sitôt de dos, avec un geste de répugnance. L'étang de Thau glissait au long des rails, à mesure que Sète s'éloignait, sous un ciel ventru, dans un petit jour gris de rentrée scolaire. Les eaux tendaient un miroir de métal où les nuages moutonnaient, scindés par l'ondulation fiévreuse des lignes à haute tension. Les maisonnettes au bord de l'étang semblaient des bourgeons sur les rives.

À Toulouse, sur les bancs de l'université, Jonas avait rencontré Fabrice. Il était sombre et efflanqué ; il l'entraîna à Paris pour manifester contre la guerre du Golfe et s'engagea avec ferveur dans un groupuscule associatif d'homosexuels anarchistes. Fabrice avait appris sa séropositivité deux ans plus tôt, à l'âge de dix-huit ans quand Jonas, lui, n'en avait que seize. Il ne lui cacha rien. Il parlait des premiers symptômes avec fierté, lui montrait les boîtes d'AZT jonchant le petit évier d'inox entartré, puis tombait dans un abattement silencieux. L'idée de sa propre mort pouvait le galvaniser. Après qu'ils eurent couché ensemble, il décrivit à Jonas l'évolution de la maladie, les pathologies qu'il déclarerait, les virus et les affections qu'il finirait par contracter. Il était fasciné par les zonas et les bronchites, s'émerveillait que l'homme, cette créature infecte, soit enfin ramené à son insignifiance et qu'un simple rhume puisse le terrasser. Il se disait impie plus qu'athée et bataillait avec les démarches d'apostasie. Son sida, il le portait comme la promesse d'un bouleversement du monde. Il se voyait mourir pour l'exemple, tomber en héros, il se trouvait des exaltations de martyr. Puis, au cœur de la nuit, ivre et défoncé, il appelait Jonas au téléphone, le suppliait de venir quand une crise de fièvre le poussait au délire, quand une colique violente le pliait en quatre dans le lit, lorsqu'il n'avait pas eu le temps d'atteindre les toilettes et s'était fait dessus. Lorsque, soudain, la mort n'était plus une idée, mais semblait bien présente, à l'œuvre déjà. Jonas se souvenait de l'avoir retrouvé nu et suant, sous une couverture de laine rêche, à même le sol de la chambre, d'avoir tenu sa main quand il chiait, de l'avoir torché puis rafraîchi avec un gant. Il l'avait maintes fois rallongé et s'était étendu près de lui. Il s'était éveillé en sursaut, avec cette sensation que le corps de Fabrice avait brutalement disparu d'entre ses bras, laissant place au drap vide et à l'impression enfiévrée de sa chair. C'était alors un sentiment de profond déchirement, une dévastation. Jonas avait aimé Fabrice et quand il repensait à lui, comme au jour du dîner, leurs années communes semblaient se réduire à un battement de paupières dans lequel serait contenue l'essence même de l'amour, de la démesure, de la passion. La mort annoncée de Fabrice avait de tout temps donné à leurs gestes cette impatience, ce bouillonnement impétueux qui les avait tant exaltés.

*

Les choses se meuvent dans l'indolence de l'été. Il y a eu un temps pour les épousailles. Un temps pour la naissance des enfants. Un temps pour les départs. Chacun d'eux semble s'être échiné à démontrer le passage de la vie.

*

Du temps de ses années d'études à Toulouse, Louise lui rendit, seule, une unique visite. Elle se tint figée et engoncée dans sa parka, à l'entrée de la chambre d'étudiant, entre la cuisine encastrée dans le mur et le placard à battants, son sac de voyage contre les cuisses, l'anse tenue à deux mains, pouce contre pouce.

— Voilà, dit Jonas, c'est chez moi. C'est ici.

— Oh. C'est...

Elle observait les murs placardés de tracts, d'affiches à l'effigie de groupes de punk rock, le lit étroit et la table de chevet jonchés de romans et de manuels universitaires, le bureau croulant sous les papiers, les classeurs, les assiettes sales, les bouteilles de bière vides et les cendriers. Puis la fenêtre donnant sur la cour où glissait un morne crachin d'avril. Louise avait maintes fois imaginé les lieux où vivait Jonas, elle s'était figuré ce que pouvait être sa vie, elle avait tracé en songe les lignes d'une existence dont elle ignorait tout et dont son fils ne laissait rien deviner. Et ce qu'elle avait conçu était différent de ce capharnaüm, mais c'était ici que Jonas vivait, avait vécu tout ce temps, et il la regardait en souriant comme elle parcourait la pièce du regard, grand et mince et sombre dans le contre-jour. Son fils, pensait Louise, était à l'image de cette chambre. Il lui avait échappé, elle n'en savait plus rien et elle sentit se tordre et se serrer quelque chose en elle, une grande détresse.

— Je dormirai par terre, dit Jonas en désignant d'un bref mouvement un matelas de camping sous le lit.

Louise imagina la nuit à venir quand elle reposerait dans le lit d'étudiant et la lumière des lampadaires, écoulée de la cour. Quand son fils serait près d'elle, allongé sur la moquette mauve, que tous deux chercheraient à trouver le sommeil, guettant leur souffle respectif et leur présence énigmatique. Louise déposa la valise à ses pieds. Elle regrettait d'être venue, d'avoir cherché à dissiper le mystère qui drapait la vie de son fils à Toulouse, et sa gorge se serrait douloureusement. Maintenant, elle désirait ne plus rien savoir.

— C'est bien, dit-elle, et Jonas répondit par un bref éclat de rire.

Ils restèrent immobiles, à deux mètres de distance, ne distinguant que leurs apparences respectives, des surfaces occultes au-delà desquelles leurs regards ne pénétraient plus.

Dans l'après-midi, quand Jonas fut parti suivre ses cours, Louise se retrouva seule dans l'odeur de tabac froid, assise sur le lit. Le son de voix filtrait à travers les murs et le convecteur électrique claquait régulièrement. Sa parka reposait près d'elle et Louise se leva pour tendre et border le drap et la couverture avant de se rasseoir dans la même position, tapotant sa cuisse de ses doigts. Puis elle se leva à nouveau pour défaire et froisser drap et couverture. Louise ignorait ce qu'elle était supposée faire, quelle attitude son fils pouvait attendre d'elle. Sur le bureau, elle avait vu une bouilloire, quelques boîtes de sachets de thé, deux grosses tasses et elle résolut de faire chauffer de l'eau pour passer le temps. Jonas serait bientôt de retour ; elle regarda sa montre avec

inquiétude, partagée entre le désir de le revoir et celui
d'être encore un peu seule, de parvenir à se détendre enfin.
Une sonnerie stridente la figea au milieu de la pièce, le
cœur battant à tout rompre, et Louise resta sans bouger,
sans oser esquisser un geste, endurant les longues sonneries.
Elle se trouva ridicule : ne pouvait-elle simplement pas
répondre ? N'était-il pas légitime qu'elle rende visite à son
fils et son statut de mère ne lui permettait-il pas de se sentir
ici chez elle, si hostile que lui parût la petite chambre estu-
diantine ? Louise fouilla parmi les papiers du bureau à la
recherche du combiné lorsque le répondeur se mit en marche à l'instant même où elle retirait le téléphone d'une pile
de classeurs. Elle ne décrocha pourtant pas, retenue par un
ultime doute. Elle écouta cette annonce, entendue tant de
fois au bout du fil, et qui sonnait tout autrement maintenant qu'elle l'écoutait d'ici, à l'endroit d'où Jonas lui avait
parlé, de ce ton toujours las, rétif et bougon, laissant comprendre combien ses appels lui coûtaient et combien il
désirait raccrocher au plus vite. Louise se sentit honteuse
et gauche, comme toutes les fois où elle l'entendait, car elle
ne pouvait s'empêcher de laisser un message, tout en sachant
que son fils estimerait ses attentions redondantes et super-
flues. Elle raccrochait toujours d'un geste vif, comme pour
se défaire du téléphone, en regrettant déjà de ne pas l'avoir
fait plus tôt. Il y eut le bip puis cette voix que Louise ne
connaissait pas, une voix d'homme, grave et rompue qui,
dès les premiers mots, révéla ou brisa quelque chose en
elle :

— Jonas, c'est moi, c'est Fabrice. Je sais que je ne devrais
pas te téléphoner. Bon sang, je ne devrais pas te téléphoner... Tu vas penser que je veux que tu me rappelles. Que
j'ai besoin que tu me rappelles. Mais non, surtout pas. Sur-

tout pas. Je ne regrette pas de t'avoir dit ce que je t'ai dit l'autre soir... Si, en fait, je regrette, mais je ne peux pas revenir là-dessus. J'aurais voulu le faire autrement, voilà tout, mais je suis tellement con... Alors, ça vaut ce que ça vaut, mais je voulais te dire que j'étais désolé qu'on se soit quittés comme ça. J'aurais pu être... meilleur ? Je suis juste moi, j'ai jamais su être autre chose. J'ai eu mes résultats ce matin. Mes T4 sont au plus bas. Le doc semblait même s'étonner que je sois encore en vie, tu imagines ça ? Il ne croyait pas que j'aie pu me traîner seul jusqu'à son cabinet. Je te l'ai toujours dit, je suis un vrai miracle. On me canonisera, tu verras. On trouvera de petites icônes à mon effigie, remplies de foutre. Et on les utilisera comme *sex toy*. Je deviendrai un dieu païen pour toutes les tarlouzes de la terre. Je t'embrasse. Je t'aime. Adieu.

Louise garda une main sous son sein, sentant son cœur tambouriner, sa bouche était sèche et il lui était impossible d'ordonner ses pensées. Son esprit semblait vidé de toute chose. Quelque part, un opaque tissu venait d'être brusquement retiré du mystère qu'il voilait et dont elle avait de tout temps pressenti l'existence et les contours. Elle le découvrait pourtant plus terrible et douloureux qu'elle ne l'avait imaginé et les mots de cet homme laissaient cours à toutes les suppositions : son fils, son fils adoré était-il malade ? Pourrait-elle survivre à cela ? Pourrait-elle survivre à Jonas ? Et dans quelles sphères, triviales et inconnues d'elle, vivait-il désormais ? À quelle détresse et à quels risques dont elle ne pouvait plus le préserver, dont il avait refusé qu'elle le préserve, se confrontait-il maintenant qu'il avait fui loin d'elle ? Louise était restée abasourdie et désemparée avant de se rasseoir sur le lit et de chercher à calmer le tremblement de ses mains. Jonas devinerait, sitôt qu'il le verrait, qu'elle avait entendu le message, songea Louise avec désarroi, et dans quelle situation se retrouverait-elle alors? Comment son fils réagirait-il et ne s'éloignerait-il pas plus encore, blessé et découvert? La chasserait-il définitivement, risquait-elle de perdre le peu qui lui restait de Jonas? Louise hésita à prétexter une sortie dans le quartier. Elle dirait n'être pas restée à l'appartement, l'avoir quitté aussitôt après le départ de Jonas pour l'université. Mais elle n'avait pas les clés et il était absurde qu'elle pût sortir sans se préoccuper de refermer la porte. Dans son affolement, elle finit par se relever puis par appuyer frénétiquement sur toutes les touches du répondeur avant de parvenir à effacer le message, le dernier que son fils aurait jamais entendu de Fabrice. Et, lorsque Jonas rentrerait, il trouverait sa mère assise au bord du lit dans l'exacte position où il l'avait laissée deux heures plus tôt.

— Eh bien, dirait-il en déposant son sac sur le bureau, tu ne t'es pas ennuyée?

Il jetterait un regard rapide vers le cadran du répondeur avant de s'en détourner.

— Non, répondrait-elle, sa gorge ne laissant passer qu'un filet de voix. Je me suis reposée.

Jonas acquiescerait et lui adresserait un sourire qu'elle devinerait chargé de bonnes intentions, pacificateur, ignorant que sa mère verrait à présent sous le masque, désirerait l'étreindre et le sauver et serait alors dévastée par sa totale impuissance.

Ce soir-là, ils se retrouvèrent attablés dans un restaurant asiatique, sous l'éclairage bleuâtre d'un aquarium où surnageaient de grosses carpes. Louise observait Jonas par-dessus la carte du menu.

— Je ne sais pas quoi commander, dit-elle, je n'y connais rien.

Son fils releva le visage et Louise comprit son inquiétude soudaine, son malaise aussi de l'avoir amenée dîner à l'extérieur, elle qui avait de tout temps trouvé inutile et dispendieux de payer un repas au restaurant et ne s'était jamais privée de le leur faire savoir.

— Tu préfères manger ailleurs? demanda Jonas, vaguement contrarié et lassé déjà d'une soirée où rien, il le pressentait, ne serait évident.

— Non, pas du tout, c'est très bien comme ça. C'est juste que tu sais mieux que moi ce qui est bon.

Elle le regarda sans parvenir à faire taire la voix entendue plus tôt sur la messagerie du répondeur et elle se revit l'effaçant fiévreusement. Elle se devait de dire ou de faire quelque chose; une mère aimante ne pouvait se taire et rester là, à contempler son fils, sans ignorer ce qu'il était vraiment. Mais qu'était-il d'ailleurs, son enfant? Elle refusait de le nommer. C'était cela, peut-être, qu'elle était en droit de lui demander. Elle lui dirait : « Qui es-tu? Je veux savoir ce que tu es, je ne connais plus rien de toi. Et je veux le savoir vraiment. Je ne sais pas si je suis prête à l'entendre mais je sais en revanche que j'en ai besoin, je ne peux pas rester comme ça plus longtemps, à supposer des morceaux de toi, à deviner ces pans de ta vie que tu me caches. » Mais Louise en était incapable, les mots mêmes ne s'ordonnaient pas convenablement dans son esprit, tout lui semblait outrancier, maladroit, elle ne formulerait que des reproches et des mises en garde quand elle aurait seulement voulu l'entendre parler et n'avoir plus qu'à se taire.

— Tu n'as pas trop froid? dit enfin Jonas pour rompre leur silence. Tu veux peut-être boire quelque chose?

— Non, chéri, je n'ai pas froid, se força à répondre Louise. Et pourquoi pas boire un verre, oui, c'est une bonne idée.

Jonas fit signe à un serveur et Louise se pencha vers la table.

— C'est moi qui t'invite.

Elle avait l'espoir de lui faire plaisir et serrait contre elle, par l'anse, son sac à main en similicuir rouge, ignorant combien il jurait affreusement avec ce qu'elle incarnait à cet instant, assise face à Jonas, la peau de ses cuisses crissant parfois contre le revêtement en Skaï de la banquette du restaurant asiatique. Elle avait économisé en prévision de ce voyage, cachant la commission de ses travaux de couture dans le tiroir du buffet. Armand ne pourrait ainsi lui reprocher aucune dépense. Mais Jonas se recula sur son siège.

— Tu n'as pas besoin de m'inviter. J'ai un boulot, tu sais. Et puis, on peut manger d'abord et se préoccuper de payer après.

Il alluma une cigarette et fuma sans la regarder. Louise se sentait sur le point de fondre en larmes et elle reporta son attention sur les carpes qui oscillaient lentement derrière la vitre de l'aquarium, près de son visage.

— Bien sûr, répondit-elle, on a tout notre temps. Alors? Tu as un travail? C'est drôle, je ne le savais même pas. Enfin, je veux dire, on a sans doute pas eu l'occasion d'en parler.

— Quelques heures de service, par-ci par-là. Ça complète l'aide des bourses.

— Mais c'est déjà très bien, je trouve. Tu es courageux, c'est en plus de tes heures de cours, tout de même, ça n'est pas rien.

Jonas haussa les épaules. Il semblait être devenu plus grand et plus maigre encore, le front caché par ses cheveux sombres, peut-être teintés au henné, ses joues osseuses et saillantes sous la peau tavelée encore d'une acné juvénile. Qui était l'homme du répondeur ? pensa Louise, puis, aussitôt : son amant, bien entendu. Cet homme-là était l'amant de son fils. Et, de nouveau, ce profond et lancinant désarroi. Ils avaient commandé un apéritif et le garçon leur servit une coupe d'alcool où flottait un letchi ; il n'échappa pas à Louise que Jonas observait distraitement le profil du serveur tout en terminant sa cigarette.

— Et les autres, dit-il avec un désintérêt manifeste, comment vont-ils ?

— Les autres ?

— La famille. Je veux dire, Fanny, Albin... Armand...

— Oh. Ils vont bien. Il n'y a rien de particulier, tu sais, la vie continue là-bas comme avant.

Qu'avait-elle voulu dire ? Comme avant le départ de son fils ? Avant qu'ils ne se retrouvent seuls, Armand et elle, dans la maison du quartier haut ? Sa phrase, Louise en avait conscience, sonnait comme un reproche. Jonas approuva sans rien demander de plus et alluma une nouvelle cigarette.

— Tu fumes trop, chéri. Est-ce que ta santé est bonne, au moins ? Est-ce que tu manges bien ? Tu n'es pas malade ?

Elle avait parlé avec empressement, le souffle court.

— Je vais bien. Est-ce que j'ai mauvaise mine ?

— Non, bien entendu, tu es très bien. Tu n'as jamais été bien épais, de toute manière. Petit, déjà, tu avais le teint pâle et il n'y avait rien à faire...

Ils se turent, laissant passer un long moment durant

lequel Jonas fumait et Louise tordait entre ses doigts sa serviette en papier, puis ils commandèrent leurs plats.

— Je prendrai la même chose que mon fils, dit Louise à l'attention du serveur.

Elle perçut l'agacement de Jonas et ils commencèrent à manger en silence.

— Alors, dit-elle enfin, ta vie ici te plaît?

— Ça va. C'est... c'est une vie. Du moins, c'est ma vie, et ça n'est déjà pas si mal, non?

— Je comprends.

Jonas approuva, mais il était certain que Louise ne pouvait comprendre que ce sentiment d'indépendance et de liberté lui fût préférable à la vie à Sète, à sa présence à elle, sa mère, et à celle d'Armand.

— Je suis bien, ajouta-t-il pour la tranquilliser ou pour s'assurer qu'elle l'avait effectivement compris.

Louise, tandis qu'il se redressait avec orgueil, le trouva maussade et pensa aux mots du message, à toute cette... vulgarité. Comment son fils, Jonas, son favori, pouvait-il s'y complaire?

— Et tes amours? se résolut-elle à demander quand elle n'y tint plus. Est-ce que tu es seul, ou bien tu as une petite amie? Tu as rencontré quelqu'un ici?

La cigarette de Jonas reposait dans le cendrier, une mince volute s'élevait et tendait un voile entre eux.

— Maman, dit Jonas entre deux bouchées de nem aux crevettes, on ne va pas se voiler la face éternellement, toi et moi, n'est-ce pas?

Elle ne put s'empêcher d'éprouver ce même mouvement d'indignation que le soir où Armand avait pressenti l'homosexualité de son fils devant Pavel. Louise devait-elle parler maintenant du message sur le répondeur, se justi-

fier et s'excuser de l'avoir effacé? Elle se sentait profondément heurtée par la désinvolture de son fils, elle en éprouvait de la déception; Jonas n'avait que faire de son avis et, à
travers elle, de celui de la famille entière. Il s'était affranchi
de chacun d'entre eux et n'hésiterait pas un instant à les
renier si Louise prenait le parti de le dénigrer.

— Bon, répondit-elle sans conviction en s'essuyant les
lèvres avec sa serviette avant de la poser soigneusement
pliée près de son assiette, ça n'est peut-être qu'une pas-
sade, après tout...

— Oui, qui sait? Demain est un autre jour.

L'ironie dans le ton de Jonas ne lui avait pas échappé et
elle répugnait maintenant à lui parler.

— Et tu as quelqu'un? Tu as rencontré un... un ami, un
camarade?

Jonas sourit tristement avant de mentir à demi :

— Non. Non, je n'ai personne.

Il tut l'existence de Fabrice et ne se douterait jamais qu'il
en partageait le secret avec sa mère. Louise ne chercha pas
à refréner ce sentiment familier et enfoui, cette vague de
tendresse écrasante lui laissant croire, lorsque Jonas était
enfant, qu'il n'avait nul besoin des autres pour se construire
et se réaliser, puisqu'il l'avait elle. Cette vague-là écrasa
brusquement la déception, la honte et la culpabilité. Il
lui sembla soudain que Jonas continuerait d'une certaine
manière de lui appartenir. Jamais il ne lui préférerait d'autre
femme et elle ne cesserait pas de l'aimer, et de l'aimer
mieux encore. Alors elle mentit à son tour :

— Tu sais, ça ne change rien pour moi. L'important,
c'est que tu sois heureux.

Jonas sourit avant de répondre :

— Oui. J'aurais vraiment aimé que ce soit aussi simple que ça.

L'année suivante, la famille fut réunie, comme de coutume, le soir de Noël. Dans le salon, le poêle à bois crépitait et sa lumière creusait les plissures du papier kraft où Louise et les enfants avaient disposé les santons de la crèche. Un petit sapin trônait fièrement près du téléviseur, les branches ployaient sous le poids des décorations, dans l'odeur de résine. La cafetière clapotait tranquillement dans la cuisine. Un disque crachotait un chant de Noël. Les verres à demi vides et oubliés au milieu des serviettes sales éventaient des vapeurs d'alcool. Ils fumaient, assis dans le coin du salon, regardant les enfants ouvrir les cadeaux à leurs pieds. Louise était sur le canapé, près de Mathieu et d'Albin. Émilie aidait Jules, Camille et Martin à dénouer les rubans de bolduc. Fanny tenait Léa dans ses bras. Ils s'exclamaient d'un égal enthousiasme lorsque, de leurs mains habiles, les enfants tiraient le papier et dévoilaient le carton plastifié des emballages de jouets sur lequel se reflétaient les lueurs des guirlandes électriques. Jonas se tenait en retrait, adossé au mur, près de la porte. Il ne parvenait pas à se sentir vraiment parmi eux et il les observait tous avec détachement et ennui. Jonas fumait et suivait Armand des yeux tandis qu'il filmait la scène sur ce Caméscope à cassette qu'ils lui avaient offert. Son père donnait des instructions aux enfants, les engageait à sourire, à commenter leurs cadeaux. Il leur adressait des mots tendres. Louise fuyait en levant une main devant son visage dès qu'Armand braquait sur elle l'objectif. Jamais elle n'avait aimé les photos, et jamais elle ne s'était faite à l'idée d'une image d'elle en mouvement, sur laquelle le temps n'aurait pas de prise.

Jonas tenait dans sa main gauche, contre sa cuisse, l'emballage à peine ouvert de la cravate qu'Armand venait de lui offrir. Il observait l'excitation puérile de son père pour le Caméscope et promenait indifféremment un doigt sur le tissu doux et froid de la cravate. Chaque année, Armand lui offrait le cadeau le plus inutile, le plus désuet que Jonas eût jamais reçu et il le découvrait toujours avec la même sidération. Comment était-il possible que son père soit éloigné de lui au point de croire un instant qu'il lui ferait plaisir avec ces attentions vaines, vides de tout sens ? Il reléguerait la cravate au placard, parmi les présents accumulés dont il ne parvenait pourtant pas à se défaire, comme si c'était là tout ce qu'il serait jamais en droit d'attendre de son père : des trente-trois tours obsolètes, un ciré de pêche, des romans de gare, les ballons de foot qu'il avait finalement renoncé à lui offrir et dont le cuir immaculé avait dégonflé...

— Alors, c'est de ta part, fils ?

Armand pointait la caméra vers lui et ne regardait Jonas qu'au travers du viseur.

— Pas plus que de la part des autres, répliqua Jonas d'une voix plate, en fixant l'objectif avant de reporter son regard vers les enfants.

— Eh bien, merci, c'est ce qu'on dit dans ce cas, merci, pas vrai ?

Jonas tira sur sa cigarette :

— Faut croire, oui.

Louise tournait la tête vers eux et adressait à Jonas des sourires inquiets.

— Tu ne voudrais pas me ficher la paix cinq minutes avec ta caméra ?

Comme lorsqu'ils se trouvaient ensemble sur la plage,

Armand sentit la résistance de son fils et insista pesamment. La lentille glissa dans un bruissement mécanique et l'appareil zooma sur le visage excédé de Jonas.

— Dis à ton vieux père ce qui va pas, mon petit. Montre ton cadeau à la caméra. T'en es pas content?

Armand baissait tour à tour le Caméscope vers la cuisse de Jonas et la main retenant le paquet entrouvert, puis il revenait à son visage.

— Si, bien sûr, répliqua Jonas sur le ton du sarcasme, j'en suis ravi. Je ne pouvais pas rêver mieux. L'idée même d'en porter une ne m'a jamais effleuré l'esprit, et tu as trouvé le moyen de te dire que ce qu'il fallait à ton fils, c'était justement une cravate. C'est très fort, papa.

La cassette continuait à tourner, mais Armand s'était tu et les enfants avaient cessé de déballer les cadeaux. Tous tournaient le visage vers eux et Jonas ne quittait plus du regard la caméra dressée entre lui et son père comme un ultime rempart.

— Laisse-le tranquille, conseilla Albin à son père, il nous fait son numéro de princesse depuis le début de la soirée.

— Toi, reste en dehors de ça, rétorqua Jonas.

— C'est vrai, il ne va pas nous gâcher le réveillon. Il suffit de le voir pour comprendre qu'être en famille l'emmerde profondément. T'aurais peut-être préféré passer Noël dans tes boîtes à tapettes?

— Albin! s'écria Louise.

— Ne t'en fais pas, maman. Ce que peut dire ce pauvre type ne m'effleure même pas, répliqua Jonas.

Albin se releva brusquement et Émilie tendit une main pour le saisir au poignet.

— Parle-moi sur un autre ton, menaça-t-il.

Louise, Fanny et Mathieu se levèrent à leur tour dans un

grand désordre tandis qu'Armand se contentait de rester immobile, silencieux, et continuait à filmer.

— Sinon quoi? demanda Jonas.

Il les regarda à tour de rôle comme s'il attendait de chacun d'eux une explication.

— Sinon QUOI? répéta-t-il.

Les enfants s'étaient figés, les cadeaux entre leurs mains.

— Je te garantis que tu devrais me parler autrement, Jonas, en particulier devant mes gosses, gronda Albin d'une voix sourde.

Jonas ralluma nerveusement une cigarette.

— Ne t'en fais pas pour eux. Je suis sûr qu'ils sont assez intelligents pour savoir que leur père est une ordure. Ça n'est pas moi qui vais le leur apprendre. Qu'est-ce que tu comptes faire maintenant, Albin? Te rasseoir, la fermer une bonne fois pour toutes et passer simplement à leurs yeux pour un pochtron, ou aller jusqu'au bout et me donner une bonne correction? C'est comme ça que tu résous les problèmes, n'est-ce pas? C'est ce qu'Armand t'a appris. Votre façon à vous de ramener l'ordre. De rappeler ce que c'est qu'un homme, un vrai.

Albin fulminait, bandait les muscles de ses bras et de ses mâchoires.

— Jonas! s'écrièrent ensemble Louise et Fanny en s'interposant.

Mais Jonas les ignorait à présent et ne se défaisait plus d'un rictus nerveux.

— Du calme, du calme... On sait tous que ça n'est rien, on a l'habitude de se ficher une bonne raclée en famille quand l'occasion se présente.

— Un mot de plus, Jonas, et je te sors de cette maison par la force, hurla Albin à pleins poumons.

Jonas attrapa un verre et jeta son mégot dans un fond de cidre tiède, puis il répondit d'un ton calme, presque affectueux, en désignant Armand du menton.

— Et il fera quoi, dis-moi, quand je serai parti moi aussi ? Il fera quoi, ce fumier, quand le dernier de ses gosses lui aura enfin tourné le dos ? C'est toi, Albin, le chien fidèle, qui viendras lui tenir compagnie ?

Ce fut comme une déflagration. Albin bondit avec une rapidité inattendue et se rua vers Jonas. Émilie dut lâcher son poignet et se retrouva à terre. Louise et Fanny se précipitèrent en criant pour le retenir et Mathieu parvint à s'interposer. Les deux hommes titubèrent tandis qu'Albin se débattait, et ils s'effondrèrent sur le sapin, entraînant le téléviseur dont l'écran éclata contre le mur. Les plombs sautèrent et la pièce se retrouva dans la pénombre, tout juste éclairée par le clignotement de la guirlande à piles. Les enfants s'écartèrent en hurlant et Armand baissa enfin la caméra pour contempler son fils et son gendre, empêtrés de guirlandes. Albin insultait son frère à gorge déployée.

— Est-ce qu'on ne forme pas une belle petite famille ? demanda Jonas à son père, d'une voix très calme. Est-ce que tu n'es pas fier de toi ?

— Plus que les miens, dit Jonas à Nadia, c'est l'étang qui me déchirait lorsque j'ai quitté Sète. J'étais prêt à les laisser tous derrière moi, mais je savais que, pour l'étang, je reviendrais.

Pour Fabrice, il avait été prêt à se détourner d'eux. Il aimait l'idée de posséder de lui cette image exacte et inal-

térable et croyait qu'il est des souvenirs qu'il ne faut pas
exhumer et dont la valeur, quand elle est ignorée de tous
à part soi, jamais ne s'altère. Nadia sourit et s'appuya plus
confortablement au dossier de sa chaise. Elle ramena les
mains derrière sa tête. Une tranche de jour mordait ses
pommettes. Elle ferma les yeux et soupira.

— J'ai connu cette sensation, sur le tarmac de l'aéroport de Bamako. J'avais la certitude de mon retour, et je
n'y suis jamais revenue. C'était il y a... c'était il y a plusieurs
vies.

— Tu y retourneras, dit Jonas.

Nadia aspira bruyamment un filet d'air réprobateur
entre ses lèvres.

— Non. Et tu sais ce qu'il y a de détestable dans tout
ça? Ce n'est pas l'idée de mourir sans y avoir remis les pieds,
non, ça, je m'en accommode. C'est de n'avoir pas compris
que je ne reviendrais pas. De n'avoir pas cherché à m'imprégner de ce que le petit Nègre que j'étais a tant aimé
quand il passait devant ce foutu aéroport. J'ignore même
ce que c'était. L'odeur du goudron fondu? L'ombre des
avions sur la ville et les visages noirs des marchands ambu-
lants qui se lèvent à leur passage? Les façades de chaux et
l'éclat des vitres, ou le tonnerre lointain des moteurs? Je sais
avoir aimé quelque chose de ce lieu, comme de l'Afrique,
mais j'ignore quoi.

Elle balançait doucement sa tête de gauche à droite,
fouillant les dédales du ressouvenir, les lèvres serrées par
l'amertume.

— C'était un de ces moments où l'on se croit capable
de décider de tout, même des choses à venir.

Jonas acquiesça, désira violemment retrouver Hicham,

l'enlacer, s'assurer de le posséder encore. N'avait-il jamais pensé que Fabrice et lui seraient ensemble assez forts pour décider eux aussi de l'avenir, de la vie ou de la mort ? Il le ferait, sitôt qu'il rejoindrait Hicham, Jonas l'aimerait mieux qu'avant. Il colmaterait le vide entre eux, il lui dirait combien il était nécessaire qu'ils soient à nouveau réunis et continuent ensemble. Nadia pleurait sans même s'en rendre compte, les larmes striaient ses joues et son cou. Elle le dévisagea.

— Je t'ai menti, dit-elle enfin. Je ne vais pas bien.

Nadia laissa cette fois Jonas enserrer ses mains.

— Que veux-tu dire ? demanda-t-il.

— Je suis malade, dit Nadia. Jonas, je suis terrifiée...

*

Leur passé est semblable aux eaux profondes où le jour ne pénètre jamais, où l'encre des poulpes densifie les ténèbres. Ils y avancent en aveugles quand un rayon brise la nuit, éclaire l'espace d'un instant une image, une scène dont ils retrouvent les contours.

*

Albin marchait dans Sète et l'onde de Saint-Louis sonnait treize heures, treize coups lancés à l'assaut de son corps. Les eaux du canal scintillaient. Dans la rade, des bancs de poissons tendaient leurs flancs d'argent au soleil, formaient ensemble un corps oscillant avec célérité de gauche à droite contre la coque des bateaux. Ils luisaient, fugaces, puis retournaient en volte-face parmi les ombres. Leur ballet ne retenait l'attention de personne. Le long des quais, les bittes d'amarrage brûlaient, couvertes comme d'une mousse par la corrosion, enlacées de cordes. Le bleu et le blanc des embarcations se reflétaient dans l'eau calme sur les silhouettes des immeubles, l'ondulation des algues, l'esquisse des marcheurs. Le canal couvait un monde de silence, un écho, proche et intangible, à la réalité qu'investissait Albin.

Il marchait avec peine à la rencontre d'Émilie, le cœur serré dans une gangue de chair. Au téléphone, elle avait insisté pour qu'ils se voient, et quelque chose dans cet empressement avait instillé une crainte en Albin. Il marchait quand il aurait voulu fuir. Au jour du dîner, un dérèglement venait altérer l'harmonie banale d'un jour d'été. Un glissement insidieux du quotidien, l'infiltration du passé. Un désordre dont il pressentait l'ampleur et face auquel se mesurait son impuissance. Quelle prise avait-il sur l'imbrication des événements, leurs causes et leurs effets, l'inexorabilité du dîner en famille et la rencontre avec Émilie? Albin se sentait las, prêt à s'asseoir et à ne plus esquisser un geste. Il fixerait un point de l'autre rive, il y disparaîtrait. Au matin du lendemain, il se retrouverait seul avec la crasse et les fantômes de la veille. Il marchait par acquit de conscience, par obligation ou déterminisme, prêt à endosser ses rôles d'époux, de père, de fils et de frère, prêt à répondre à ce que le monde attendait de lui. La ville familière par ses lignes et ses hauteurs matérialisait le passé et marcher au travers d'elle, c'était arpenter les chemins retors du souvenir.

Les images, surtout, l'assiégeaient. Les images rendaient à son corps un poids et une gravité. Albin avait conscience de cet assemblage de chair et d'os poussé de l'avant par le mouvement de ses pas, qui le constituait mais n'était de lui qu'une part dont il eût aimé se délester. Il portait en son for intérieur les blocs de béton tagué qui échouent dans le limon, au bord des voies ferrées. Les usines et les silos majestueux. Les toits de tôle et de brique rouge qui croulent sous le temps. Les étendues où paraissent flotter les bosquets d'herbe rase et où de sinueuses crevasses dévoilent les eaux pareilles à du mercure. Il portait en lui les jours de grand vent et le bleu de nuit où Thau s'abîme. Les mois d'automne quand tout vire au jaune. Les formes tortueuses des ceps de vignes ensanglantés de feuilles écarlates. Les pylônes et les wagons de marchandises couverts de bâches. Les moulures aux façades des maisons. Le rouge des bouées sur le canal. Les morceaux de ciment criblés de moules, d'anémones et d'oursins. Les pneus éventrés et les barres de métal. Il était aussi pétri des autres, des siens, et des souvenirs qui le voyaient figurer près d'eux, à diverses étapes de la vie.

Il se vit dans le jardin de la maison aux Métairies, en compagnie de son frère, et Jonas dit :

— Je m'en vais, cette fois, Albin, je pars.

— Pourquoi ne fais-tu jamais les choses comme tout le monde ?

Jonas soupire et dit :

— Est-ce que tu ne pourrais pas te contenter de me souhaiter bonne chance ?

La baie vitrée du salon coulisse, Émilie sort sur la terrasse, une main sur son ventre. Elle leur fait un signe. Son ombre file sur le dallage jusque dans l'herbe grasse et Albin songe à cet instant que la grossesse de son épouse lui assure une supériorité sur Jonas, une continuité dans le temps, cette aptitude à bâtir une existence et à lui donner un sens au travers d'un enfant, mais aussi qu'il enlacera le soir ce corps empli de vie. Émilie s'allongera sur le côté et il la prendra par-derrière. Elle murmurera : «doucement, doucement, doucement» à chacun de ses coups de hanches. Sans doute, Jonas pense qu'Albin le sermonne comme le sermonnerait Armand et que rien ne les distingue plus vraiment l'un de l'autre. Leur silence n'est d'ailleurs pas celui de la complicité fraternelle, mais de la distance virile qu'impose l'intimité entre deux hommes. Émilie ramène une mèche de cheveux derrière son oreille. Elle leur sourit, ses joues sont pleines et son regard le couve ; alors Albin lève sa bière en direction de Jonas et dit :

— Tu as raison, trinquons, à toi, à Toulouse, aux départs qui font les hommes plus libres.

Il rit et porte le goulot à ses lèvres. Jonas esquisse un sourire, boit à son tour avec précipitation. Un filet de mousse cavale au long de la bouteille, macule la peau brune de sa main, entre le pouce et l'index, glisse à son poignet et se perd sous le bracelet en cuir de sa montre. C'est cette image qui se répercute au fil des ans, comme ces balles de tennis pelées qu'ils lançaient de toutes leurs forces dans les canaux d'évacuation en béton sur les chantiers de Sète, et qui rebondissaient à n'en plus finir — cette image-là, répercutée jusqu'à ce jour d'été où Albin longeait le quai Maximin-Licardi à la rencontre d'Émilie, dans le bruit des marteaux et des fers à souder, le ricanement des mouettes, le crissement des cordes et le tintement des mâts entrechoqués.

La nuit précédente, Albin avait rêvé de la maison. Il passait au travers d'un trou dans le mur comme défoncé du salon et découvrait un réseau de galeries sans fin, entremêlées les unes aux autres. Il distinguait de nouveaux orifices qui n'avaient plus rien de minéral mais étaient comme pétris de chair, pareils à des sphincters et il s'y glissait à grand mal pour aboutir dans de vastes pièces vides. Dans l'une d'elles, savait-il d'instinct, se terrait quelque chose. Quelque chose de sombre et de menaçant se lançait à sa poursuite et le faisait se sentir comme une bête traquée. Il trouvait là Louise qui marchait. Ces dédales devaient lui être familiers, car elle ne s'étonnait pas de rencontrer Albin dans les murs et disait, prenant son visage entre ses mains :

— Mon petit, mon chéri, tu ferais mieux de déguerpir avant que ça n'arrive.

Puis elle s'éloignait à nouveau, sa chemise de nuit disparaissant dans les ténèbres. Il voulait la retenir mais, saisi de terreur à l'idée de se perdre, il rebroussait chemin et, sans conscience d'avoir traversé la même distance, débouchait dans le salon. Il se précipitait dans la rue. La maison semblait une cahute, une maison de poupée, dont l'enclave ne laissait rien soupçonner du labyrinthe intérieur. Albin songeait soudain que Louise, Fanny et Jonas étaient restés dans la maison — n'étaient-ce pas leurs ombres bleues aux fenêtres ? — et qu'il devait les prévenir, mais il ne parvenait plus à marcher vers la porte. Chacun de ses pas semblait s'extirper d'un sol de glaise.

Il aperçut Émilie avant qu'elle ne le vît. La déambulation des touristes le cachait à son regard. Albin ralentit, s'attarda au creux de la foule, derrière les présentoirs à cartes postales, à l'ombre des arcades. Elle fit quelques pas, s'adossa au mur de pierre du môle Saint-Louis. Elle portait une tunique en mousseline sombre. Ses cheveux très noirs se détachaient du ciel en fond. La réverbération du large posait sur sa tête et ses épaules des rinceaux de lumière, la faisait paraître menue et désirable. Comment, songea-t-il, en était-elle venue à redouter le contact de son corps à lui ?

Un automne, ils marchaient dans les Cévennes sous une bruine froide quand Émilie s'était allongée à terre. Le ciel d'anthracite perçait la cime des pins et des chênes. Du sol comme éventré s'élevait une haleine d'humus et d'amanite, le parfum des racines et des troncs véreux où nichent les larves grasses. Le souffle d'Émilie nervurait la pénombre grise et pâle des sous-bois. Elle avait détaché un à un les boutons de ses jeans pour mettre à nu la blancheur de ses cuisses où subsistait la marque des coutures. Le froid laissait saillir la toile bleue des veines et grêlait la peau de ses jambes. La culotte de coton rouge ciselait l'aine puis le bas de son ventre. Albin décelait au travers des mailles l'ombre du pubis et il s'était étendu près d'elle. Leurs regards ne se quittaient pas, la forêt alentour tendait sur eux une voûte silencieuse que le cri d'un rapace faisait par instants voler en éclats. Albin avait glissé un doigt sous l'élastique, éprouvant la texture de la dentelle sous la pulpe de son pouce, puis entraîné la culotte sur la cuisse, dans la course de sa main. La toison qu'elle n'épilait pas était un triangle dense dont il aimait l'odeur suave, la senteur sébacée de la peau puis celle, recluse, du sexe et de ses fluides. Les cheveux d'Émilie s'étendaient dans la tourbe, s'emmêlaient aux débris des branches, aux feuilles brunes et fauves. Aucune autre image ne semblerait à Albin se rapprocher plus de la beauté, de l'absolu, de la parfaite adéquation du monde. S'il devait ne rester qu'un souvenir, songea-t-il en observant son épouse dans le vieux port de Sète, ce serait celui-ci. Et à l'idée que, de sa vie, il voudrait retenir cet instant et que cet instant-ci précisément ne se reproduirait jamais plus que par la force du ressouvenir, Albin sentit une vague d'abattement déferler en lui. Il croyait percevoir à nouveau la bruine sur son front, la peau humide et froide d'Émilie sous sa paume. Du pouce et de l'index, il avait écarté les lèvres de son sexe avant d'y glisser un doigt et d'éprouver la chaleur lisse à l'intérieur de son corps. Elle gémissait et cherchait sa bouche. Il embrassa ses paupières, lui donna sa langue puis enfouit son visage sous son pull-over, dans la moiteur de son ventre, remonta vers les seins et prit entre ses lèvres les mamelons qu'il devinait bleuis. Albin aimait le grain des aréoles amples sous sa langue. Lorsqu'elle allaiterait les enfants quelques années plus tard, il arriverait qu'il la tète.

— Lèche-moi, avait soufflé Émilie.

Entre ses cuisses, Albin avait lapé la cyprine au goût de sel, attisé le renflement du clitoris tandis qu'elle saisissait ses cheveux à pleines mains et le guidait en se déhanchant avec violence. Ses jambes l'enserraient, les semelles de ses chaussures de marche meurtrissaient le dos d'Albin. Elle avait joui plusieurs fois, l'avait supplié d'arrêter, puis de recommencer. Ses cris vrillaient le sous-bois à la manière d'un rut animal. Enfin, ils s'étaient étendus en sueur l'un près de l'autre et avaient savouré l'assouvissement de leurs corps étincelants de pluie.

Le jour du dîner, il l'observait à distance comme il aurait honteusement suivi une inconnue. Qu'était-il advenu entre le souvenir de la proximité de leurs corps ce jour d'automne et la présence hostile d'Émilie sur le port ? Y avait-il eu un instant où leur histoire s'était altérée, ou n'avait-elle été qu'un lent déclin ? Albin pensa aux enfants. Une douleur

sillonna son torse et il replongea dans la lumière crue.
Lorsqu'elle le vit, Émilie remonta ses lunettes de soleil d'un
geste qui trahit sa nervosité.

— Marchons.

Elle désigna du menton le phare à l'extrémité du môle
Saint-Louis. La chaleur figeait les bateaux dans le vieux
bassin ; les thoniers vibraient au loin. Albin, bien qu'il dési-
rât saisir Émilie par le bras pour la contraindre à cesser
cette mise en scène, peinait à se défaire du passé et il marchait près d'elle en observant le même silence.

— Je ne viendrai pas ce soir chez ta mère.

Albin ne fut pas surpris et ne quitta pas la rade du regard.
La colère sourdait, familière ; il mordit au sang l'intérieur
de sa joue, comme affluait la mémoire à la vue des voiliers,
au goût de fer sur sa langue. Par un effet de surimpression
le port laissa place aux pas d'Armand sur les quais, quand
les séances de chimiothérapie le contraignaient à s'appuyer
au bras de son fils, à la pression de sa main rêche qui autrefois le chassait le matin du lit de Louise, aux dimanches en
famille à l'île de Thau, chez Anna et Antonio. Il se souvint
de l'odeur de la bruyère et de la vigne sur les treilles, du
soleil éparpillé sur la dalle de la terrasse. Les adultes assis
sur le perron de la porte d'entrée et les récits d'Italie que
couvrait le chuintement de l'électrophone posé sur le rebord
de la fenêtre. Leurs courses effrénées, à eux, les enfants,
autour de la maison. Puis leurs cris furent soudain ceux de
Camille et de Jules, des années plus tard. Albin vit s'ouvrir
la porte de la cuisine, un jour de mai, à la tombée de la
nuit. Il entendit les voix d'Émilie et de Frida, une voisine.
Elles fument une cigarette, assises sur la paillasse. Elles lui
lancent un sourire distrait quand il passe devant elles, puis

haussent de nouveau le ton au-dessous de la hotte allumée à pleine puissance. C'est Louise qui, maintenant, parle fort pour contrer le bruit des voitures, un matin d'école à l'aube pâle. Il est encore en pyjama sous son anorak. Elle le dépose chez Anna avant de partir pour les halles ; elle est en retard et tire fort sur son bras, en hâtant le pas. Quand la porte s'ouvre les deux femmes s'embrassent avec ferveur.

— Qu'est-ce que je ferais sans toi, souffle Louise avant de disparaître au petit trot dans la rue.

Anna presse Albin contre ses cuisses, il respire le tissu duveteux de sa robe de chambre, son odeur curieuse et agréable, un peu rance. La cuisine sent le café au lait ; une casserole frémit sur la gazinière. Anna prépare le petit déjeuner, entaille au couteau un paquet de biscottes, verse le lait dans son bol et pète bruyamment en ramenant la casserole sur le feu. Albin s'esclaffe, délicieusement horrifié qu'une femme de l'âge de sa mère puisse péter sans gêne.

— C'est rien qu'un rot qu'est sorti par le mauvais trou, dit-elle en tapotant sa bedaine.

Elle raconte ensuite le film qu'elle a regardé la veille et dont elle oublie invariablement la fin. Albin l'écoute et somnole, repu, avant de prendre le chemin de l'école.

Il savait combien Anna avait souffert de n'avoir pas d'enfant. Elle avait été pour eux cette présence excentrique et attentive et, pour Louise, cette sœur de substitution quand de la famille cévenole n'étaient restés que quelques frères austères et étrangers, auxquels elle rendait de rares visites de courtoisie. La vie à Sète avait pour eux quelque chose d'exotique, de redoutable, ils la supposaient exaltante et méprisable. Quand elle s'apprêtait à visiter les siens, Louise revêtait la robe qu'elle conservait sous housse dans un coin de penderie. Elle ne disait rien du quotidien maussade. Elle était ainsi, pensait Albin, capable de se réjouir chaque jour de la semaine d'une soupe de poisson et de croûtons de pain rassis. La disparition prématurée d'Anna avait été pour elle un déchirement, la perte du dernier être auquel elle eût pu se confier sans crainte de dévoiler l'intimité de la famille, la véritable nature d'Armand. Antonio avait fait le choix de regagner définitivement l'Italie, et il ne restait rien de leurs clans respectifs : des noms évoqués parfois, des visages dont ils avaient fini par douter. Ils étaient seuls, eux et les enfants. Ils n'avaient jamais été doués pour l'amitié, pensa Albin. Ils avaient fait le vide autour d'eux, sûrement.

*

Ces vers appris en classe lui reviennent, scandés à chacun de ses pas : *Complainte de la mer / dans le fracas du vent / Tout ce qu'elle vocifère / et qu'elle chante en rêvant / dans les sables mouvants / Tout ce qu'elle tait soudain / Silencieuse / étale / et plate calmement.* Alors, Albin les murmure dans le tumulte du port.

*

Albin marchait près d'Émilie et les années filaient, passaient sans logique, le projetaient à la naissance de leur fille, Sarah. Il n'avait jamais su dire à Fanny combien la disparition de Léa l'avait éprouvé et le heurtait à l'indicible. Sa sœur, savait Albin, le pensait insensible. Il la vit à la maternité, sa main reposant sur l'armature du lit de couches d'Émilie. Le soleil gifle sa joue et la laisse comme ébahie, un sourire fabriqué au visage. Trois ans se sont écoulés depuis l'accident de la plage et Fanny est en sursis dans ce monde. Elle observe le sein bleu d'Émilie, que tète Sarah. Mathieu est assis près de la fenêtre et, dans le souvenir d'Albin, il ne dit rien et cherche à taire l'absence de Léa.

— Tu veux la prendre un instant? demande Émilie pour rompre le silence.

Tous songent que Léa n'est plus, et que Sarah ne peut grandir dans l'ombre et le regret de l'enfant mort. Fanny semble tirée d'un songe :

— Je ne suis pas certaine que ce soit une bonne idée.

Émilie glisse son sein dans la chemise de nuit et bafouille une excuse :

— Bien sûr, je comprends, c'était idiot de ma part...

— Je crois que nous allons y aller, l'interrompt Fanny, Martin nous attend.

Elle porte une main à ses lèvres, comme si quelque chose lui revenait à l'esprit, puis quitte la chambre sans un mot de plus. Mathieu se lève dans le souvenir indistinct du contre-jour et dit au pas de la porte :

— Ça n'est ni contre vous ni contre la petite. Il lui faut encore du temps.

Du temps, sait Albin, ils n'en auront pas assez en une vie et il rattrape sa sœur dans le couloir — il se souvient des murs vert d'opale, de la lumière glauque —, pose une main sur l'épaule de Fanny, la sent s'écrouler entre ses bras comme un arbre abattu. Elle enfouit le visage dans son cou et dit :

— C'était ma petite fille, c'était ma petite fille, c'était ma petite fille.

Albin glisse une main dans les cheveux de sa sœur, retient contre lui sa tête lourde.

— Je sais, Fanny, je suis désolé, je voudrais pouvoir te la rendre et je ne peux pas. J'en suis incapable.

Mais il savait, marchant près d'Émilie sur le môle, que les choses ne s'étaient pas passées comme le temps voulait le lui laisser croire. Il avait trouvé l'attitude de Fanny égoïste et l'avait rattrapée dans le couloir après qu'elle eut quitté la chambre. Elle s'était effondrée dans ses bras, enfouissant le visage dans son cou et Albin, impassible, l'avait saisie aux épaules.

— Redresse-toi. Ta fille est morte, Fanny. Elle est morte il y a trois ans, tu te rends compte ? Trois ans ! Et tu n'es pas morte avec elle. Personne, tu m'entends, personne ne te rendra Léa. Tu ne peux pas reprocher aux autres de continuer à vivre. Le monde continue de tourner, la vie va son train. C'est comme ça, tu dois cesser de te morfondre.

Fanny s'était dégagée de son étreinte, livide et tremblante puis, en silence, avait frappé la poitrine d'Albin à poings fermés jusqu'à ce que Mathieu se précipite vers eux, l'enlace et la retienne.

— Nous tous, avait-elle dit, ivre de rage, nous tous méritions de mourir. Toute cette foutue famille, avec ses silences et ses non-dits. Voilà ce qui aurait dû disparaître. Mais pas Léa. Pas ma fille.

Au-delà des bâtiments amarrés, quelques bateaux entraient dans le port, suivis par le cortège des goélands dont les cris, à mesure qu'Albin approchait, lardaient sa conscience. Le passé était inconstant et protéiforme. Les instants qui formaient son existence ne semblaient plus tangibles et donnaient à la présence d'Émilie une saveur d'irréalité.

— Albin, dit-elle pourtant, on ne peut pas continuer comme ça, ensemble.

Il eut la sensation d'une écharde plantée en travers de sa gorge.

— Qu'est-ce que tu racontes?

Émilie laissa échapper un soupir saccadé, et il comprit qu'elle le craignait.

— Je n'en peux plus, dit-elle, ça dure depuis trop longtemps, il faut que ça s'arrête.

— Mais enfin, de quoi tu parles, bon sang?

La colère saisissait sa voix, durcissait les muscles de ses mâchoires et il devait faire un effort considérable pour continuer de paraître calme. Il pensait : *Je ne suis pas Armand.* Puis, dans le même élan : *Jamais il n'aurait laissé Louise lui parler sur ce ton.* Quel besoin avait-il de ramener sans cesse à son père son attitude et ses décisions?

Sur ce même port, Albin était pourtant parvenu à s'opposer à lui. D'un ton solennel, Armand lui avait demandé de l'accompagner au thonier dont il était enfin propriétaire. Ce bateau et son équipe de marins avaient été sa fierté, la preuve qu'il s'était enfin réalisé, et sans doute avait-il amèrement regretté de n'y être pas parvenu plus tôt, avant la mort du patriarche, car quelle revanche sur la vie aurait-ce été, et quelle fierté pour l'ancien! Le jour tombait et le port verdissait, les mâts striaient le ciel brun de l'hiver. Ils marchaient, une main enfouie dans la poche de leurs manteaux, le menton dissimulé dans leurs cols, ils fumaient avec hâte.

— J'ai pensé à cette histoire, dit Armand, ça ne me semble pas bien sérieux.

Albin avait annoncé son projet de délaisser la pêche pour suivre une formation de travailleur social et son père n'y avait d'abord vu qu'une idée passagère, mais Albin, contre toute attente, s'était inscrit et devait quitter l'équipage à la fin de l'année.

— Papa...

Armand l'interrompit en levant une main.

— Non, je comprends, fils, que tu aies envie d'autre chose, d'un métier moins difficile ou alors d'un changement, mais enfin, est-ce que tu te rends compte que ça n'est pas un boulot pour toi?

— Et pourquoi pas, justement? C'est ce que j'ai envie de faire. Je n'ai jamais connu autre chose que la pêche, mais je n'ai pas d'avenir là-dedans, tu le dis toi-même.

Armand se renfrogna et secoua la tête. L'alcool avait fini par donner à son visage un teint cireux. Des angiomes rougissaient ses pommettes et la peau de son cou.

— Je disais ça sans le penser vraiment. C'est vrai, c'est pas facile, mais on est faits pour ça, nous autres, tu comprends?

— Non. Non, papa, moi je n'ai pas vraiment le sentiment d'être *fait pour ça.*

Armand cracha sur le sol et ils continuèrent de marcher l'un près de l'autre dans un silence hostile. Quand ils parvinrent devant le thonier, ils restèrent à quai et observèrent le bateau.

— Écoute, dit enfin Armand, tu sais combien j'en ai sué pour avoir tout ça. Rappelle-toi la première de nos sorties. On était pas les rois du monde, ce jour-là? Dans quelques années, ce thonier sera le tien et, si on travaille bien, tu te retrouveras à la tête de plusieurs bateaux. T'auras le beau rôle, fiston, crois-moi, tu remercieras ton vieux père.

Albin soupira et fuma un moment, scrutant le thonier sur les flancs duquel glissait la lumière jaune des lampadaires. Il chercha à répondre d'une voix douce et soumise :

— Je comprends, papa, je comprends bien ce que tu veux dire, mais j'ai fait le tour de tout ça. Je n'en ai plus l'envie, je veux autre chose pour moi, pour Émilie et les enfants. J'ai envie de me sentir utile aujourd'hui, de faire quelque chose qui ait un sens, tu vois?

Armand se racla la gorge et montra le thonier du doigt.

— Parce que tu trouves que ça n'a pas de sens?

— C'est pas ce que je voulais dire.

— C'est moi qui te comprends pas, Albin. Comment tu peux me faire faux bond maintenant? C'est peut-être un métier difficile, mais est-ce que je me suis déjà plaint, moi? Est-ce que j'ai déjà eu envie de tout plaquer pour autre chose?

— Justement, je ne suis pas toi. Tu peux au moins le comprendre? Tu as décidé pour moi, papa. Je n'ai pas même le souvenir d'avoir eu à me poser la question de ce que je voulais faire vraiment avant ce jour. Même gamin, je n'avais pas à me demander ça, je savais que tu ferais de moi un marin pêcheur et que je n'aurais pas d'alternative.

Armand ricana, mais sa voix s'était resserrée. Pour la première et l'unique fois de leur vie, Albin, ce fils en qui il avait placé tant d'espoir, se rangeait du côté *des autres* et lui tenait tête.

— Ah voilà, dit-il, tout est ma faute, une fois de plus, hein? C'est ce qu'ils ont réussi à te mettre dans la tête? C'est ta mère? Ou bien Jonas?

— Aucun d'eux, je suis capable de faire mes propres choix aujourd'hui, sans l'aide de personne.

Ils se turent de nouveau, allumèrent chacun une cigarette et saluèrent d'un bref hochement de tête un gars qui longeait les quais.

— On sait tous les deux que je ne pourrai pas continuer seul, dit Armand.

Il avait parlé d'une voix inhabituelle, presque implorante, et Albin hésita un instant à renoncer, pour préserver son père.

— Il faut vendre, s'entendit-il dire. Je ne changerai pas d'avis.

Armand scruta le visage de son fils et, quand Albin soumit son regard et le porta vers le port, le père eut un vague sourire et serra brièvement son épaule.

— C'est entendu.

Puis il s'était retourné et s'était éloigné vers la ville, laissant Albin seul et soudain tremblant.

— Je te quitte, Albin, c'est terminé.

Émilie s'était arrêtée et lui faisait maintenant face, comme s'il lui eût été nécessaire de le dévisager et de mesurer l'impression de ses mots sur son visage. Ils étaient au pied du phare, dans l'ombre lancée sur le môle étonnamment calme pour un jour d'été. Albin distinguait du coin de l'œil l'aire de carénage en contrebas, entre le poste d'avitaillement et le phare, où des chalutiers reposaient au soleil, sur les bers, comme de gros cétacés échoués entre les grues.

— Et les enfants ? demanda-t-il d'une voix atone.

Il se sentait incroyablement las, rattrapé par cette journée qui n'en finissait plus de durer et de ramener vers lui le poids du temps. Émilie sembla désemparée par sa question ; elle s'étonnait qu'il se préoccupât des enfants. Voilà, songea Albin, l'image qu'il était parvenu à donner de lui, cette image qu'il avait bâtie avec soin et qui, pourtant, lui semblait parfois si loin de ce qu'il était vraiment, ou de ce qu'il aurait voulu être. Sa femme le croyait indifférent à leurs enfants. Sa sœur et son frère le méprisaient de n'avoir jamais su défier leur père. Sa mère l'aimait, tout au plus par devoir et parce qu'il maintenait vivant le souvenir d'Armand.

— C'est arrangé, répondit Émilie. J'irai avec Sarah chez mes parents, ce soir. Ils m'accueilleront le temps que nous nous organisions. Je peux aussi amener les garçons, mais j'ai pensé qu'ils pourraient rester avec toi, si tu n'y vois pas d'inconvénient. Je préfère ne pas leur en parler de suite.

Albin acquiesça et porta à son tour une main sur l'épaule d'Émilie. Il n'avait pas la moindre idée de la façon dont il devait réagir et s'étonnait intérieurement d'être si désemparé, de ne plus éprouver de la rage mais un profond découragement. Un matin lui revenait pourtant, un matin oublié dont le visage d'Armand s'éloignant sur le port lui ramenait un souvenir étrange et pâle.

Ce matin-là, pensa Albin sans quitter Émilie du regard, annonçait un jour de pêche et la nuit engluait encore la maison. Une lueur grise baignait les pièces vides dont les volets n'avaient pas été rabattus. Les chambres entrouvertes laissaient s'échapper une odeur de sommeil, celle, juvénile et âcre, des peaux de Jonas et de Fanny, le souffle de leurs respirations. Avait-il été tiré de son rêve par les voix étouffées des hommes, qui lui parvenaient à travers l'épaisseur des murs ? Albin avait hésité à se lever. Il somnolait et s'étirait, encore saisi par le sommeil. Il s'était enfin décidé à repousser le drap et à poser ses pieds nus sur la moquette. Jonas, se souvint-il, était tourné vers le mur et dormait profondément. Albin avait ouvert la porte et s'était glissé hors de la chambre. Il avait marché, frottant ses yeux, dans le couloir où un rai de lumière scindait le mur face à la salle de bains, puis formait au plafond un angle droit. Il avait glissé un œil par l'interstice de la porte, devinant la voix

de son père et celle du Syrien maussade et silencieux qu'ils
hébergeaient. Cet homme tournait le dos à Armand, mais
Albin avait vu dans le miroir le reflet de ses grands yeux
pâles.

Il n'y avait désormais ni logique ni mouvement, son souvenir se figeait en une succession d'images figées et incer-
taines. La main d'Armand repose sur l'omoplate du marin
et son dos est une lande fragile et hâve où saillent les vertè-
bres comme un chapelet glissé sous la peau. Appuyé des
deux mains sur le lavabo, le Syrien baisse son visage et Albin
n'en distingue maintenant plus rien, mais il y a cette main
posée sur lui, comme un geste de consolation. La supplica-
tion d'un pardon? N'esquisse-t-elle pas une ronde, une
caresse sur l'épiderme? Puis, ce silence, celui des deux
hommes qui ne disent plus rien et forcent Albin à retenir
son souffle. Il ne peut bouger, de crainte que le parquet
n'émette un son, fasciné aussi par la nudité du marin
dont il perçoit les fesses et les hanches pâles, l'ombre des
poils sur ses cuisses. Puis, cette proximité presque lascive,
dont l'enfant ne saisit que l'étrangeté.

Les deux hommes étaient si proches, dans ce vestige
surgi sur le port, que le sexe d'Armand, il le devinait, pouvait frôler la chair blanche du marin.

Il retira sa main et sentit la force de sa prise à la jointure
de ses articulations.

— Tu ne régleras pas ça par la force, pas cette fois, dit
Émilie en se dégageant.

Albin se sentait mis à distance, étourdi, et il doutait à la
fois de la véracité de ce souvenir et de la scène au pied du
phare.

— Calme-toi, dit-il d'une voix blanche, ne te donne pas

en spectacle, c'est ridicule, on va rentrer et parler de tout ça à tête reposée.

Émilie le regarda avec effarement. Ses gestes étaient vifs et il n'y avait pas une trace de compassion dans son regard. Albin semblait pitoyable et l'enhardissait.

— On ne rentrera pas ensemble, tu ne comprends pas? Tu ne sais pas depuis combien de temps j'attends ce moment, depuis combien de temps je devais te dire ces choses. Tu ignores quel soulagement c'est. J'ai de la peine de te voir surpris, de comprendre que tu n'as rien vu venir, que tu ne t'es douté de rien.

Elle paraissait désormais très calme, un peu chancelante.

— Tu ne t'es jamais posé la moindre question, n'est-ce pas? Sais-tu pourquoi j'ai voulu te voir ici, sur le port? Pour ne pas me retrouver seule avec toi, Albin. Parce que la seule idée d'être seule avec toi à cet instant me sciait le ventre. Même tes gosses te craignent, même eux t'évitent, est-ce que tu ne le vois pas?

Albin fit un pas vers Émilie, mais elle recula aussitôt et se tut un moment.

— Pour la première fois depuis plus de cinq ans, cinq longues années, j'ai justement l'impression d'être vraie, de ne plus jouer la comédie.

Cinq ans, savait Albin, c'était remonter à la naissance de Sarah et à l'annonce de la maladie d'Armand.

— Pourquoi n'as-tu rien dit? On pouvait en parler plus tôt.

— Tu t'es éloigné de nous. Je ne te connais plus. Depuis la mort de ton père, il n'y a de la place que pour tes marins, ton travail au foyer. J'ai essayé de te faire comprendre que ça n'allait pas, mais tu ne vois rien d'autre que ça.

Elle désignait le port autour d'eux.

— Tu sais ce que ça représente pour moi et les efforts qui m'ont été nécessaires pour y parvenir.

Émilie approuva :

— Je ne le sais que trop bien, mais aujourd'hui rien d'autre ne semble avoir de valeur à tes yeux, pas même nous. Tu es devenu comme ton père, comme Jonas. Vous êtes tous tellement égoïstes... Mais moi, je ne peux pas finir comme ta mère, dans cette solitude, dans cette tristesse. Je veux prétendre à autre chose qu'à tes absences, tes coups d'éclats, ta violence silencieuse chaque fois que tu me touches. Sais-tu quand j'ai compris que je ne pouvais pas continuer plus longtemps ? Quand j'ai réalisé que je ne supportais plus ton odeur, Albin. Ton odeur, celle de ta peau, de ton haleine, de ta sueur, de ton sexe. Elle me sature, m'étourdit, me répugne. Albin, tout de toi m'écœure. Et j'ai pensé : comment en est-on arrivés là ? Comment ai-je pu nourrir ce dégoût pour le père de mes enfants ? Qu'est-ce qu'il s'est passé, pour que ce sentiment, que j'ai éprouvé, d'amour, de plénitude, de confiance, soit finalement devenu du dégoût ? J'ai envie de vivre, Albin, voilà la raison. Quelque chose de fort. Pas cet ennui, ce vide, cette inconsistance. J'y croyais, moi, à ces promesses stupides que nous nous faisions. Est-ce que nous n'avons pas un jour rêvé d'autre chose que de cette vie-là ? On pensait être destinés à une existence qui échapperait à l'ennui, où nous serions différents des autres, et tu as enterré tout ça. Il ne reste rien qu'une petite maison propre, une vie balisée, consensuelle...

Émilie lui tourna le dos et alla s'appuyer contre le mur. Sur l'aire de carénage, les hommes reprenaient le travail dans le bruit des jets à haute pression. Albin comprit qu'il ne pouvait faire face. Bien sûr, il n'avait pas été à la hauteur et sans doute était-il devenu un autre homme, différent de celui dont sa femme était tombée amoureuse, mais il fallait pourtant qu'il parvienne à lui rappeler ce qu'avait été leur histoire. Cette promenade en forêt dont il s'était souvenu plus tôt, et la lumière de ce jour d'automne. Le crépuscule au-dessus du lotissement quand les enfants jouent à vélo dans la rue. Les petits matins où ils se sont éveillés l'un près de l'autre, assurés de se posséder mutuellement et donc de posséder le monde. L'odeur d'Émilie au col d'un chemisier, sur la taie d'un oreiller ; ces instants où il la sait présente dans l'une des pièces de la maison et que sa voix et celles des enfants lui parviennent. Ce sentiment d'absolu. Le tableau de Dalí dans leur chambre, *Jeune fille à la fenêtre*. Sans le lui avoir jamais dit, il a toujours eu la certitude que c'était elle, Émilie, cette jeune fille contemplative, au point qu'il ne peut penser à elle sans que se superpose la vision du tableau, et inversement. Ce jour de vacances dans le Gers, quand ils s'étendent et forment de vastes niches dans les champs de blé haut. Les nuits de jeunesse où, ivres, ils s'enlacent au milieu des flots noirs et de la lune morcelée par les vagues. Cette vision d'Émilie à contre-pied, quand elle est assise sur son visage et offre à sa bouche son sexe épanoui. La naissance de chacun des enfants. Toujours, cette sensation d'être en vie, mais d'en sentir aussi le passage et de n'en rien dire. Ces instants, Albin aurait aimé les rappeler à Émilie, mais les images s'imposaient sans qu'il parvînt à les désigner par les mots. Il avait le sentiment qu'il la retiendrait alors, s'il lui était possible de résumer, de condenser, d'extraire ce bonheur qu'ils avaient négligé par inadvertance. Il s'approcha d'elle, prit garde à ne pas la toucher et s'adossa contre le mur, regarda dans l'autre sens, vers la rade.

— Je sais ce qui est bon pour moi désormais, et tu n'as pas le droit d'aller contre. Tu dois me laisser partir. Fais-le pour moi et pour les enfants.

Elle avait parlé avec lassitude et empathie.

— J'aurais aimé t'offrir autre chose, dit Albin, une autre vie, mais je n'ai pas su comment faire, je n'en ai pas trouvé les moyens. On a eu les enfants, j'avais la charge de vous tous, que voulais-tu que je fasse ?

Il ne savait comment être un autre, comment se conformer à ce que les siens exigeaient de lui. Toute sa vie avait conflué vers ce qu'il était : cet homme impitoyable dont ils se détournaient maintenant, et qui pourtant avait été façonné par leurs mains.

— Rien, bien sûr, tu ne pouvais rien faire de mieux. Je voulais simplement préserver quelque chose de ce que nous étions. Ne plus avoir ce sentiment de partager la vie d'un homme que je ne reconnais pas, pour lequel je n'éprouve plus que de la crainte. Nos enfants sont ce qui nous est arrivé de mieux dans nos vies, mais je me suis enfermée dans ce rôle de mère, d'épouse, et j'ai l'impression de n'avoir été rien d'autre. Je ne veux pas qu'ils se souviennent plus tard de moi comme d'une femme insipide et ennuyeuse, cette image que vous garderez de Louise et dans laquelle elle a fini par disparaître, au point de croire qu'elle l'a souhaité, que sa vie ne pouvait être autrement. J'ai fini par le penser aussi, par me dire chaque matin que j'avais effectivement rêvé de ça. Les enfants étaient là, je m'apprêtais à m'occuper d'eux, à changer Sarah, à préparer les garçons pour l'école. Je pensais à ce que je préparerais pour le dîner, je veillais à ce que tout soit parfait pour ton retour, je me levais et me couchais avec ce sentiment de tristesse infinie.

— C'est trop égoïste, tu ne peux pas tout détruire comme ça, tu n'en as pas le droit.

— Je me trompe peut-être, oui. Mais je crois ne rien détruire qui ne le soit depuis longtemps déjà.

— Alors, ça veut dire que tout se termine ici ?

Émilie sut, à l'intonation de sa voix, qu'elle l'avait enfin terrassé, mais elle ne le regardait déjà plus.

— Oui, tout se termine ici, Albin. Maintenant.

Il s'écarta de son chemin et Émilie s'éloigna vers la ville.

Il avait atteint cet état précieux où la confrontation à l'inexorable donne à voir le monde pour ce qu'il est. Et, des autres vies arpentant le môle, toutes vouées à la futilité d'une flânerie, il ne voyait plus que les surfaces et l'illusion. Toutes ignoraient la vérité où le projetait la rupture, le corps d'Émilie s'éloignant dans la foule. Albin se tenait droit, une main sur la pierre, et la perception minérale sous sa paume gagnait son bras, l'intégralité de ses chairs. La chaleur était telle qu'il frissonnait, maintenant. Le passé n'était plus un flux tendant à cet instant où il marchait à son tour vers Sète, mais une dimension accessible. Comme pourvu d'ubiquité, Albin habitait le port, où l'unité de son existence venait de se dissoudre, et la masse disjointe des années. Devait-il croire en cette image d'Armand, au sexe de son père sur les fesses d'un marin ? Accepter la véracité du ressouvenir, c'était voir en Armand un imposteur, admettre d'avoir été floué, reconnaître son injustice envers chacun d'entre eux. Et qui serait alors Albin s'il ne s'était jamais construit que sur un mensonge ? Les fantômes jonchaient sa mémoire. Parmi ce qui avait été et dont il ne restait rien, comment distinguer les chimères, les mirages? L'homme qu'avait été Armand lui échappait, se dérobait, bien qu'il eût façonné ce fils, qu'il eût été l'instigateur de ces heures ayant abouti, d'une manière ou d'une autre, au départ d'Émilie. Albin tira son téléphone de sa poche et composa le numéro de Louise. Elle mit du temps à décrocher et, quand elle parla, sa voix lui parut étrangère.

— C'est Albin, dit-il. On ne sera pas là ce soir. Demande à Fanny d'aller chercher les jumeaux et de les garder à dormir cette nuit.

Louise semblait reprendre son souffle.

— Qu'est-ce qu'il se passe? demanda-t-elle.

— C'est entre Émilie et moi, dit Albin. Ne pose pas de question.

Elle ne dit rien et Albin manqua raccrocher, puis se reprit :

— Maman, dit-il, quand vas-tu enfin nous dire qui était Armand?

Louise parla. Elle ne parut pas surprise, mais rompue :

— Si je le savais, chéri. Si je le savais moi-même...

— Mon père baisait-il ces foutus marins? hurla-t-il d'une voix qui s'érailla.

Un long moment, il eut pour réponse le grésillement familier de la ligne. Puis ce fut elle qui raccrocha.

*

... Mais ils s'abandonnent, saisis, à l'essence de toute chose, ignorants des surfaces, mais saisis par le mouvement de toute chose.

TROISIÈME PARTIE

Morta

Le soleil fait paraître la mer couverte de salpêtre. Les enfants ont insisté pour passer le mur du môle et s'étendre quelques heures sur les rochers en contrebas. Par paresse, Fanny a refusé de les accompagner à la plage des Aresquiers. Le sel, comme une seconde peau sur les bras de Léa, étincelle dans le jour éclatant. Léa sent la pierre brûler l'arrière de ses cuisses malgré la serviette au-dessous. Fanny est près de sa fille. Elle repose sur le côté, son épaule luit, la peau est ici rouge et brune. Léa aime son odeur onctueuse, la régularité des grains sombres qui parcourent le bras et la poitrine jusque sous la bordure du Lycra. Lorsque Fanny se tourne vers la mer pour surveiller Martin, Léa peut voir les poils drus du sexe de sa mère dans le bref écartement du maillot et de l'aine. Elle aime la bizarrerie de ce corps dont elle sent qu'il est encore une partie du sien. Léa se redresse, son ventre rebondi tend le maillot, fait saillir son nombril quand elle pose une main sur sa hanche puis l'autre à son front. Elle couvre ses yeux et cherche son frère du regard parmi les enfants à demi nus, à demi ense-velis par la mer. Tous se ressemblent dans l'écume ourlée sur leurs corps, qui les engloutit puis les rend à la plage luisants et ahuris.

Au loin, le Théâtre de la Mer fait miroiter ses lignes discordantes, les blocs de béton jonchent le bord du môle, cernent la frêle bande de sable où les baigneurs somnolent. Léa éprouve ce qu'elle ne peut désigner par les mots, le sentiment d'une parfaite adéquation, de l'ampleur de ce jour d'été qui la voit dominer la mer aux côtés de sa mère alanguie, des jeux de Martin au bord de l'eau, du bruit du ressac et des dizaines de voix dressées dans l'air dense. Elle le distingue maintenant, son frère, au milieu des garçons de son âge ; un ballon fuse — la blancheur du ciel ne tolère aucun de leurs regards —, s'abat et rebondit à la surface de l'eau, déclenchant les cris, la course des enfants empêchée de lourdes gerbes.

— N'oublie pas tes brassards si tu veux aller à l'eau, dit Fanny.

Léa secoue simplement la tête, s'éloigne sous le regard bienveillant de sa mère qu'elle sent sur elle comme elle sent la morsure du soleil sur sa nuque, au sommet de son crâne, nichée dans ses cheveux, sur son dos, au creux de ses reins. Un moment, elle court d'un rocher à l'autre, à distance des enfants, sautille au rythme de leurs jeux, vrille la plage d'un cri, mais Martin ne la remarque pas, aussi finit-elle par se désintéresser des garçons.

Entre les blocs, l'eau glisse, mousse et se brise. Les carapaces pourpres des crabes disparaissent dans les anfractuosités quand le visage de Léa vient sur eux jeter une ombre. Elle glisse le bout d'un doigt au cœur d'une anémone qui se referme. Les tentacules saisissent la petite phalange. Léa s'étend sur le béton, la tête dans la faille, elle contemple le microcosme que la houle vient inlassablement chambou-

ler. Elle aime le sel des embruns sur elle, quand il crisse
contre les pierres. Elle lèche son épaule, près de la bretelle
du maillot, goûte sa peau, se redresse, observe en contrebas les corps étendus, cherche Fanny puis Martin et décide
de grimper plus haut pour embrasser la mer du regard.
Elle se hisse à l'aide d'une tige de métal saisie dans le
béton, sur l'inclinaison d'un bloc. L'acier rubigineux brûle
la paume de sa main, ses genoux s'égratignent. Léa courbe
le dos, soulève les fesses et tire de toutes ses forces sur la
tige jusqu'à poser ses pieds sur la déclivité du bloc. Avec
prudence, elle se retourne, se dandine pour amoindrir le
feu à la plante de ses pieds, se tourne de nouveau vers la
plage, lâche enfin la barre de métal et se dresse en équili-
bre. Fanny semble s'être assoupie. Léa voit Martin étendre
sa serviette près de sa mère et s'allonger à son tour. Aucun
d'eux ne regarde dans sa direction. La mer est un infini
flamboyant au-dessus duquel Léa a le sentiment de culmi-
ner, dans ce jour qui lui semble voué à l'éternité.

— Maman ! Regarde-moi ! hurle-t-elle, les mains en
porte-voix.

Fanny est allongée sur le ventre. Les cris et le chuintement du ressac couvrent la voix de Léa. L'enfant se sent
soudain fébrile et exaspérée, puis songe qu'elle peut s'éle-
ver jusqu'au môle et qu'il lui suffira de se hisser par-delà le
mur.

— Maman !

Elle lève les bras en de larges signes.

Un instant, le jour la cisèle, borde les contours de ses
bras, glisse sur la peau diaphane et la chevelure brouillonne
qui repose sur ses épaules ; elle paraît une petite icône au
sommet d'un roc, une eau-forte dont quelques baigneurs
garderont l'image dans un recoin de conscience. Lorsqu'ils

repenseront à ce jour sur la plage, c'est elle, Léa, qu'ils verront, dressée au-dessus d'eux, tandis qu'au large des voiliers se perdent dans les miroitements. Mais ce n'est qu'une seconde durant laquelle Léa happe et concentre la beauté du môle Saint-Louis dans cette vision d'elle, bras levés au ciel blême, puisque son pied glisse sur le bloc et qu'elle tombe en arrière, s'étend de tout son long et sans bruit à la manière d'une poupée de chiffons. La mer continue de la couver et ne veut pas révéler le choc du petit corps sur le béton, le souffle qui s'en échappe. Léa n'éprouve d'abord que sa respiration coupée par l'impact, le ciel jeté sur sa peau, la brûlure de la pierre sous son dos, sous ses fesses, puis la vague de chaleur à sa gorge et l'engourdissement qui la gagne. Enfin, le froid claustral, le fourmillement le long de sa mâchoire et de son échine la dissocient de la plage, dévoilent un monde où la réalité qu'elle investissait jusqu'alors n'est plus qu'un bruit de fond. Léa porte une main à sa gorge et trouve la tige de métal plantée en travers de son cou, le flot ardent qui la noie et bouillonne alentour, mais déjà ses doigts n'éprouvent plus qu'avec étrangeté le contact de son propre corps.

Des cris résonnent dans le lointain. Un homme est près d'elle. Il retire son tee-shirt et le presse contre son cou. Elle sent le coton sur sa joue et l'odeur de sueur qui s'en dégage. Elle lui rappelle celle de son père, l'été, quand il travaille au jardin. D'autres le rejoignent dont Léa ne distingue déjà plus que les ombres. Leur agitation l'indiffère soudain. Léa n'éprouve pas la douleur, mais une fatigue la drape et l'éreinte. Il lui semble une ultime fois que ce jour-là, ce jour d'été sur la plage, ne finira jamais. À jamais le corps ensommeillé de sa mère, à jamais le jeu de Martin et leurs peaux étincelantes. À jamais le bruit des vagues brisées sur la corniche et le ciel colossal où s'éteint son regard.

*

Louise retient de justesse le combiné dans sa main puis, trop éprouvée pour répondre à Albin, elle préfère raccrocher. La douleur de ses doigts supplante l'effet des médicaments et lance si fort dans ses bras qu'elle tient ses mains devant elle sans même les reposer contre son ventre. Fanny s'est levée à son tour, Louise entend ses pas dans la chambre à l'étage. Immobile dans l'entrée, dans la clarté assombrie de l'après-midi, l'odeur mêlée d'encaustique et de cuisson, elle prend la résolution que le dîner se tiendra ce soir, coûte que coûte. Depuis le matin, le jour n'a cessé de dresser contre elle tous les obstacles. La famille, pense-t-elle, peut désormais se disloquer. Quand bien même elle serait seule, la table sera dressée et le repas servi. Il en va de sa dignité, de celle d'Armand, de ce clan que tous forment malgré eux. Le dîner reste l'unique espoir qu'un ordre soit rétabli.

Fanny descend l'escalier et tire Louise de ses pensées. Elle lève le regard vers sa fille, et dit :

— C'était ton frère, Albin. Il ne viendra pas ce soir.

Elle se souvient des lèvres de Fanny sur les siennes, de cette étreinte dont l'appel impromptu l'a détournée.

— Tout semble tellement... *détraqué*, dit-elle comme si le mot ne lui était pas familier mais qu'elle ne pouvait désigner autrement son incompréhension.

— Il est arrivé quelque chose de grave ? demande Fanny avec inquiétude.

Louise secoue la tête lentement, incertaine de vouloir confier ce qu'Albin a sous-entendu au téléphone.

— Non, une dispute avec Émilie, je crois. Il voudrait que les garçons dorment chez toi ce soir. Tu veux manger quelque chose ? Je vais réchauffer du café.

Elle frotte très doucement la tranche de ses mains contre ses cuisses, esquisse un geste pour remettre de l'ordre dans ses cheveux, puis entre dans la cuisine.

— Assieds-toi, dit Fanny, je vais m'en occuper.

Le gaz a chauffé la pièce. Toutes deux ont la sensation d'être restées dans la chambre, allongées sur le lit, et leurs gestes luttent contre une forme de gêne ou de pudeur, pour dissiper cet instant d'égarement. D'un même élan, pense Louise, les enfants portent atteinte à l'honneur de leur père. Même Albin, qui n'a eu de cesse de défendre sa mémoire, exige désormais de Louise une justification, un plaidoyer en faveur de l'intégrité d'Armand. À quoi bon aller contre la colère d'Albin et qu'est-il en mesure d'entendre ? Louise se sent trop affaiblie pour l'affronter après avoir fait face à Fanny. Elle a accepté Armand tel qu'il était et ce qui lui importe désormais, c'est qu'il soit devenu dans ses dernières années un homme bienveillant, un peu triste et défait, mais inoffensif. Ces années-là, pense Louise, devraient effacer toutes les autres. Fanny passe un coup d'éponge sur la table, elle y dépose les tasses.

— Rends-moi service, ma chérie, dit Louise, passe chercher Camille et Jules avant le repas. Je tiens à ce qu'ils soient là ce soir.

Fanny verse le café dans les tasses, pose la cafetière sur le dessous-de-plat et perçoit le tressautement à la commissure des lèvres de sa mère, mais son désarroi l'embarrasse et elle désire maintenant s'en aller.

— Je ne vais pas tarder, dit-elle.

Louise acquiesce distraitement.

Avant son départ, Fanny s'enferme dans la salle de bains. Les mains posées sur le rebord de la vasque du lavabo, elle observe son reflet dans le miroir ovale. Attendait-elle autre chose que ses traits un peu défaits, cet air vaguement étonné que personne, sinon elle, ne saurait déceler? L'après-midi tire à sa fin mais les heures derrière elle forment un obstacle infranchissable et pourtant vaincu. Pour rien au monde, pense Fanny, elle ne revivrait ces instants. Supposait-elle un bouleversement? Les vérités esquissées, la résurgence du passé et l'étreinte de Louise dans la chambre d'enfant étaient-elles supposées modifier l'ordre inaltérable des choses? Comment a-t-elle pu penser que les mots seuls auraient la capacité d'ébranler le monde alentour, l'immobilisme de la maison? Rien n'a manifestement changé dans ce visage familier qu'elle ne peut pourtant s'empêcher de scruter avec suspicion, ni dans l'ordre des objets devant elle, l'alignement des produits sur l'étagère, le plissement translucide du rideau de douche. Louise achève de ranger la cuisine et le bruit familier et rassurant des ustensiles entrechoqués dans les tiroirs parvient à Fanny. De la fenêtre qui donne à l'arrière de la maison s'infiltre une lumière morose, un bleu d'encre s'écoule sur le mur. Le ciel semble s'être couvert et c'est à peu près tout. Dans un verre posé sur le lavabo, se trouve la brosse à dents de Louise, une brosse aux poils las, évasés, qui soulève en Fanny une bouffée d'affection. Elle se rappelle les paroles de Louise, dix ou vingt ans plus tôt, quand elle dit en riant combien elle redoute de vieillir car elle trouve que les vieilles femmes ont en commun cette odeur doucereuse, un peu suave et indécente que les eaux de Cologne peinent à masquer. Au-dessous du miroir, sur la tablette en verre, le flacon d'eau de toilette à l'étiquette jaunie, parcourue d'un liseré brun, serre

Fanny à la gorge. Elle hésite à se remaquiller, détaille dans la glace son teint pâle qu'elle sait dissimuler en rehaussant ses pommettes de rouge, en trompant l'affaissement de ses paupières par une note pourpre. Ce reflet, songe-t-elle, cache le souvenir de sa fille morte comme une excroissance monstrueuse et tumorale. Et que deviendra-t-elle lorsque Mathieu choisira de se séparer d'elle et que Martin le suivra sans doute?

Quand Fanny quitte la salle de bains, Louise a rouvert les volets de la cuisine et s'accoude au rebord de la fenêtre. Elle scrute la rue tandis qu'une tasse de café très noir fume près d'elle sur la paillasse.

— Le temps se couvre, dit-elle quand sa fille entre, j'ai peur qu'il se mette à pleuvoir.

Son inquiétude semble sincère et Fanny voudrait la rassurer, mais elle n'en trouve pas la force.

— Je vais y aller. J'irai chercher Camille et Jules et nous serons là pour vingt heures. Es-tu sûre de n'avoir plus besoin de rien?

Louise rabat la fenêtre et elles se regardent un moment, cherchent quelque chose à se dire puis y renoncent au même instant.

— Non, dit Louise, ne t'en fais pas pour moi.

Fanny opine, passe l'anse de son sac à main sur son épaule.

— Dans ce cas, j'y vais.

Puis, alors qu'elle s'apprête à quitter la cuisine, elle marque un temps d'arrêt et se retourne :

— Je suis persuadée que tout va bien se passer, maintenant.

*

Le matin, la mère a eu de fortes nausées et le père a tôt compris qu'elle était grosse. Alors il l'a passée à tabac. Armando se souviendra de sa mère rampant au sol sous les coups tandis qu'il se terre avec Antonio et leurs sœurs dans un angle de la pièce. Les enfants, comme les petits d'une meute prédatrice, ont appris à suivre leur instinct de survie. Leurs corps s'emboîtent parfaitement. Les poings fermés, lourds comme des pierres, s'abattent dans le silence de la pièce sur le bas-ventre et le sexe de sa mère, cette toison brune, là sous les jupes, et elle ne crie pas. Chaque coup semble disparaître dans l'épaisseur des jupons, extirper de sa gorge un souffle court.

L'étrangeté de la scène vient de ce silence, ce prodigieux silence, de l'absence de pleurs tandis que le père claudique à mesure que la mère recule sur ses fesses jusqu'à rencontrer le mur dans son dos. Un filet rouge glisse à la commissure de ses lèvres et s'étend vers le sol, une écume rosit ses dents ; elle grimace un sourire qui fige les enfants dans le recoin obscur. Son regard ne semble plus rien voir de la pièce misérable, mais fouiller la nuit par-delà les murs, avec frénésie. Ce n'est plus une mère mais une bête folle, comme ce chien de berger qu'Armando a trouvé dans un bois à flanc de colline, la patte prise dans un piège à loup, et qui rongeait sa cuisse pour parvenir à se libérer. Ce regard de désespoir, halluciné de douleur, elle le lance vers la porte, derrière le corps monumental du père, son profil rougi par l'âtre.

— *C'è la guerra. Una bocca da sfamare in più e ti strangolo con le mie stesse mani.*

Il l'observe un moment reprendre son souffle, essuyer

sa bouche d'un revers du poignet, puis se détourne et quitte la maison, laissant la porte ouverte sur la nuit.

— *Va a fottere nella figa di un'altra!* hurle la mère dans un mugissement haineux qui fige les enfants.

Longtemps, elle reste au sol, les genoux repliés sous le menton. Les mains sur le ventre, elle se balance sur elle-même. Enfin, les enfants s'approchent à pas hésitants, mais la mère les repousse sitôt qu'ils posent leurs mains sur elle. Elle prend appui sur le montant du lit, grimace de douleur et parvient à se relever. Plus tard, le père revient, ivre, et aucun d'eux ne prononce un mot, jusqu'au cœur de la nuit où les cris viennent tirer les enfants du sommeil. Le père, torse nu, est au pied du lit et tient dans sa main le drap où s'étend une auréole sombre.

— *Guardate, questa troia ha sporcato tutto il letto!*

La fureur engourdit sa voix. Il prend à partie les enfants redressés sur leur couche. La mère geint et tord entre ses mains un bout du drap qu'elle cherche à ramener sur ses cuisses écarlates. Il y a dans l'air, sous la puanteur de la suie, l'odeur ferreuse des tripes dont Armando gardera, sa vie durant, l'évocation précise. Le père somme les enfants de rester au lit, mais il demande à Armando de l'aider à éponger le sang sur le sol. Il arpente la pièce ; comme les sœurs pleurnichent, il leur ordonne de se taire. Toute la nuit, la mère saigne sur le lit, délire sous l'emprise de la fièvre sans qu'aucun des enfants n'ose approcher. Ils regardent en silence le père verser un peu d'eau entre ses lèvres, puis bourrer de foin le dessous de ses cuisses.

Par miracle, dira-t-elle, elle survit à l'*incidente* et, deux jours plus tard, pâle comme une morte, elle fait bouillir draps et couvertures, les étend au-dehors comme si rien n'avait eu lieu qui ne soit aussitôt oubliable. Elle marche à petits pas. Le soir, Armando l'observe quand elle retire sa robe pour enfiler sa chemise de nuit : son ventre est couvert d'ecchymoses, il en paraît noir, comme putride — cette image, il l'associera toujours au ventre des femmes, nourrissant malgré lui l'aversion de la chair gravide —, et il ne sera plus jamais question de la grossesse de la mère.

*

Ce jour, aucun ne s'en souvient. Ils sont sur les berges du lac du Salagou, la terre rouge des ruffes où s'oxydent les sels de fer macule leurs pieds nus. Au bord de l'eau, Fanny contemple le lac sur lequel dérivent les colverts. Armand est près d'elle, une main à l'arrière de sa tête, il glisse ses doigts dans les nœuds de ses cheveux. L'air embaume l'odeur des genévriers, des kermès et des érables. De lourds nuages cavalent dans le ciel, le jour surgit par intermittences, éclabousse leurs visages. Louise a étendu la nappe près de la glacière, elle tient Albin par la main et l'amène vers eux. Une chevelure brouillonne auréole son petit crâne. Les enfants courent au bord de l'eau, leurs mollets ruissellent, ils s'époumonent. Armand enlace la taille de Louise ; elle repose sa tempe sur son épaule, le soleil embrase son front pâle. Elle aime le sentir si près d'elle ; elle devine sa chaleur sous la veste de laine épaisse.

— T'es heureuse ? demande Armand sans perdre du regard la course des enfants.

Louise se tourne vers lui, pose une main sur son torse, elle frissonne et se blottit plus encore. Armand sourit et elle perçoit sa satisfaction.

Fanny et Albin reviennent vers eux, leurs jambes poudrées de terre. Ils marchent ensemble vers la nappe et s'y étendent. Armand s'allonge sur le dos, ramène les mains derrière sa tête. Le babillage des enfants, l'éclat du ciel l'apaisent et l'engourdissent. Il observe Louise, ses gestes affairés, sa bienveillance à l'égard des enfants, et il sait que tous partagent ce sentiment de plénitude sous le bruissement des peupliers dont le feuillage fragmente le jour et le haut vol d'un busard. Quelque chose gronde pourtant sourdement en lui. Une présence coutumière qu'il croit avoir appris à dompter, une indélogeable colère mâtinée de désespérance.

Plus tard, les enfants jouent dans les dunes et Louise vient s'allonger près de lui.

— À quoi tu penses? dit-elle.

— À rien, répond Armand, je ne pense à rien. Je suis juste bien.

Il essaie de chasser la perception funeste et tous deux ont un instant la certitude que le souvenir de ce jour au Salagou leur restera comme l'assurance d'un bonheur jadis éprouvé. Aucun ne se doute que déjà le temps à l'œuvre l'érode, le corrompt pour, bientôt, le fondre dans l'oubli.

*

Sa mère l'appelle depuis le perron, et il ne répond pas malgré la nervosité qu'il décèle dans sa voix. Dans un buisson d'aubépine, une pie-grièche a empalé ses proies, Armando saisit entre le pouce et l'index la dépouille d'une musaraigne. Le pelage est soyeux, l'abdomen bleu ploie sous la pression de ses doigts et il sent l'odeur forte de charogne. Elle l'écœure mais lui plaît aussi, car il la sent souvent près des champs, en bordure des fossés, les jours de grosse chaleur. Avec minutie, il retire le rongeur de l'épine qui traverse la nuque, le dépose dans le creux de sa paume : la bouche minuscule est ouverte, au milieu luisent deux dents. Les yeux sont secs. La pie crie quelque part. Armando pense qu'elle l'observe et il renfonce la musaraigne sur une longue épine, puis essuie ses doigts contre la toile de son pantalon avec un frisson de dégoût.

— *Dov'è andato a finire il bambino ?*

Il distingue l'un des murs de la maison par-delà les aubépines et il entend sa mère souffler d'inquiétude, taper ses cuisses du plat des mains. Le ciel rougeoie, vire au mauve, des cumulus y étendent des âmes pâles.

Antonio est parti avec le père; Armando sait qu'ils reviendront avant la nuit. Il guette le chemin de rocaille qui descend vers la mer, prêt à déguerpir vers la maison sitôt qu'il verra la chienne les devancer dans le couchant. Les Allemands ont pris la ville, les Américains sont à Salerne. Des soldats italiens sont passés au petit matin, de retour vers leurs villages, leurs foyers, leurs familles, et ont demandé de l'eau pour se désaltérer. Ce sont eux qui ont parlé de la débâcle, mais le père n'a pas semblé surpris. Du village, on entend au loin les bombardements. Ici, il n'y a rien à détruire, les avions survolent mais n'ouvrent pas le feu. La nuit, ils calfeutrent les fenêtres. Il lui est arrivé de voir l'horizon s'incendier. Au matin, des colonnes de fumée tamisent l'aurore. L'odeur grasse de la poudre leur parvient selon le sens du vent. Armando ramasse quelques pierres au sol et les jette de toutes ses forces dans les taillis et les buissons. Le père hochait la tête au récit des hommes, mais il ne pipait mot, restait très droit, accoudé au mur du lavoir, quelque chose comme de la défiance dans la tenue, un malaise à l'égard des soldats. Ils plongeaient leurs mains dans l'eau fraîche, les portaient à leurs têtes, buvaient et soufflaient comme des chevaux. Débarrassés de la poussière, leurs visages émaciés ruisselaient. Les gouttes traçaient des sillons dans leurs cous transpirants.

Le père n'est pas allé au front. Il y a longtemps — avant même la naissance d'Antonio, a dit la mère — une mule a rué, aux champs, dans ses jambes, et lui a brisé un genou. La fracture était ouverte et le père est resté des heures sur ce lopin de terre escarpée à beugler et à mordre des racines en attendant qu'on le secoure. Armando ne peut imaginer son père allongé sur le sol, implorant de l'aide. Lorsqu'il est près de lui, l'idée d'y penser à voix haute le tétanise. La mère dit qu'il a abattu la mule d'un coup de hache dans la nuque, non pour sa ruade, mais pour avoir continué de paître indifféremment près de lui. Armando songe que lui-même aurait tué la bête, mais pour une tout autre raison : pour l'avoir condamné à endurer la présence du père, pour lui avoir épargné une mort au combat. Depuis, son genou se déboîte sans prévenir ; aussi garde-t-il une attelle le long de sa jambe, taillée par ses soins dans le cuir et dans le bois. Le père est devenu plus tempétueux et violent depuis le départ des autres hommes. Certains rejoignent les Américains. D'un accord tacite, personne n'y fait jamais allusion. Ici, chaque mot se pèse. Il s'éreinte aux champs et, le soir, autour du repas, sa présence est une ombre étendue sur la pièce unique.

Les voilà qui reviennent. La chienne les devance en jappant. Le père marche devant, et Antonio à distance respectable. La gorge d'Armando se serre. Il sait que, demain, lui et son frère prendront une autre route avec cet homme.

*

La chienne a mis bas dans le cabanon de pêcheur de tôle rouge et de tôle bleue. Les garçons se penchent au-dessus du pneu où la bête a réuni un journal soigneusement déchiré en lambeaux, un vieux morceau de chemise noirci de cambouis et de graisse et ce qui semble être un pyjama d'enfant. La chienne lèche ses petits un à un et les petits couinent, se pressent avec maladresse contre les mamelles dures et pâles. Le souffle des enfants fume dans la pénombre et les chiots fument aussi, une vapeur s'évade du panier dans l'air glacé et humide de la Pointe-Courte.

Jonas soulève un chiot. Il n'a pas ouvert les yeux, son museau est plissé et un morceau de cordon brun sèche au beau milieu de son ventre. Les doigts du garçon sont roides et la chaleur du chiot les réchauffe. L'odeur d'essence et d'ammoniac lui fait tourner la tête. Le chiot sent aussi, étrangement, le poil humide et le lait caillé. Ses petites pattes griffues cherchent à écarter ses mains. Jonas le repose parmi les autres et il se dandine aussitôt pour retrouver le contact de la chienne. Albin soulève la queue de la chienne, il désigne du menton son sexe ensanglanté et un morceau de placenta bleuté sur lequel elle s'est allongée.

— C'est dégueulasse, dit Jonas.

— C'est la poche. Elle la mange. T'as qu'à voir, elle a bouffé toutes les autres.

Jonas fait une moue de dégoût.

— Bon, dit Albin, c'est toi qui le fais ?

Lorsqu'ils ont découvert les chiots, les garçons se sont empressés de prévenir Armand et leur grand-père. Le vieil homme ne veut plus de ces chiens errants qui pissent sur les murs de sa maison, hurlent à la mort chaque nuit et éventrent les poubelles. Armand a confié aux garçons un sac de jute épais.

— Vous les fourrez dedans, vous fermez bien et vous lestez avec une grosse pierre puis vous balancez ça à l'eau, c'est compris?

Le sac repose maintenant à leurs pieds sur le sol de terre battue du cabanon et ils le regardent puis regardent la chienne aux yeux noirs et les chiots qui tètent obstinément, se repoussant les uns les autres avec force.

— Non, dit Jonas, c'est toi.

Albin lui assène un coup sur l'épaule.

— Sale péteux.

Il s'accroupit et ouvre le sac de jute puis, un à un, prend les chiots d'une main en maintenant le sac ouvert de l'autre et les glisse à l'intérieur. La chienne renifle sa main quand il la plonge dans le panier. Elle lèche timidement ses doigts, mais les chiots gémissent de plus belle et elle s'inquiète, tourne et geint à son tour.

— Et de sept, dit Albin.

Ils regardent la masse des chiots qui rampent et gesticulent dans les replis du tissu.

— On pourrait les mettre ailleurs, dit Jonas, et on dirait rien à papa.

Albin se redresse, le sac se bombe sous le poids des chiots et il le soulève d'une main.

— Qu'est-ce que t'as? T'as peur? Tu vas chialer?

— Non, dit Jonas.

La chienne s'est levée, laissant le panier vide et le placenta étalé sur le tissu et les journaux. Elle tourne nerveusement à leurs pieds.

— Faut faire comme le vieux a dit, réplique Albin.

Ils quittent le cabanon, la chienne à leur suite. Ils mar-

chent vers l'eau et un ponton de bois bringuebalant dont
les pieds s'enfoncent dans les limons glauques. De longues
algues brunes serpentent au-dessous. La chienne jappe
maintenant, elle renifle le sac où piaulent ses petits mais
Albin le soulève plus haut, à bout de bras, et la chienne
affaiblie saute, gémit et retombe lourdement sur ses pattes.
Ils la chassent à coups de pied, lui lancent les pierres dont
ils ont fourré leurs poches. Elle s'éloigne en grognant puis
se tient au bout du ponton, assise et droite ; elle les regarde
sans bouger. Albin pose le sac sur une planche de bois
vermoulu, l'ouvre et fourre une pierre plate à l'intérieur,
entre les chiots qu'il repousse. Jonas tire du raphia de sa
poche, l'enroule grossièrement autour du tissu, le serre et
le noue en plusieurs nœuds. Les deux frères se redressent.
À leurs pieds, le sac est agité par le mouvement fébrile des
chiots. Le vent de l'étang s'engouffre dans leurs manteaux
et dans leurs cous tièdes. Ils frissonnent, se tiennent immobiles et transis quand Albin saisit le sac et le jette à l'eau de
toutes ses forces.

Le bruit des pas lourds sur le ponton leur fait tourner
la tête en direction des maisons. Armand les rejoint, les
mains levées devant sa bouche, il essaie de réchauffer ses
doigts de son haleine moite. Il s'arrête derrière ses fils et
observe l'eau avec eux. La chienne l'a suivi et elle aussi est
assise tout près, la tête un peu penchée, elle geint doucement.

— C'est fait ? demande Armand.

Les garçons acquiescent et déglutissent car leur ventre
est maintenant un peu douloureux. Ils s'apprêtent à remonter le ponton quand quelque chose attire le regard de Jonas.
Une forme blanche a glissé parmi les flots, rabattue par la
houle vers le ponton. Elle s'échoue mollement dans les

algues, perlée de bulles. C'est une boule de poils clairs.
L'un des chiots, inerte. Puis un autre perce l'eau à quelques pas, et c'est bientôt toute la portée qui surgit çà et là.
Des chiots tantôt immobiles comme de grosses pelotes de
coton, tantôt gesticulant et cherchant à pointer le bout de
leur museau hors de l'eau.

— C'est Jonas qui a mal fermé le sac! s'exclame Albin
d'une voix aiguë.

— T'es donc pas foutu de faire un nœud correctement?

La crainte hérisse la nuque de Jonas et il s'empresse de
ramasser une tige de bois qui traîne sur le ponton pour
chercher à enfoncer les chiots sous l'eau.

— Lâche ça maintenant, gronde son père, t'as assez fait
de conneries comme ça. On rentre, dépêchez-vous.

Ils s'éloignent au petit trot sur le ponton. Quand Jonas
se retourne, il voit la chienne se pencher pour saisir entre
ses mâchoires la dépouille des chiots et les déposer un à
un sur les planches. Armand marche derrière eux d'un air
renfrogné, et il pousse brutalement son fils de l'avant pour
le contraindre à avancer plus vite.

*

La saison des joutes a commencé la veille et Sète est en
ébullition. Ils descendent du quartier haut vers le canal et
les quais où la foule des badauds et des aficionados se presse.
Fanny aime assez la présence de Bogdan, le Roumain
gaillard qui vit avec eux depuis quelques jours : il parle un
peu le français, sa voix est engravée par ce tabac à pipe
qu'il roule en cigarettes et dont l'odeur rappelle celle du
pain d'épice. C'est un homme trapu, aux traits grossiers,
mais dont le visage garde une candeur, une beauté frivole,

comme en filigrane. Il s'intéresse aux enfants, ne rechigne jamais à se prêter à leurs jeux, les saisit au bras et à la jambe, tourne sur lui-même, jusqu'à les étourdir. Lorsqu'il les repose à terre, les enfants titubent, leurs yeux luisent, ils rient à gorge déployée. *Si seulement tous les marins pouvaient être aussi affables,* pense Louise. Il ne boit jamais un verre de trop, ce qui force Armand à boire moins lui aussi, et elle prend plaisir à le voir jouer avec les enfants. Cette patience infinie a su charmer Fanny. Tandis qu'ils marchent vers le port, ils paraissent être une famille dont Bogdan serait le cousin lointain et bienveillant.

Armand enlace la taille de Louise. Il lui parle dans le creux de l'oreille de broutilles qui l'enchantent et elle se presse mieux contre lui, chaloupe consciemment pour qu'il éprouve la pression de sa hanche contre la sienne. Bogdan passe son bras autour de l'épaule de Fanny, pose sa large main sur la tête de Jonas et l'engloutit tout entière dans le creux de sa paume. Albin les devance, il descend les rues au pas de course, remonte vers eux, échevelé et moite. Dans ces moments-là, Louise parvient à croire qu'Armand restera près d'elle, tel qu'il est à présent, et que jamais plus il ne laissera reparaître l'homme-écorce. Cet Armand-là ne sera bientôt qu'un souvenir douloureux, puis un mauvais souvenir et, enfin, à peine un souvenir.

Ils débouchent sur les quais où les spectateurs avancent par vagues, se pressent vers le canal et cette foule anonyme les force à se réunir, à marcher les uns près des autres, dans un sentiment d'union. Fanny lève vers sa mère un regard brillant de plaisir. Jonas se presse contre sa jambe, passe un bras autour de sa cuisse et porte à ses lèvres une peluche dont l'oreille est imprégnée de salive. Albin trépigne et rugit, il désigne du doigt les fanions, les banderoles

qui flottent pesamment dans l'air lourd, gonflé de lumière.
Ils avancent à pas lents vers les gradins, au milieu de la
bousculade, des cris et des rires, car les barques filent déjà
sur l'eau vive. Sur la tintaine, les jouteurs vêtus de blanc se
protègent derrière les pavois et tendent la lance devant
eux. Les spectateurs les plus téméraires s'installent à même
l'eau, sur les embarcations, les bouées, les matelas pneuma-
tiques. Bogdan s'assied sur un banc, il propose ses genoux à
Fanny. Derrière eux, Louise porte Jonas. Fanny se laisse
aller à la contemplation des joutes contre le torse fort de
Bogdan qui frôle son dos, au menton qu'il repose parfois
sur son épaule, et elle penche à peine sa tête vers l'arrière
pour poser à son tour la base de sa nuque sur son épaule
à lui. Les poils de ses jambes chatouillent la peau nue de
ses cuisses. De temps à autre, il se tourne vers Armand, les
deux hommes échangent quelques mots et se passent une
cigarette sur laquelle ils tirent à tour de rôle.

Fanny sent se tendre sous elle le tissu de sa robe et celui
du short de Bogdan. Elle devine aussitôt la nature de ce
qu'elle sent gonfler par spasmes, par afflux de sang contre
ses fesses, et son estomac se creuse, comme dissous par le
violent dégoût que lui inspire ce contact et par cette sensation inconnue, qui n'est pourtant pas tout à fait désagréa-
ble. Fanny hésite à se lever pour se soustraire à la pression
qui continue de pulser, pareille à un serpent pris dans un
torchon, qui la révulse et lui fait honte, mais Bogdan n'esquisse pas un mouvement pour s'éloigner de Fanny. Il
s'appuie au contraire contre elle avec plus de fermeté,
oscille maintenant d'un mouvement de balancier qu'eux
seuls peuvent percevoir. La bouche de Fanny s'assèche,
elle redoute de se lever et tourne vers sa mère un visage
rouge et défait. Louise lui sourit tandis que le marin, encou-

ragé par l'inertie de la fillette, pose les mains sur ses cuisses, plisse avec adresse le tissu de la robe et, avec une discrétion remarquable, remonte le long de la hanche, laisse courir ses doigts sous la fesse et presse le bord de la vulve, là où l'élastique marque la peau de l'aine. Lorsque Albin se tourne vers eux, Bogdan retire naturellement sa main puis la replace avec plus de certitude encore quand le garçon reporte son attention sur les joutes.

— Tout est bien, dit-il avec douceur à l'oreille de Fanny dans ce français approximatif qui lui paraît maintenant minable. Tout est bien. Tu sais, demain je partirai, alors il faut passer une journée bonne. C'est une journée bonne, non? Là, ensemble, toi, moi... Tu es une petite fille formidable, j'aime beaucoup. Tu sais je t'aime beaucoup, non?

L'âcreté de cette haleine précise la répulsion de Fanny et, avec dextérité, Bogdan parvient à glisser le doigt sous l'élastique de sa culotte pour parcourir le duvet de son pubis, la fente de ses lèvres. Fanny est tétanisée par la proximité d'Armand et de Louise, l'audace du marin et ces prémices de sensualité qui lui ceignent le ventre. Elle se penche un peu en avant, pose ses coudes sur ses cuisses pour repousser la main, lui dérober l'entrée de son sexe mais, l'espace d'un instant, Bogdan parvient à glisser une phalange entre les petites lèvres. Puis il retire sa main, porte le doigt à son nez, hume avec ferveur la senteur de ce sexe d'enfant, l'enfonce entre ses lèvres et le lèche consciencieusement. Il retire enfin de sa bouche le doigt humide et luisant de salive, puis sourit à Fanny. Son visage ne se départit pas de son enjouement coutumier.

— Demain, je partirai. Demain je partirai et ça sera juste un rêve, oui, beau comme un rêve, répète-t-il à son oreille.

Son souffle est chaud et court. Fanny se tourne vers Louise et sent aussitôt le corps entier de Bogdan se tendre. Elle perçoit son pouls s'emballer et battre violemment contre son dos. Jonas s'est endormi sur les genoux de sa mère malgré le charivari ambiant.

— Maman, dit Fanny, je veux rentrer, j'ai mal au ventre.

Louise fronce les sourcils, la rassure d'un sourire réprobateur. Pourquoi faut-il que sa fille vienne contrarier ce magnifique après-midi ?

— J'ai très mal, insiste Fanny, je veux rentrer.

Par un bref regard, Louise supplie Armand d'intervenir, mais il se détourne ostensiblement. Elle finit par se lever et, forçant la rangée à se lever à son tour pour les laisser passer, elle entraîne Fanny à sa suite, la tirant par le poignet plus fermement qu'elle ne le devrait. Qu'importe la nervosité de sa mère, tout semble préférable à Fanny plutôt que d'endurer plus longtemps la présence de Bogdan. Elle ne ment d'ailleurs pas, son ventre la fait souffrir, elle se sent fiévreuse. Avant qu'elles ne parviennent à quitter tout à fait la rangée, Louise se tourne vers l'adolescente :

— T'es vraiment qu'une petite égoïste.

Elle se plonge dans un silence qu'elle ne rompra pas avant le soir, quand les hommes et les garçons regagneront la maison.

De Bogdan, il ne subsistera effectivement en Fanny qu'une impression de rêve. Son visage disparaîtra et la sensation de sa main et du doigt enfoncé en elle, si bien qu'elle s'étonnera qu'on lui rappelle combien elle avait adulé le marin dont le nom même ne lui évoquera bientôt plus rien.

Ce qu'il restera du jour de la Saint-Louis, c'est l'impression d'un ciel bleu, si bleu qu'il paraît blanc, insoutenable au regard ; d'un soleil fracassant, flamboyant par-delà la

ville, et d'une clameur, d'un bruit d'hommes qui s'élève
dans l'air spongieux, s'élève et se dissout dans la patine du
ciel. Le sentiment curieux d'une aversion pour le souvenir
de la plage et la main de l'étranger posée sur la cuisse de
sa mère, comme si, d'une certaine façon, c'était elle et non
Louise que cette caresse avait souillée. Puis, diluées jusqu'à
n'être plus discernables, transformées et méconnaissables,
ces paroles de Louise, cette insistance à endurer l'attou-
chement de Bogdan, son méchant reproche. L'indéfinissable sédiment, dans un recoin de conscience, où s'enraci-
nera et grandira la rancune tenace de Fanny envers et
contre sa mère.

*

— Je n'arrive plus à jouir en toi, dit Fabrice.
Il retire le préservatif de son sexe flasque, le jette au
pied du lit sur la moquette, brune dans la pénombre de la
chambre, puis se glisse de nouveau entre les draps. Jonas
l'enveloppe de ses bras. Il a deviné, quand Fabrice s'est
levé, les traces sur son flanc, la maigreur accentuée par le
jeûne qu'il s'impose comme une purge grâce à laquelle il
parviendrait à nettoyer son sang.
— C'est pas grave, dit Jonas en se serrant contre lui.
— Bien sûr que si, c'est grave, répond Fabrice.
Jonas hausse les épaules. Il l'enserre plus fort encore
dans l'espoir de parvenir à le rassurer ou à le détendre.
— Moi, je n'en ai pas envie, dit-il en riant doucement.
— Je comprends que tu n'aies pas envie de moi. Je ne
supporte même pas de me voir dans une glace. Mon propre foutre me dégoûte. Quand je jouis, il faut aussitôt que
je me douche, que je me frotte, comme si je pouvais enle-

ver cette chose de moi. Mais toi, Jonas, toi, tu devrais vivre, tu devrais être avec les vivants.

Jonas soupire, s'assoit dans le lit, prend le paquet de cigarettes sur la table de nuit. Fabrice soulève le drap et montre la maigreur de ses cuisses, la saillie de l'os sur sa hanche. Il pince la peau de son ventre :

— Est-ce que je te donne envie de me toucher, de me baiser ?

Jonas refuse de regarder ce corps cachectique, de se prêter de nouveau à ce jeu-là, trop douloureux. Ils se taisent et fument en silence. Soudain, Fabrice jette son mégot dans un fond de verre d'eau et dit :

— Tu sais quoi ? C'est terminé.

— Qu'est-ce qui est terminé ?

— Nous deux, on s'arrête là.

Il saute du lit, ramasse au sol son caleçon, enfile son pantalon.

— Tu ne sais pas ce que tu racontes. Viens te coucher, il est deux heures du matin, implore Jonas.

Fabrice passe un tee-shirt sur son torse nu et décavé.

— Non, non, au contraire, j'y vois clair ! J'y vois parfaitement, exceptionnellement clair. C'est ridicule de croire qu'on peut continuer comme ça, que tu vas continuer à m'aimer et moi continuer de disparaître, et tout ça sans jamais regarder cette vérité en face. Est-ce que tu peux me dire, toi, où on va ? Qu'est-ce que tu fais avec moi, bon sang ?

Il est nerveux et pâle, une veine gonfle son cou.

— Eh bien... je t'aime, dit Jonas, je suppose que c'est aussi simple que ça.

— Alors sache que je méprise cet amour complètement con, complètement absurde, cet amour qui n'est même pas capable de me guérir, qui ne sert à rien, qui me force à t'enfermer avec moi dans ce lit, à me dire que non, je ne te dégoûte pas. Cet amour te rend aveugle et stupide. Il me fait penser à chaque seconde que je suis plein de ce poison. Je pourris de l'intérieur et je suis dans tes bras quand il te reste encore tout à vivre.

Fabrice passe sa veste en jean, Jonas veut parler mais il se précipite vers lui et pose une main sur sa bouche. Jonas se débat, mais Fabrice est étonnamment fort, et il renonce, sachant qu'ils pourraient se battre.

— Tais-toi, dit Fabrice, surtout ne dis rien, si tes sentiments pour moi sont vraiment ceux dont tu me parles, tais-toi.

Il retire sa main et la gorge de Jonas est si serrée qu'il n'est plus certain de parvenir à prononcer un mot.

— Tout ça nous paraît très dramatique, mais, au fond, ça ne l'est pas du tout, tu sais. On se fabrique des drames sans signification. C'est la propension humaine pour la tragédie. Jonas, je voudrais qu'on ne se souvienne pas de ce soir, mais de tous les autres auparavant. De ceux où l'on s'est aimés bien, violemment. Des heures immaculées. Et maintenant, je le sais, ces heures ont passé. Ce qu'il y a devant, ça n'est jamais que des échecs, des désespoirs, des résignations, alors c'est maintenant qu'il faut savoir arrêter, au meilleur moment, et ne pas entacher tout le reste.

— Va te faire foutre, dit Jonas.

Fabrice sourit, se penche, l'embrasse sur le front, la tempe droite, la pommette, le nez, le menton, les lèvres, dans le creux du cou, se redresse et s'en va. Un moment infime le retient au pas de la porte et il reste sans bouger dans l'ombre violine sans qu'il soit possible de distinguer les traits de son visage, qu'il tourne vers le lit. Seul, Jonas fume en pensant que Fabrice reviendra. Il ne peut de toute manière se passer de lui. Il est assuré de le posséder. Mais les mots résonnent dans sa tête et les baisers sur sa peau sont une caresse qui s'alanguit.

*

Louise plonge dans le froid humide du matin. Sa mère referme la porte de la cuisine, remonte l'écharpe de laine sur le cou de sa fille. Louise éprouve le contact de la peau rêche des doigts.

— L'hiver sera en avance cette année, dit sa mère.

Le ciel d'octobre est d'une pâleur virginale, le brouillard de la nuit s'attarde sur les basses herbes couvertes de givre. Elle aime cet arrière-pays, les alentours de la ferme, les vallons des prés où paissent les bêtes, leur pelage couvert au matin de rosée sous un ciel d'ardoise d'où le jour tombe en rinceaux et fait miroiter les champs. Puis ces petites fermes grises figées entre deux terres. Le toit est chargé de frimas, scintille telle une plaque de verglas. Les pas de Louise et de sa mère bruissent, la boue cristallisée et les pousses rases d'ivraie ploient et se brisent, détrempent leurs souliers. Le père, déjà, est aux champs ; elles s'arrêtent un instant pour observer sa silhouette et celle de la mule dans le lointain, dans la brume opaque où la terre éventrée fume. Ils échangent des signes de la main.

À l'étable, un des frères répand du fourrage aux pieds des chèvres. Les chiens aboient, cavalent dans la cour, projettent des éclats de boue, sautent sur elles, tachent leurs robes. La mère ouvre le poulailler où les volailles étirent leurs ailes, s'amassent au bord des mangeoires. Louise inspire calmement. Elle aime ce petit matin sur les Cévennes : la ferme engourdie, l'odeur du souffle des bêtes, le chant enroué du coq et le jappement des chiens, le bruit du blé dans la mangeoire en fer. Elle a longtemps pensé qu'il n'y avait d'autre horizon que les collines pierreuses, les braises tiédissant au matin dans le poêle et l'odeur de la cendre, l'âpre présence des siens. Le monde était cet univers rude, primitif, cette campagne bucolique. Des années après la guerre, elle se prend à rêver d'autre chose, de donner de l'envergure à sa vie, de ne pas être à l'image de cette mère affairée dans le poulailler, les chevilles maculées de fiente, son beau visage raviné comme la pierre par les gelées de l'hiver.

De Sète, elle ne connaît que le nom, mais il lui semble que rien n'est plus désirable que cette vie dont elle ignore pourtant tout, cette mer contre laquelle elle veut échanger les étendues de vignobles, les prés de tournesols hautains et les champs de blés mûrs. Là-bas, pense-t-elle, dans la violence des ports, les bateaux en partance et les retours triomphaux, il y a quelque chose à vivre, une existence aventureuse, faite d'imprévus et de rêves insensés. Louise inspire calmement, et prend la résolution de partir voir la mer, de sentir enfin le goût du sel sur ses lèvres comme celui de son accomplissement. Elle aime le froid sur sa peau, l'ordre inébranlable du rituel des matins à la ferme.

*

Ils ont suivi le père tout le jour, jusqu'à cette ville où les obus ont creusé les façades, dévoilant les intérieurs ravagés, les vêtements mêlés aux éboulis, les meubles enfouis par les gravats. Leur peau est noircie par la poussière, la terre et la suie. Armando et Antonio se taisent devant l'obscénité des maisons éventrées sur lesquelles ils n'osent attarder le regard. Le père est silencieux, il prend appui sur une canne en bois pour enjamber les pierres qui jonchent la chaussée. Il est extraordinairement adroit malgré la raideur de sa jambe et, de temps à autre, il se retourne pour mettre en garde les enfants contre un obstacle. Ce sont les seuls mots qu'il leur adresse. Ils croisent des familles abasourdies, des ombres fugitives, des harpies glissées dans les ténèbres. Maintenant que la nuit tombe, des nourrissons aux visages charbonneux s'endorment dans les langes, au creux des bras de mères hagardes. Des feux sont allumés par endroits, on y jette tout et n'importe quoi : livres, chaises démantelées, petit mobilier. Les flammes cavalent sur les murs, rougissent les façades. Quelquefois, des hommes tendent leurs paumes noires vers le brasier et s'y réchauffent. L'air pue la suie, le tissu brûlé, le harassement des corps.

Ils trouvent la gare, amoncellement de blocs défoncés, bleus dans la presqu'ombre, entre lesquels les familles se pressent sur ce qu'il reste des quais. Le père leur ordonne de s'asseoir, Antonio et Armando obtempèrent, reposent leurs jambes douloureuses, leurs muscles endoloris. Le père s'avance vers une femme drapée de loques grises.

— *Sapete se ci sarà un treno domani ?*

La vieille hausse les épaules. Elle désigne les pauvres hères sur le quai :

— *Tutti aspettano, figlio mio, non si sa nulla. Si siede e fà come noi altri.*

Le père la regarde s'éloigner, puis rejoint ses fils. Sans mot dire, il se débarrasse du sac de jute, s'assoit lourdement à même le sol, la jambe gauche tendue droit devant, l'autre repliée entre ses bras. Armando sent l'odeur âcre de ses pieds. Il a faim, son estomac lancine et gronde, mais il n'ose rien demander, sachant qu'ils ne mangeront pas tant que le père n'en aura pas donné l'ordre. Ils n'ont qu'un peu de pain, de viande sèche et d'eau. Il observe la rue, visible par une crevasse dans le mur. Un convoi de soldats allemands passe, suivi d'une rangée de camions. La tonalité gutturale de leurs voix sourd dans la nuit maintenant dense. Armando songe à la mère, restée au village, puis aux sœurs. Il détourne le visage, pour n'être pas vu de son père, et ravale un sanglot. D'une main, il cherche le bras d'Antonio, mais son frère se dérobe, donne l'illusion de son endurcissement.

Armando finit par se lever, fait quelques pas, ramasse sur le sol des pierres quand il discerne dans l'obscurité une main qui dépasse des gravats, au sommet d'un éboulis. Longtemps, il reste à la contempler : la peau est grise, engluée de poussière. Le bras se tord en un angle incongru, les doigts retombent étrangement, avec préciosité. Armando, par dépit, lance une à une les pierres vers le bras. Certaines heurtent sans bruit la chair blafarde, puis dévalent les décombres. Plus loin, la vieille à laquelle le père s'est adressé l'observe. Armando n'ose pas tirer, la peine et la désolation dévastent son visage. Une main saisit son épaule, le contraint à lâcher la pierre et à faire volte-face. La silhouette du père s'étend au-dessus d'Armando, mais ce n'est pas de la colère qu'il lit sur le visage immuable, tout juste l'expression d'un désarroi.

— *Cosa fai ?* demande-t-il d'une voix de basse.

Armando ne répond rien.

— *Torna a sederti e non muoverti più.*

Il s'empresse d'obéir, s'installe tout contre son frère qui finit par tolérer sa présence. Bientôt, l'épuisement de la journée de marche le fait somnoler.

Des années durant, Armand rêvera de cadavres émer-

geant d'immenses ruines. Ne retrouvant plus le souvenir
de la petite gare bombardée, il s'éveillera en sueur et ne
fera pas à Louise la confidence des chairs déliquescentes,
grises et nervurées, qui n'auront de cesse, nuit après nuit,
de jaillir d'entre les pierres. Il restera éveillé dans une
chambre blême, saisi par une étrange culpabilité, sa femme
assoupie près de lui. Mais, pour l'heure, c'est sur le quai de
cette gare qu'Armando s'enfonce dans un sommeil dense
et noir comme une nuit d'exil.

*

Ils ont roulé dans le grand vent de l'hiver jusqu'à la
plage des Aresquiers, leurs visages enfouis dans les cols de
leurs blousons, quand au-dessus d'eux s'agite et tourbillonne
le ciel bouleversé d'où tombent sur les dunes des traits de
lumière verte, des traits de lumière grise.

Camille devance son frère. Il pédale en danseuse, ses
joues rougies par le froid. Jules le suit de près. Le vent
fouette et fait larmoyer ses yeux. Il garde les paupières mi-
closes, assez ouvertes cependant pour bien distinguer la
silhouette de son frère qui valse de gauche à droite, sa tête
blonde enfoncée de l'avant dans le tumulte, ses coudes
relevés en une allure de sprinter. Les deux enfants luttent
contre le vent qui les repousse, s'engouffre si bien dans leurs
petits nez qu'il leur devient difficile de respirer pleinement.
Ils ouvrent la bouche, aspirent un filet d'air et la fine bruine
perle à leurs fronts, se dépose sur leurs langues. Leurs
oreilles sont douloureuses, leurs doigts algides, mais la
vitesse de leur course et l'âpreté de l'hiver les galvanisent.
Ils jettent enfin les vélos à terre, lancent cris et rires ravalés
par le vent, se poursuivent à flanc de dune, enfouissent leurs

doigts dans le sable qui s'enfonce et se dérobe sous leurs pieds. Parvenus au sommet, Camille et Jules tombent sur les fesses, se laissent rouler, se traînent sur la plage.

Au comble de leur excitation, Jules bande fort dans le pantalon de son survêtement. Il est attisé par le jeu, la mer aux teintes granitiques qui se déploie et se déchaîne sous leurs yeux, par la présence de son frère, le sentiment enivrant de leur parfaite adéquation. Jules devine les fluctuations intérieures, les chamboulements, les sensations que font éclore en Camille le ciel de zinc, les lames brisées sur le sable verdoyant et le feulement des vagues. Malgré les efforts d'Albin pour les différencier, rien de ce qui compose son jumeau n'est étranger à Jules. Il jurerait, à l'instant où ils dévalent la dune, que tous deux éprouvent la langueur de l'hiver, cette haleine froide et sensuelle dans laquelle ils se glissent et s'époumonent. Une même volupté, inédite et délicieuse. Camille se laisse tomber sur le sable humide, le tissu de son manteau et le dos de ses mains se couvrent et se diaprent d'une pellicule de sable où luisent les fragments de quartz. Son souffle, exhalé dans le vent, bleuit à contre-jour puis se dissipe. Jules s'effondre à son tour, ses genoux tracent des sillons sur la grève. Il plaque ses mains dans le sable, relève une tête échevelée vers la mer. Les embruns mêlés de pluie que le vent marin rabat sur leurs visages gouttent sur leurs fronts ou leurs joues et tracent des lignes claires dans la poussière de leurs cous. Sans crier gare, les frères s'empoignent, s'enlacent et tournoient, rouent de coups leurs bras et leurs cuisses dans un fracas de cris et de rires. Ils ploient sous le poids de l'un, de l'autre, leurs muscles harassés tremblent. L'hiver brûle leur gorge. Jules est électrisé par la pression des mains de Camille sur ses poignets, l'enlacement de ses bras maigres autour de son torse comme jamais il ne l'a été durant leurs disputes innombrables, leurs jeux inlassables.

Il semble que la furie de la plage où fuient autour d'eux les bosquets d'algues sèches conflue en l'étreinte des deux frères, galvanise la tension de leurs membres, durcit le sexe de Jules qui sourd et gonfle dans sa culotte. Il cherche d'une main et avec maladresse à rencontrer entre les cuisses de Camille un émoi similaire, l'esquisse sous le pantalon de jogging d'un feu dardé qui lui ferait écho et contre lequel il se presserait, se frotterait le plus naturellement du monde pour que leur plaisir commun culmine en un même élan. Leur plaisir ne saurait être discordant ni leurs gestes disjoints. De tout temps les désirs de l'un sont nécessairement ceux de l'autre, ils les devancent tour à tour. Leurs envies individuelles ne sont jamais que les variations d'une soif commune. Mais Jules n'empoigne qu'un plissement de tissu, une petite verge molle qu'il devine là-dessous, comme inexistante, et tandis que son frère repousse sa main, enfonce un coude dans son estomac, Jules lit sur son visage un étonnement perplexe. L'espace d'un instant, le visage de Camille se découpe au-dessus du sien, sur le ciel tumultueux où des renflements de mercure caracolent vers la mer. Un filet de salive translucide, parsemé de grains de sable, glisse de la commissure de ses lèvres au lobe de son oreille droite. Son regard noir sonde celui de Jules, cherche à y lire le sens de son geste et, pour la première fois, un désarroi palpable, qu'ils ne sauraient pourtant nommer, les met à distance, les projette en orbite, s'insinue et croît entre eux dans l'espace infime de leurs chairs enchevêtrées, dans la sauvagerie de la plage.

Un instant, une seconde, et ce lien que les garçons pressentaient indéfectible n'est plus qu'un fil ténu qui s'élime devant l'insistance de leurs regards, cède enfin sous la force de leurs mains. Camille et Jules contemplent une vision énigmatique où l'autre est une figure lointaine et insondable. Camille frappe du poing l'épaule de son frère, puis se laisse glisser près de lui :

— Merde, qu'est-ce que tu fous ? dit-il.

Jules dont le visage est cramoisi bondit et le chevauche, enserre à pleines mains son cou chaud et moite.

— Rien, répond-il fiévreusement.

Il serre de toutes ses forces cette nuque pâle, dans le creux du col de l'anorak, tandis que Camille saisit ses poignets, cherche à le désarçonner, à lui faire lâcher prise. Une colère inouïe déferle en Jules, la rancœur le foudroie, arpente ses veines et ses membres. La rebuffade de son frère lui paraît une trahison dont il éprouve la déchirure intime, l'épanchement vénéneux. Une onde mortifère brûle et se répand dans son ventre, empourpre ses joues, se nourrit de l'inacceptable différence.

L'opposition de Camille est un bannissement. Jules voudrait gommer l'instant et serre avec plus de vigueur et de désespoir le cou de son frère qui cherche maintenant l'air, se débat violemment, balance une main au visage de Jules, frappe son menton. Un long moment, les garçons se tiennent silencieux et immobiles, scrutant le ciel noir et le grondement de la plage. La pluie tombe drue sur eux, désormais. Des gouttes lourdes plaquent leurs cheveux sur leurs fronts. La rage de Jules est une incandescence coincée au travers de sa gorge, un vide dans son estomac. Bien sûr, pense-t-il, il aurait lâché Camille. Désireux de ne pas donner à son geste plus d'importance, le garçon se redresse vaillamment, démarre au pas de course vers la dune.

— Le dernier arrivé! crie-t-il comme un défi par-delà son épaule.

Toujours étendu, Camille cherche son souffle, déglutit, porte une main à son cou et tâte sa trachée douloureuse. Il tourne le visage vers son frère qui, déjà, escalade la dune, empoigne le sable, le projette alentour par gerbes brunes. Enfin, Camille prend appui sur son coude, glisse sur le flanc puis se relève. Le jeu reprend, la course s'engage en direction des bicyclettes, sème imperceptiblement le trouble dans leur esprit, confond le bouleversement de la plage, les mains de Jules enserrant le cou de Camille, l'âpre désir, l'empoignade juvénile d'un sexe, l'aveu de ces prémices au grand désordre qui bientôt balafrera l'enfance. À nouveau, les rires s'élèvent. Les voix des jumeaux fendent l'écume blanche brisée sur la grève. Sans le savoir encore, tous deux ont acquis l'intuition de laisser sur cette plage bien plus que l'empreinte de leurs pas.

*

Jonas marche le long des berges de la Garonne. La fin du jour flamboie sur la brique du pont Neuf et embrase le dôme de Lagrave. Çà et là, dans le crépuscule, les éclairages surgissent, cisèlent la pierre. Des filaments de moire s'attachent au sommet des lampadaires et font paraître les halos jaunes cernés de nuées. La voûte au-delà est parsemée de trouées rosâtres et s'étoile lentement.

Jonas marche, attisé par le désir d'un autre corps, ses sens en éveil. Son pouls bat dans ses tympans, son ventre est noué, son esprit saisi par ce curieux engourdissement. Il observe le passage des autres hommes, comme il le faisait avant de connaître Fabrice, lorsqu'il aimait l'incertitude des jeux de séduction aux abords des fleuves, la violence couvée, l'anxiété mêlée aux pas et la potentialité du danger. Il voudrait qu'un garçon de passage estompe le silence, qu'une peau et un sexe se substituent à la peau et au sexe de Fabrice. Jonas erre sur les berges comme il chercherait une vengeance, dont il sait pourtant qu'elle ne l'atteindrait pas, quand bien même Fabrice en aurait connaissance. N'était-ce pas ce qu'il voulait, le voir marcher ici à la recherche d'une étreinte, d'une jouissance, d'un flot de sperme libéré ? Fabrice ne voulait-il pas le pousser vers les vivants ? Pourquoi alors lui semble-t-il marcher sur les rives d'un Styx où les passants ne seraient jamais que des âmes saisies dans les limbes ?

Jonas attarde son regard sur les marcheurs dans l'attente d'un signe, d'une reconnaissance par laquelle il percevra la gémellité du désir. Sur un banc, il y a ce garçon à la peau rousse dont le souffle est court. Il porte une veste en lin, ses mains sont enfouies dans ses poches. Ses yeux sont d'un bleu d'orage et ses coudes remontent haut sur ses flancs, son pied droit martèle nerveusement le pavé, alors Jonas s'avance et les deux garçons se frôlent, se guettent. Ils regardent s'écouler les flots sombres à leurs pieds, le miroitement polychrome du ciel que le courant disperse.

— Tu cherches quoi ? demande Jonas.

Le jeune homme hausse les épaules, détourne le regard et Jonas devine son inquiétude, sa naïveté. Un temps, ils restent silencieux, se perdent dans la contemplation de la Garonne. Puis Jonas dit :

— Là-bas, il y a un coin tranquille, à l'abri des regards.

Sa gorge est sèche, sa voix pâteuse ; il désigne le pied du pont Neuf, et comprend qu'il a laissé percevoir l'ordinaire banalité de ses errances sexuelles. Aussitôt, comme s'il n'attendait qu'un signe, le rouquin se lève. Sa maladresse émeut Jonas. Son souffle, il le voit, s'accélère. Ils marchent ensemble jusque dans l'ombre humide du pont Neuf où l'obscurité masque leur étreinte fiévreuse et gauche. L'odeur du cou du garçon, dans lequel il enfouit son visage pour lécher la peau que l'excitation rend moite, désarçonne Jonas. C'est une odeur étrangère, qui ne lui évoque en rien celle de Fabrice. Elle est pourtant préférable à cette saveur maladive et médicamenteuse, mais elle le met mal à l'aise. Jonas glisse avec empressement une main sous la veste, tire le tee-shirt hors du pantalon, passe sa main le long du ventre haletant. Il ouvre la fermeture éclair, trouve le sexe à travers la fente du caleçon, le prend dans le creux de sa main par l'ouverture de la braguette. Jonas baisse les yeux : c'est un sexe très clair, fin et circoncis, dont il éprouve la dureté dans sa paume, sous la pression de ses doigts. Le gland vire au bleu. Jonas devine le pubis fourni dans les plis du tissu. Le garçon l'a aussi débraguetté et s'affaire d'une main tandis qu'il continue de lécher son cou. Malgré les caresses, le sexe de Jonas reste cette chair chaude et malléable tandis que le rouquin s'essouffle.

— Je suis désolé, je crois que je n'y arriverai pas.

— Fais un effort, dit l'autre, on vient tout juste de commencer, tu veux qu'on aille ailleurs ?

L'insistance du garçon paraît soudain à Jonas une violence insidieuse et il le repousse violemment, plaquant ses mains contre son torse. Il lui devient impérieux de mettre à distance ce corps dont l'odeur et le goût continuent de se répandre sur sa peau, dans sa bouche.

— Hé, dit le garçon, c'est quoi ton problème, connard ?

Jonas le saisit au col, lève le poing au-dessus du visage suant, hésite, le relâche puis recule.

— Espèce de taré, murmure le rouquin avant de s'éloigner au pas de course.

Jonas s'adosse au pied du pont. Il frotte son visage, frappe la pierre de la tranche d'une main. À son tour, il s'éloigne le long des berges, se hâte dans les rues crépusculaires jusqu'à son appartement. La fraîcheur du hall de l'immeuble l'apaise. Jonas reste un temps immobile, assis sur le carrelage froid de l'escalier, il fume en scrutant la rue. Alors qu'il s'apprête à monter chez lui, il pense qu'il n'a pas relevé son courrier et trouve dans la boîte aux lettres une enveloppe de papier kraft sur laquelle ne figure aucun nom. Ses doigts fourmillent, sa bouche se fait sèche, il la déchire laborieusement. Sur une feuille de papier blanc, Jonas reconnaît l'écriture de Fabrice et, tracés d'un trait hâtif, quatre vers d'un poème de Whitman qu'il chuchote du bout des lèvres dans le silence du hall froid :

J'ai souvenir d'un matin d'été de clarté diaphane où nous fûmes couchés tous deux ensemble dans l'herbe,
Ah ! comme tu posas ta tête sur mes hanches, ce jour-là, tes yeux me regardant tendrement,
Et puis tu as ouvert ma chemise sur mon sein et plongé ta langue jusqu'à mon cœur nu,
Et touché ma barbe d'une extrémité, et tenu mes pieds serrés de l'autre.

Rien d'autre ne figure sur la lettre, pas même une signature.

Dans le hall de l'hôpital, Jonas appuie son front contre le plexiglas de la cabine téléphonique. Il se souvient d'avoir été assis dans un café quand Fabrice est passé de l'autre côté de la rue, si près de lui. Bien qu'il n'ait pas perçu son

visage, comme penché un peu de biais vers le mur, Jonas a
reconnu cette démarche de grand oiseau de mer à laquelle
le forçaient ses muscles affaiblis, ses mains longues enfouies
dans les poches d'un gilet de laine. Il est resté immobile,
suspendant son souffle, et il lui semble même avoir souhaité que Fabrice ne se tourne pas vers lui, ne l'oblige pas
à faire un geste de la main, ne le contraigne pas à l'effort
insurmontable de se lever, de s'extirper de la chaise pour
marcher à sa rencontre. Il a cru vain de forcer son retour.
L'existence de Fabrice est fondée sur cette errance, ce
marchandage systématique avec la vie, cette révolte indicible. Jonas s'éloigne de la cabine téléphonique, marche
dans le hall avec une lenteur extrême. Une sensation d'irréalité broie les heures précédentes en une bouillie informe,
dilue en estampe cette vision du corps inerte de Fabrice
sur le carrelage de la cuisine, dans ses bras. Les portes de
l'hôpital glissent et s'ouvrent sur la nuit. Le carrelage noir
emprisonne le reflet des néons. La une d'un journal abandonné sur l'un des fauteuils de la salle d'attente annonce
l'attentat du RER à la station Saint-Michel. Jonas ressent la
consolation inattendue et vulgaire d'un drame partagé, un
lien qui l'unit dans le même instant à des femmes éplo-
rées, à des mères endeuillées, à des fils orphelins. L'image
de Louise traverse son esprit, mais il la repousse au loin,
aguerri par cette étourdissante solitude. Que comprendrait-
elle? L'ascenseur s'ouvre passivement, l'engloutit dans la
lueur sableuse des plafonniers. Jonas se prend à souhaiter
qu'il ne s'arrête jamais, comme dans ces rêves où il se voit
parcourir des boyaux étriqués et insalubres où l'esprit n'a
pas cours.

*

Le père est assis entre ses fils dans la voiture bondée d'un train de marchandises. Un homme se presse à la droite d'Armando et porte son jeune garçon sur les genoux. À même le sol, juchés les uns sur les autres, les passagers s'éventent et cherchent l'air dans le wagon confiné, saturé par l'odeur des corps las. La condensation des haleines et des peaux dégoutte sur le haut des crânes et sur les fronts. Quand les portes sont ouvertes, ils voient défiler avec lenteur un paysage monotone où se dessinent au loin des montagnes sèches et brunies, des dégradés de verts et de bruns. Quelques hommes urinent dans les rocailles et les champs pierreux qui bordent la voie, là où paissent de rares troupeaux. Un lièvre détale, la fumée noire cavale le long du train, s'engouffre dans le wagon et brûle les gorges, il faut rabattre la porte. Armando tousse, la suie colle à sa langue, englue ses poumons. Il se penche en avant, son estomac se contracte et il vomit un jet de salive grisâtre entre ses genoux. Le père le regarde, n'esquisse pas un geste, détourne le visage avec une moue de mépris. C'est l'homme assis près d'Armando qui lui tend une gourde pour qu'il prenne un peu d'une eau pisseuse au goût de ferraille. Les poux, les puces et les punaises de lit cavalent au long des flancs et des dos, attaquent les peaux poisseuses, forent les crânes. Les passagers se grattent, se griffent, entaillent les peaux à la force de leurs ongles.

Le train s'arrête parfois en milieu de voie quand il faut dégager les rails de décombres. Les hommes descendent, prêtent main-forte en silence, dégourdissent leurs jambes ankylosées, fument et font quelques pas ahuris sous le soleil. Certains chient derrière les figuiers où l'on ramasse les derniers fruits à la chair un peu sèche, à la saveur âcre.

Ici, le pays semble avoir pris feu, les herbes sont rases et noires, les pierres fendues, le sable a cristallisé sous l'éclat des bombes et forme par endroits des plaques qui pourraient être du givre et rutilent, fustigent les rétines. Les arbres ont ployé, explosé, brûlé. Il ne reste plus de ces platanes ou de ces peupliers qu'une succession de stalagmites charbonneuses dont l'empyreume embaume la garrigue.

Quand le train repart, les hommes le suivent au pas, s'accrochent aux battants des portes, s'assoient sur les marchepieds, escaladent le toit des voitures. Près d'Antonio, une femme enceinte perd connaissance. Son mari la gifle pour la ramener à elle, mais sa tête ne fait que balancer sous le coup. On fait un peu de place, on demande s'il y a un médecin dans l'un des wagons. L'homme qui a donné de l'eau à Armando offre sa gourde et on verse le liquide sur le front de la femme. L'eau colle ses cheveux roux sur son front, enfonce une mèche entre ses lèvres. Elle ne reprend pas conscience. L'époux la retient contre lui par la taille et le poids de sa femme bande chacun de ses muscles sous la chemise sale. Il hurle qu'il faut un médecin, qu'on aille chercher dans les voitures de tête. Les hommes haussent les épaules, crachent sur le sol, essuient leur front gras d'un revers de main. Enfin, après s'être concertés, on envoie deux adolescents solides et véloces à la recherche d'un médecin. Ils reviennent bredouilles, il n'y a pas même une infirmière dans ce train et il faut rabattre les portes puisque l'on va sans tarder passer un tunnel et que la fumée manquera de nouveau de les asphyxier tous.

Dans l'obscurité du tunnel, Armando enfonce le nez dans le tissu de sa chemise, ramène ses genoux à son visage tandis que les vapeurs de suie s'engouffrent dans les voitures. Les toux grasses s'élèvent, les enfants hurlent et les mères

les serrent au creux de leurs poitrines. Il devient vite
impossible de respirer. On halète, on suffoque, on cherche
l'air au ras du sol. À la sortie du tunnel, les passagers se
pressent vers les ouvertures, engloutissent l'air à grands
bruits de râles, torchent leurs yeux gluants de larmes. La
femme enceinte a le teint gris, de larges cernes lui creusent le visage, une salive très blanche et mousseuse dégorge
d'entre ses lèvres et Armando y voit saillir un bout de langue
bleue. Dans les plis de sa jupe, une auréole s'étend pesamment comme une fleur ouvre sa corolle et disperse dans la
voiture une fade odeur d'urine. L'époux continue de la
serrer contre lui, mais ne demande plus de médecin. Il se
balance lentement comme s'il berçait le corps de l'épouse
et de l'enfant asphyxié en elle.

Les voix s'échauffent : on ne peut garder plus longtemps
le corps dans la voiture, il fait trop chaud et bientôt elle
répandra ses tripes dans le coton de ses jupons. Les mou-
ches, venues d'on ne sait où, se pressent à la commissure
des lèvres de la morte tandis que les poux fuient déjà la
belle chevelure rousse et se glissent dans la chemise du mari
et les poils de son torse. Il est décidé d'un commun élan de
déposer le corps ici, dans ce paysage harassé par le soleil.
On songe à le jeter simplement par une portière. Le temps
presse et il ne faut pas ralentir le train plus longtemps, au
risque de rencontrer un convoi allemand. Armando pense
que le cadavre roulera dans un fossé, dans un buisson, se
fera un linceul d'un bosquet de ronces, un catafalque végé-
tal brodé de baies d'aubépine. Quelques-uns s'insurgent,
c'est d'une femme enceinte que l'on parle, d'une Italienne.
Italienne, ça ne veut plus rien dire du tout, gueule haut et
fort un gars épais. Le mari, lui, ne dit rien. Armando guette
sur son visage un signe de révolte, mais il semble ne pas les

entendre, ne plus avoir conscience d'être embarqué comme eux dans ce train. Quelques passagers partent en quête d'un homme de manœuvre, le convainquent finalement d'arrêter le train une demi-heure à peine. Ils reviennent et annoncent au mari, comme une faveur, que sa femme sera enterrée là. Alors il relève les yeux vers la lande brunie, calcinée, ce paysage de désolation.

Le père aide à creuser la terre durcie, impitoyable, à l'aide des pelles récupérées dans la chaudière. Il ordonne à ses fils de se joindre à eux et de prêter main-forte. Armando et Antonio déblaient les éboulis, amoncellent la terre en petits tas autour du trou qui se creuse. Les hommes bêchent à tour de rôle. Leurs visages sont rubiconds, la sueur dégouline dans leur cou et leur dos. Leurs chemises sont poisseuses, ils puent plus qu'un troupeau, leurs mains sont vrillées d'échardes et leurs paumes suintent. Le conducteur les presse, il est urgent de reprendre la route, aussi les hommes se concertent et renoncent à creuser plus profond.

— *Vai ad aiutare a cercarla*, dit le père à Armando et Antonio.

Armando redoute de toucher le corps, il se sent assommé par la chaleur, son cœur se soulève. Il rechigne d'une voix à peine audible, la tête baissée vers ses souliers :

— *Non mi sento bene, padre.*

La main du père se lève sans attendre et s'abat sur son visage, claque sur son oreille comme une déflagration. Armando tombe à genoux, ahuri, il ne pense même pas à pleurer, se relève aussitôt, manque chuter à nouveau et se retient d'une main.

— *Ubbidisci!* gronde le père en désignant le train d'un bras tendu.

Antonio attrape son frère par le poignet et l'entraîne à

la suite des deux hommes qui marchent vers la voiture. L'oreille d'Armando siffle, sa mâchoire fourmille. Il saisit, quand on le lui demande, une cheville de la femme dont la peau est maintenant cireuse. Au bord de la lanière de cuir qui enserre la cheville, il voit et sent sous ses doigts l'épiderme blanc parsemé de poils fins. Le mari aide à tirer le corps de sa femme hors du wagon, il la soutient par les aisselles tandis que les hommes la saisissent aux bras et qu'Antonio porte l'autre jambe. Elle est un peu raide déjà. Au soleil, sa robe gonflée d'urine tombe en claquant entre ses cuisses, colle à sa peau et les enfants devinent au bas de son ventre un triangle de poils pubiens qui dessine une ombre rousse. Les passagers se pressent aux fenêtres pour les voir porter le cadavre vers la tombe où les autres gars, dont leur père, attendent, croque-morts droits et silencieux.

Le silence est à présent absolu, le train lui-même semble s'être tu, serpent mythologique assoupi dans cette vallée de la mort. Les visages suivent le passage du cortège improvisé. Armando ne veut pas voir les yeux ouverts de la femme, son ventre gros, deviner le lait dont l'ovale de ses seins ne s'épanchera pas. Le mari la soutient, titube et trébuche, il ne pleure pas mais pousse de longues plaintes tout juste murmurées. Au bord de la tombe de fortune, le père se distingue des autres hommes par sa largeur d'épaules, la lenteur de ses gestes. Les enfants voient que les gars le craignent et ils se tiennent, d'instinct, à distance respectable. Ils déposent le cadavre au fond du trou puis commencent à le combler. Armando et Antonio regardent la robe disparaître sous les pelletées de terre. Les cailloux roulent sur le visage, dans l'ouverture de la bouche, et se glissent sous les paupières, dans le blanc des yeux. Tous savent que la fosse

n'est pas assez profonde, les loups ne tarderont pas à venir
déterrer le corps, ouvrir le ventre et manger l'enfant,
pense Armando. Mais il faut donner à l'époux l'illusion
d'une sépulture.

*

Louise devine ses gestes, quand il enfile son pyjama.
Cette manière de se retenir au lavabo pour ne pas tomber
et le frottement de la paume de sa main contre l'émail de
la vasque. Lorsqu'elle l'a retrouvé sur le sol du salon, en
rentrant des courses, Armand rampait et pleurait de rage.
Il avait empoigné la table basse sans parvenir à se relever.
Plus tard, il s'est entaillé la tempe gauche en tombant du
siège des toilettes. Louise étouffe en sa présence, mais elle
ne peut supporter l'idée de le laisser seul un instant. Elle
tend l'oreille à sa toux grasse, ses raclements de gorge, sa
respiration courte et saccadée, aux glaires qu'il expectore.
Armand la dégoûte parfois : l'empreinte de la maladie, son
teint grisâtre et l'odeur de chimie qu'il traîne derrière lui.
Il semble presque un enfant, avec ses grands yeux caves.
Un enfant moribond, aux gestes maladroits. Il entre dans
la chambre et laisse glisser sa main le long du mur pour
gagner le lit. Louise pose une main sur le dos, osseux sous
le coton pelucheux de la veste de pyjama, et elle sent le travail laborieux du poumon malade comme un frémissement
sous sa paume. Armand s'étend sur le côté, avec une lenteur extrême, et Louise continue de caresser son dos pour
qu'il s'endorme. Quand une quinte de toux le révulse, elle
tapote ses omoplates jusqu'à ce que la crise s'estompe. Elle
dépose au bord du lit une bassine dans laquelle Armand
crache des humeurs opaques et sanguinolentes. Le matin,

elle verse les mucosités au fond des toilettes en réprimant un haut-le-cœur. Comment Armand est-il devenu cet homme qui cherche une caresse pour trouver le sommeil ? Cet animal plaintif et tendre ? Dans ces instants de déchéance, Louise l'aime plus qu'elle ne l'a jamais aimé. Elle aime la déréliction de cet homme fourbu, au corps souffreteux. Armand parsème leurs jours d'attentions et de gestes affectueux. Louise l'enlace et se tient contre lui. Armand observe l'auréole de lumière sur le mur, au-dessus de la lampe de chevet, et il tend une main devant lui. Ce qu'il perçoit n'a rien d'une main. La chair se décuple en un assemblage de formes inquiétantes. Il s'empresse d'éteindre la lumière et de glisser sa main sous le drap.

— N'en parle pas aux enfants, Louise, mais je l'ai dans la tête. J'ai cette chose dans le crâne.

Elle ne répond rien et scrute l'obscurité, à la recherche d'un mot apaisant, d'une parole de réconfort, tandis que leur monde se disloque et implose dans un grand silence. Elle l'étreint plus encore. Armand cherche fébrilement ses mains dans les draps. Il mêle ses doigts à ceux de Louise et les enserre comme si elle seule pouvait encore le retenir dans la vie.

*

Nadia passe le bras sous celui de Jonas. Le vin et la confidence les laissent un peu hagards, au bord du canal, sous l'écrasante chaleur de l'après-midi.

— Je n'irai pas, dit Nadia.

— Ça prendra simplement plus de temps, mais une fois guérie, tu partiras.

Elle ne répond pas et serre le poignet de Jonas avec

reconnaissance. Après des années de traitements hormo-
naux et d'expertises psychiatriques, rompue par les démarches administratives, Nadia doit partir pour l'Asie et y subir
l'opération par laquelle elle viendra à la vie, à quarante-six
ans.

— Bien sûr, tu as raison, je partirai...

Jonas pense que le cancer la ronge et, aussitôt, s'impose
à lui l'image d'une chose animale et chitineuse, tapie dans
les chairs de Nadia. Il lui est pourtant impossible d'associer
sa présence à elle, assise près de lui, et la probabilité de cette
mort couvée, comme s'il suffisait de ne plus parler pour que
la maladie s'étiole et disparaisse. Il décèle la lassitude dans
la voix de Nadia, un détachement, l'amorce d'un renoncement qui le saisit à la gorge et lui donne l'impression de
mâcher du sable.

— Je ne peux pas m'empêcher de penser que ce cancer
est l'aboutissement de ma vie, de mon entêtement à vouloir être ce que je suis profondément. Comme si tout avait
tendu vers ça, dès les premiers instants. Cette... annihila-
tion, tu comprends? Comme si quelque chose en moi se
disloquait, maintenant que je touche au but, à l'heure de
ma transformation. Voilà à quoi j'ai pensé, devant le résul-
tat des analyses, Jonas. J'ai pensé que j'y étais parvenue.
Mon esprit avait gagné sur ma chair. Je n'étais pas triste.
C'était comme si j'allais réduire ce corps au néant et lui
survivre, m'en délester simplement.

Jonas a le pressentiment que Nadia ne luttera pas, et la
potentialité de sa mort, nichée au cœur de ce jour d'été,
est insoutenable. L'été. Aucune saison ne lui semble soudain plus redoutable. Les jours de désastre sont souvent les
jours d'un soleil qui n'en fait paraître que plus impitoyable
et d'une violence inouïe cette beauté figée par la lumière;

cette cristallisation du monde où la mort et la débâcle se glissent, insidieuses, souveraines, et calmes, sûrement. Pourquoi, pense Jonas, faut-il que les choses que l'on croit acquises basculent soudain et nous confrontent à notre propre insignifiance ? Il perçoit la lueur du ciel sous ses paupières mi-closes, le souffle cadencé de Nadia et la luminescence des eaux du canal. Tous deux partagent sans se l'avouer la certitude de n'être plus jamais l'un près de l'autre, assis sur ce banc, dans la chaleur de l'été. Comme ils s'enlacent, le canal les poudroie d'un vert de malachite ; une lumière ronde et chamoisée s'attarde sur leurs épaules et les plis de leurs vêtements.

— Voyons-nous bientôt, dit Nadia.

Elle lui tourne le dos et marche d'un pas assuré, retrouvant un peu de cette superbe que la confidence de sa maladie semblait lui avoir brutalement ravie. Jonas reste seul et la regarde s'éloigner le long du quai. Il pense aux siens, à sa famille, et la perspective de les retrouver le soir n'est plus si douloureuse. Au contraire, la présence de Louise, de Fanny et d'Albin aura, au terme de cette journée, la douceur d'une allégeance. Jonas jette un œil à sa montre. Hicham est probablement rentré de sa tournée de consultations matinales, et il brûle de le rejoindre. Dans les rues assourdies, hébétées de chaleur, Jonas marche d'un pas brutal, heurte les passants aux épaules et s'excuse à peine. D'épais nuages cendreux coulissent dans le ciel et lâchent les premières gouttes d'une pluie épaisse comme de la poix. Un éclat tonne dans le lointain et Jonas continue d'avancer avec la même obstination, sa chemise battue par l'averse. Bientôt, un parfum composite fleurit dans la ville : odeurs de bitume poisseux, du fer brûlant de la coque des bateaux, des racines des arbres et des feuillages ardents, du soufre et du noir de carbone des pneus, l'arôme du sable torride porté par le vent depuis les plages, la fragrance des haleines et des peaux détrempées. Jonas marche jusqu'à éprouver la crampe de ses cuisses, le tiraillement de ses mollets. La pluie lave la sueur à son front, dilue l'image obsédante de Fabrice et il se sent incroyablement en vie. Une pulsion brutale et inédite l'attise. Il parvient à bout de souffle devant l'immeuble, entre dans le hall et s'engouffre dans l'ascenseur. Son pouls martèle ses tympans et son visage rayonne de pluie sous la lumière crue du plafonnier. Au dernier étage, comme il s'apprête à entrer dans l'appartement, Jonas s'arrête dans le tambourinement de la pluie perçu à travers le faux plafond. Hicham a-t-il entendu ses pas? Il ouvre la porte et la vue de Jonas immobile le fige un instant. Jonas observe cet homme, dont il partage la vie et que l'âge commence à marquer, un peu bedonnant désormais et dont les cheveux grisonnent sur les tempes. Derrière Hicham, il voit le salon familier, la baie vitrée battue par la pluie, la ville dispersée au-delà en traînées rousses. Les deux hommes se regardent longtemps. Leurs visages dessinent des sourires, des vœux de désirs réciproques, des espoirs intacts et retrouvés.

*

Fanny marche dans la ville, sous le ciel noir, d'un noir luisant, d'une patine d'onyx. L'air donne une illusion de crépuscule orange et électrique. La pluie coule en rideau du haut des stores, s'écrase sur les trottoirs avec fracas. Les égouts débondent et l'eau dévale la chaussée en emportant une poussière grise, mêlée au sable que les touristes traînent dans la ville sous leurs souliers et dans les plis de

leurs draps de bain. Fanny ne songe pas à s'abriter. La présence, les mots et l'odeur de Louise l'imprègnent encore
et flottent autour d'elle comme l'atmosphère saturée de
pluie et elle s'étonne d'aimer un peu cette averse inopinée
qui plaque ses cheveux sur son crâne et dégoutte entre ses
omoplates.

Pour la toute première fois, elle trouve Sète désirable,
baignée de cette buée jaune, ses pavés et ses murs luisants
comme du schiste. Elle gonfle ses poumons de l'odeur du
port, et cette odeur la ramène à la ville qu'elle a connue,
enfant. Un parfum de cordes d'amarrage longtemps plongées dans la rade, couvertes de moules, et qui sèchent parfois au soleil avec l'indolence et la fixité des serpents.
L'odeur des filets où perdure l'haleine des profondeurs,
où s'enchevêtrent les algues vertes et les algues noires.
Fanny croit sentir l'effluve des corps brisés des marins quand
ils remontent du port, puis celui des pontons où le poisson
glisse, l'œil planté dans le soleil du large. Le relent des cales
et des containers de plastique où luisent les baudroies,
les oursins et les thons dans une myriade d'éclats fugaces,
rouges ou bleus. La ville l'émeut et, malgré ses bas grêlés
de boue, ses yeux aveuglés, elle ne peut se détacher de la
contemplation des rues, de la résurgence des images. Peut-
être les gens abrités aux devantures des magasins la pren-
nent-ils pour une folle, hébétée sous les trombes d'eau,
mais Fanny n'y pense pas, la pluie l'a surprise et elle n'a
pas eu le courage de se mêler aux passants et de s'abriter
sous les stores ou dans un café. Peut-être est-elle d'ailleurs
vraiment folle, seule dans les rues vides où l'éclat des pha-
res brille le long des quais sur l'asphalte poisseux.

Elle finit par s'arrêter sous la devanture d'un fleuriste,
et reste un moment à scruter le ciel. La commerçante qui

se tient devant la porte est une femme au visage bon-
homme, lisse et rouge. Elle aussi contemple la rue.

— J'attends que l'averse se calme, dit Fanny en guise
d'excuse.

La femme acquiesce avec une bienveillance placide.

— Entrez, en attendant.

Fanny refuse d'un geste de la main, et la fleuriste entre-
prend de disposer ses bouquets de fleurs sur le présentoir.

— Ça ne fait pas de mal, par cette chaleur.

Fanny approuve sans force, vaguement ennuyée que la
femme tienne à lui faire la conversation quand elle voudrait juste reprendre son souffle un instant.

— J'étais en train de faire chauffer du thé, si vous voulez
vous joindre à moi...

— Merci, dit Fanny, mais il va bien falloir que je rentre.
J'ai encore de la route à faire. Je ne suis pas d'ici.

Elle pense aussitôt à ce réflexe de justifier sans cesse son
étrangeté, de renier tout lien avec la ville.

— Bien sûr, répond la fleuriste avant de s'effacer dans
sa boutique.

Fanny sait que rien ne justifie impérieusement qu'elle
retourne à Nîmes et elle conçoit une grande fatigue au
souvenir d'avoir arpenté la ville le matin ; tout lui semble
dépourvu de sens et risible. D'un mouvement d'humeur,
elle se détourne de la rue et entre dans le petit magasin
aux murs lambrissés, où s'entassent les pots de fougères
et de népenthès, les hauts vases de fleurs entêtantes. La
femme s'affaire à l'arrière de la boutique, dans un réduit
où siffle une bouilloire.

— Si votre invitation tient toujours, lance Fanny en
haussant la voix.

Elle trouve à la boutique un charme inattendu, suranné.

— C'est joli, dit-elle.

La femme passe son visage dans l'encadrement de la porte.

— Pardon ?

Elle dépose sur un comptoir encombré de tiges et de feuillages deux tasses en verre épais, et repousse quelques blocs de mousse synthétique.

— Je disais que c'est une jolie boutique.

La fleuriste laisse échapper un gloussement en guise de réponse, un semblant d'éclat de rire, puis elle verse dans les tasses un thé fumant dont l'odeur ne se distingue pas du parfum des fleurs. Elles boivent en silence, s'observant par-dessus le comptoir, et la saveur du thé semble être celle des lichens gris ou des pierres brunes des compositions florales. La femme sourit avec flegme, le coin de ses yeux se plisse d'une façon qui semble familière à Fanny et elle pense que cette femme pourrait être Louise. Quelque chose dans leurs visages pourtant dissemblables lui évoque sa mère, lorsqu'elle l'a étreinte dans la petite chambre.

— Ma fille est morte.

Elle n'a pas envisagé un instant de prononcer ces mots, mais elle n'éprouve pas de honte à les entendre et souffle sur le thé sans quitter du regard la fleuriste au sourire indélogeable.

— Oh, dit-elle simplement.

— D'ordinaire, les gens disent : je suis désolé.

La femme hausse les épaules.

— Et pourquoi le serais-je ?

Elle semble honnêtement surprise, un peu incrédule.

— C'était il y a si longtemps, de toute manière, que je ne suis même plus certaine d'avoir eu cette enfant un jour.

Il n'y a nulle trace de pitié dans le regard qui ne se dérobe pas au sien, mais une affliction sincère et ténue.

— Elle est enterrée au cimetière de la mer.

— Vraiment? C'est un endroit magnifique.

Fanny aime cette réaction douce, la presque indifférence de la fleuriste, l'intérêt qu'elle semble plus porter à la beauté du lieu qu'à la mort de Léa. Elle en éprouve une bouffée de reconnaissance.

— Je suis d'ici. Je veux dire : je suis née ici. Mais j'ai quitté la ville il y a des années, avant même la mort de ma fille. Je ne suis pas allée me recueillir sur sa tombe. Pas une seule fois depuis l'enterrement. Je ne sais même pas si je serais capable de la retrouver.

La pluie continue de battre le store et de draper sa voix. Fanny aime la brûlure du thé sur sa langue, la banalité désinvolte de la fleuriste, et la certitude qu'elle voit en elle une inconnue dont elle aura tôt fait d'oublier le visage.

— Je crois que tout ça fait de moi une mère effroyable, dit Fanny.

La femme la regarde terminer sa tasse et semble réfléchir un instant.

— J'ai dans l'idée que toutes les mères le sont.

Elles rient d'un même élan. La pluie semble s'être tue.

— Ça s'est calmé. Je vais y aller, dit Fanny.

Dans les rues, le ciel commence à se disperser. Fanny ne pourrait-elle pas continuer de marcher jusqu'au cimetière de la mer? Elle n'est pas certaine de retrouver la tombe de sa fille, mais il lui suffirait de demander son chemin au gardien, ou de déambuler seulement parmi les stèles pour voir la mer en contrebas. Fanny pense à Martin, à Mathieu. Elle les imagine chacun à tour de rôle et les fait figurer dans des lieux dont elle est absente, dont elle ignore peut-être l'existence, des lieux où elle n'est rien, où ils l'oublient sans doute et peuvent songer à elle telle qu'elle était avant la disparition de Léa. Aucun d'eux ne l'attend plus désormais, aucun d'eux n'a réellement besoin d'elle. Fanny a été une mère effroyable, égoïste et détestable pour chacun de ses enfants. Mais elle se sent aussi humaine et ordinaire, absoute et lavée par l'averse.

*

Malgré les cahotements qui les bringuebalent de gauche à droite, Armando et Antonio somnolent à l'arrière de la charrette, sur la mince couche de foin et les planches disjointes au travers desquelles ils perçoivent, ouvrant leurs yeux lourds, la route caillouteuse dans un éclat de pierre grise. La veille, ils ont laissé derrière eux la dernière ville, après que l'homme à la charrette eut accepté de les cacher sous le fourrage et sous la bâche. Des camions de soldats allemands bordaient la rue centrale et les hommes pillaient les maisons, entassaient les victuailles à l'arrière des véhicules, sous les yeux des familles silencieuses. Maintenant qu'ils ont atteint la montagne, ils n'ont plus à se cacher, mais il faut garder l'œil ouvert, rester vigilants bien que les Allemands s'aventurent peu sur ces chemins escarpés qui bordent les gorges rocheuses.

Le père est assis face à eux et ne dort pas, son regard guette l'aube claire, les flancs de montagne où s'étire une gaze matinale. Ses cheveux se sont parsemés de touffes blanches au fil des jours de marche et la rosée y dépose des perles qui tremblent dans le mouvement de la charrette puis dégouttent sur son cou. Une barbe hirsute ronge son visage aux traits profonds qui jamais ne s'abaisse vers les corps alanguis des enfants. Lorsque, dans un demi-sommeil, Armando l'observe en silence, une terreur primitive creuse son ventre. Le père lui semble fait du même granit que les roches dont les angles aigus découpent dans les hauteurs le ciel d'améthyste. Rien ne transparaît de la dureté de ses yeux profonds ; le père est un bloc auquel se heurte la crainte de l'enfant, un monument énigmatique et gigantesque que rien n'ébranle. Le jour perce entre deux sommets, sculpte et pourlèche l'ombre magistrale du père, dévoile des bosquets disparates d'athamante et de linaria, les cloches bleues d'outremer des gentianes. La charrette gagne péniblement un haut pâturage où l'haleine des mules se mêle au parfum des pieds d'oignons sauvages qu'elles piétinent. Les voix des hommes parviennent aux enfants sans qu'ils cherchent à en saisir le sens, les mots s'enchevêtrent dans l'imbroglio de leurs rêveries.

Un pied s'enfonce soudain sous les côtes d'Armando puis d'Antonio, les garçons s'éveillent et bondissent, cherchent les Allemands de leurs yeux hagards et bouffis de mauvais sommeil, mais ça n'est que le père qui se penche vers eux, leur ordonne de s'éveiller et de mettre pied à terre. Les enfants obtempèrent ; ils se tiennent au bord du chemin, frissonnent dans les loques que l'aurore imprègne tandis que le père suit les instructions du berger pour gagner la frontière en quelques jours. La marche reprend aussitôt. Le père les devance toujours et sa jambe le fait souffrir, bien qu'il n'en montre rien. Il s'essouffle et s'appuie avec lourdeur sur une branche dont il taille l'écorce en longs copeaux blancs lorsqu'ils s'accordent une halte. Les heures se fondent bientôt aux nuits passées à grelotter sous la couverture de laine, au bord d'un maigre feu de bois. Le père n'a plus que quelques allumettes et, lorsqu'il entasse les brindilles ramassées par les enfants, tous retiennent leur souffle pour que le feu prenne. Armando et Antonio s'endorment vite sous la voûte splendide d'un ciel de jais, mais les feulements des bêtes, les hululements des oiseaux, les éboulements que provoquent des pattes invisibles les éveillent le cœur battant et les forcent à scruter l'obscurité hostile où se glissent les prédateurs que l'odeur de leur sueur attire. Le père semble ne jamais dormir, il tisonne les braises, jette quelques racines qui s'enflamment et étincellent, gravissent le ciel jusqu'à se fondre et disparaître dans le désordre des étoiles. Alors, les garçons se rendorment et leur affolement s'étend et se dissipe dans des rêves de nature souveraine, de pics dantesques et d'ours aux yeux coruscants.

Le père fait sécher les allumettes sur les rochers dans le soleil du midi. Au bord d'un petit torrent, ils lapent l'eau claire dans le creux de leurs mains comme des chiens assoiffés, sous le regard furtif des marmottes. Des pollens dévalent un vallon vert d'absinthe dans une danse aérienne d'une lenteur extrême. Le père se déshabille, jette à ses pieds sa chemise et son pantalon pétris de crasse et s'avance au milieu de la rivière où l'eau parvient à ses genoux. Il reste un instant droit comme un tronc, l'écume brisée à ses jambes, sa peau brunie exposée au regard des fils, un poil crotté couvre ses fesses, des sillons puants veinent l'ample courbe de son dos. Les enfants ne disent rien, se tiennent en retrait sur la rive où les pierres brûlent la plante de leurs pieds. Ils observent le père qui se laisse tomber à genoux, porte l'eau à sa nuque et souffle comme une bête, frotte avec vigueur ses bras, son ventre, son sexe saisi par le froid, s'ébroue et crache dans le courant. Il s'étend parmi les galets et les algues longues, laisse les remous engloutir son

corps tout entier et il ne reste bientôt de lui qu'un nez et
une bouche qui parfois brisent l'onde pour prendre un
souffle. Armando est troublé par la splendeur du torrent et
il ne perçoit plus que des fragments de peau pris dans
l'ondoiement, une vue brisée du père, menaçant de se disperser tout à fait et de dévaler à son tour le courant dans la
course des brindilles et les jeux de lumières. Mais le père
resurgit, gonfle ses poumons d'air comme d'une respiration
originelle dont le bruit pourrait être celui d'un déchirement, et il regagne la rive, fend les flots maintenant impuis-
sants, soulève à ses genoux des gerbes d'eau. Comme il
s'essuie de sa chemise roulée en boule, Armando regarde
avec fascination l'attelle supportant le genou, le cuir noirci
par l'eau puis la cicatrice qui court de la rotule au tibia. Le
père désigne la rivière :

— *Lavatevi, puzzate.*

La marche reprend sous le soleil dru, la faim fait miroiter devant leurs yeux des évanescences pâles, des lueurs
filantes, les crampes bandent leurs muscles et forcent les
garçons à se soutenir l'un l'autre. Puisqu'ils n'ont plus rien
à manger, ils mâchent les herbes que le père leur donne,
les bulbes des oignons et les feuilles des pissenlits. Ils font
cuire un soir la dépouille d'un lièvre qu'ils trouvent au
bord d'un terrier et débarrassent des vers qui y forent gou-
lûment des galeries complexes. Les coliques les forcent à
tenir leur ventre en gémissant, à baisser à toute vitesse leurs
culottes derrière un rocher, un buisson, et à expulser les
jets d'une diarrhée verte où flottent, intacts, des bourgeons
de fleurs et des tubercules blêmes. Les enfants maigrissent
à vue d'œil, leurs yeux s'excavent et s'agrandissent, ils sem-
blent des faons surpris par la chasse. Leurs côtes dessinent
sous la peau des ogives blafardes, leurs bassins sont des

coupoles aux anses desquelles ils peuvent loger leurs coudes. Les os de leurs fesses pointent durement et leur interdisent de rester assis trop longtemps.

Les nuits se passent à chercher avec exaspération quelle partie de leur corps supportera le heurt des pierres et leur laissera le répit de quelques heures de sommeil. Ils vomissent le matin une bile flavescente dont ils ne prennent plus la peine d'essuyer les filaments pendus à leurs mentons, leur nez coule d'une morve épaisse et sanguinolente qui sèche en squame à leurs lèvres. Ils l'arrachent et la mâchent avidement, puis rendent à nouveau. Le père les somme d'avancer, mais lui-même s'affaiblit et sa jambe n'est plus qu'un nœud de nerfs rompus qui l'irradient d'une douleur insoutenable.

Un soir comme un autre, ils s'allongent sur la pente d'une ravine ombragée dans l'odeur étourdissante de l'humus, de l'ardoise humide et des lichens. Leurs yeux sondent le ciel à travers les pins, le jour ras où les nuages flottent dans des vapeurs d'incarnat. Leur souffle est court, des râles obstruent leur gorge, et Armando pense qu'enfin ils s'arrêteront là, couverts peu à peu par des linceuls de feuilles, des terreaux parfumés, des écorces verdoyantes et des mousses moelleuses d'où jailliront bientôt, nourris de leur chair, des cloportes argentés et des vesses-de-loup.

*

Armand fixe les formes mouvantes que le soir promène sur le mur de la chambre d'hôpital tandis que Louise abaisse le store. Sa raison s'anéantit dans cette fluctuation bleue et poivre, l'ondoiement qui galope de la plinthe au plafond. La lumière se tamise, il en subsiste une flaque dégradée, brune puis noire, nichée dans un angle de la pièce. Elle paraît être un animal au pelage frémissant dont les pattes — en réalité l'ombre portée de la tringle — seraient repliées sous lui. Armand observe avec défiance cette présence ramassée et muette qu'il perçoit à la fois au plafond, à quelques mètres de lui, mais aussi sous son arcade sourcilière. L'animal bouge très doucement à l'intérieur de lui et ronronne dans l'angle de la chambre. Il le désigne parfois du doigt, supplie Louise pour qu'elle le chasse. Ses pensées portent à ses lèvres un amas de mots informes qu'il peine à prononcer. Lorsqu'il y parvient, leur sens devient occulte, ils se transforment et se jouent de lui. Armand parle de hisser les voiles aux vergues, de passer la frontière avant l'aube. Pour l'apaiser, Louise glisse une main sur son front et il se tourne sur le flanc, le drap tiré sous le menton, puis ferme les paupières sur ses yeux que la tumeur force hors des orbites. Les fantômes continuent de l'assaillir. Il voit tantôt le père menaçant, à l'entrée de la chambre, dressé comme Charon dans l'encadrement de la porte, tantôt Léa assise au pied de son lit et qui le regarde en silence. Des vivants, il ne reconnaît pas les traits indistincts et pourtant familiers. Il observe les visages, cherche dans sa mémoire disloquée les noms de ceux-là qu'il sait pourtant être les siens. Louise éteint la lumière de la lampe de chevet et s'installe près de la fenêtre pour le veiller. La chambre est maintenant plongée dans l'obscurité; elle n'est plus certaine qu'il perçoive sa présence. Elle le voit tourner et retourner inlassablement dans le lit. Le chuintement de l'alaise évente une odeur âcre d'excréments. Le contact du drap est celui d'une lime sur sa peau; cet épiderme jauni plisse, évoque un pétale moribond. La chair fondue l'étale sous les cuisses et sous les bras comme une enveloppe trop ample et désuète, une mue prête à se défaire. Louise voit Armand disparaître et elle se prend à souhaiter que la mort l'emporte vite, puis s'insurge aussitôt : il leur serait possible de continuer encore, lui d'agoniser et elle de le soutenir, de le changer, de le bercer à n'en plus finir. Tout lui semble brusquement préférable à la mort. Les nuits de veille l'exténuent, les litanies d'Armand, les mots bredouillés, le clapotement de la poche d'urine où se déverse la sonde. Les nuits sont des enfers, Louise voudrait qu'Armand n'en connaisse pas l'aurore. Elle rêve qu'il s'éteint simplement, dans son sommeil, sans même l'avoir prévenue. Elle s'éveille en sanglots et se précipite au bord du lit pour s'assurer qu'il est encore en vie. Elle mouille un gant et le passe sur le visage et les bras d'Armand, comme elle rafraîchissait Jonas les jours de grande chaleur quand il lui appartenait encore. Elle humecte ses lèvres fendues, elle verse un filet d'eau dans la bouche, sur la langue blanchie, embourbée de mucus.

Louise se souvient d'Armand, le jour de la promenade en mer, de son dos puissant, du hâle de sa peau et de sa voix grave, éraillée par le sel des embruns. Les plaintes d'Armand sont devenues un lamento fluet, sa voix exhale le souffle d'un corps pourrissant, corrompu par la maladie et la morphine déversée goutte à goutte dans ses veines lasses, pourpres et rompues.

— Aïe, aïe, aïe, aïe, aïe, murmure Armand.

Il relève des draps une tête chétive et chauve.

— Aïe, aïe, aïe, aïe, aïe.

Louise s'avance aussitôt près du lit et saisit dans sa main une épaule molle, aux angles saillants.

— Tu as mal, mon chéri, dis-moi où ? Tu veux que j'appelle une infirmière ?

— Je veux chier, lève-moi, bon sang, je veux chier, supplie Armand.

— Va, tu as une couche, je suis pas assez forte pour te lever...

Armand enfouit son visage dans l'oreiller et y étouffe une forme de cri ténu. Louise porte une main sur ce corps méconnaissable, dont les mouvements et les convulsions la déroutent, et le contact lui répugne vaguement. Elle sait ce qu'elle demande à cet homme qui, de tout temps, a régné en maître sur la maison et la famille. Elle l'exhorte à déféquer devant elle, à renoncer à toute pudeur, à faire sur lui comme un nouveau-né dont le corps serait prématurément sénile et décati. Elle l'exhorte à se souiller, à baigner la chambre d'une puanteur ordurière qui dénoncera la corruption de ses tripes. Armand garde la tête enfouie dans l'oreiller et geint faiblement. Louise perçoit l'arrière de son crâne, luisant dans la pénombre, les lignes de l'occipital, apparentes sous la peau, la dépression de l'os temporal. L'odeur qui s'élève vers elle n'est pas tant celle du bran qu'un parfum fade et viandeux. Elle la projette des années plus tôt, vers ce jour d'été à la Pointe-Courte, quand Anna et elle ont nettoyé la chambre de l'aïeul à grande eau.

— Je reviens dans un instant, murmure Louise. J'attends juste là, dans le couloir. Je te changerai ensuite, tu entends ?

Armand la repousse d'un geste brusque de l'épaule où se concentre tout l'honneur dont il est encore capable. Ce geste le laisse pantelant et fiévreux. Louise s'éloigne et referme la porte derrière elle. Le corridor de l'hôpital repose dans la lumière bleue et tiède des néons. Elle entend les poussées d'Armand à travers la porte. Elle s'adosse au mur et y repose sa tête. Elle voudrait hurler mais ne parvient qu'à libérer un son de gorge, un souffle déchirant perçu d'elle seule.

Le matin, elle trouve Armand harassé, la chemise de nuit déboutonnée, les bras et les jambes enchevêtrés dans les barreaux du lit médicalisé, les cuisses tachées d'ecchymoses. Elle savonne son genou gauche pour parvenir à le dégager. Sa jambe garrottée a des teintes de prune. La chambre sent la soupe de légumes, l'urine rance et la merde. Quand elle aide les soignants à faire la toilette d'Armand, elle découvre son corps pareil à celui d'un oisillon osseux, recroquevillé sur le drap souillé. Tout contact physique lui est douloureux. Il parle peu, toujours avec confusion ; les images se sont substituées aux mots. Des images de désordre, hallucinées. Maintes fois, il parvient à arracher sa perfusion et les infirmiers piquent une nouvelle veine. Sa chair se colore d'ombres vineuses et d'orpiment ; les vaisseaux éclatent et fleurissent sous la peau.

Le jour de sa mort, elle perçoit l'altération de son souffle. Armand sombre dans une inconscience dont il ne s'éveille plus que par instants, pour murmurer quelques phrases. Il parle de montagnes nues, de sommets où étincellent les neiges éternelles. C'est cela qui lui revient, maintenant que la morphine l'affranchit de la douleur et du temps. Armand revit cette traversée des Alpes dont il n'a jamais parlé autrement que par de vagues allusions. Les dernières images qui affluent à sa conscience ne sont pas celles de leur passé commun, ni de leurs visages, ni des instants dont Louise aurait aimé qu'il conserve le souvenir, mais seulement les réminiscences de l'exil.

— Le ciel, dit-il. Le ciel découpé par la cime des arbres... croyais qu'on finirait là... sous les mélèzes... j'avais aucune... plus aucune peur.

Cet instant n'appartient qu'à eux. Louise abaisse la barrière de sécurité au rebord du lit et elle s'étend contre Armand. Longtemps après qu'il a cessé de respirer, elle reste contre le corps tiédissant et sonde en elle cette peine déchirante qu'elle devrait éprouver. Mais la mort d'Armand la laisse vide et somnolente. Dans un demi-sommeil, elle rêve d'un jour de vendanges comme elle les a tant aimés, lorsque l'aurore vernisse les grappes de raisin et brode les ceps de vigne de fils d'or et de brume pâle. Il y a, parmi les hommes venus de la ville pour prêter main-forte, ce garçon à la peau brune dont elle évite le regard tandis qu'ils avancent le long des sentiers et des fossés touffus. Elle entend sa voix et son accent presque indécelable. Elle aime la noirceur de ses yeux, la manière dont ils creusent le haut du visage, l'ombre que les sourcils volontaires y jettent parfois, lui donnant un air d'insoumission et de détermination farouche.

*

Fanny vient de refermer la porte. Louise est seule, assise à la table de la cuisine. Elle observe ses mains posées, paumes ouvertes, sur ses cuisses. La douleur semble avoir battu en retraite, laissant une absence dans ses doigts, un engourdissement. La gazinière est éteinte, la maison de nouveau plongée dans cet écrasant silence. Sans Armand dans l'une des pièces à côté, elle tend l'oreille, s'étonne encore de n'entendre aucun bruit. Elle recrée les sons familiers d'Armand, le bruit du téléviseur, une quinte de toux, le froissement du dessus-de-canapé. Mais Louise ne veut plus se laisser envahir par le passé. Il est temps qu'elle se prépare pour le dîner. Elle quitte la cuisine et monte l'escalier en prenant appui sur la rampe. À l'étage, elle observe un moment les portes rabattues sur ces pièces immobiles, des chambres grises qui sentent maintenant le tissu des couvertures et la laque des meubles. Louise ferme les yeux et peut restituer ces pièces ouvertes, quand les volets ne sont pas tirés. Un après-midi de printemps où le jour très clair pénètre jusque dans le couloir et ruisselle sur le parquet, quand les enfants sont dans leurs chambres et les quittent en courant pour dévaler l'escalier. Louise croit sentir le frôlement de Fanny, de Jonas et d'Albin, leurs odeurs juvéniles. Rouvrant les yeux, elle retrouve l'étage déserté où les souvenirs s'entassent dans les angles.

Dans la chambre, Louise se débat un moment pour saisir dans son dos la fermeture éclair de sa robe. Essoufflée, elle en retire les manches et la laisse glisser le long de ses cuisses. Elle regarde avec étonnement son reflet avachi dans le miroir, comme s'il ne lui appartenait pas vraiment. Avant, elle pouvait citer chacune de ses particularités, le grain de beauté sous le sein droit, la fossette sur sa hanche. D'ordinaire, elle fuit cette image d'elle, détourne le regard et la néglige ; ce corps ne lui semble pas cohérent, mais comme distinct, extrinsèque. Le jour du dîner, en sous-vêtements, elle s'observe pourtant, assise sur le lit, et ne se trouve ni laide ni repoussante, mais pitoyable et émouvante. Louise défait l'attache de son soutien-gorge, libère ses seins froissés, retire sa culotte et défie du regard le sexe presque glabre, brunissant. De ses doigts, elle peigne ses cheveux, dégage son visage. Le souvenir d'Armand s'est tu, le silence de la maison l'apaise. Elle détaille sereinement ce reflet d'elle et embrasse l'idée de sa propre finitude, sans crainte et sans heurt. Bientôt, les enfants seront là, près d'elle. Louise s'allonge nue sur le dessus-de-lit. Dehors, de lourds nuages moutonnent dans le ciel, un éclat de tonnerre gronde au loin et les premières gouttes viennent battre le contrevent. Parfois, le soleil perce à nouveau et la chambre flamboie, la lumière fond sur son corps et l'enveloppe. Louise ferme les yeux. Le passé forme en elle un édifice distinct et harmonieux. Ce n'est plus cette vie éclatée, aux réminiscences impérieuses, mais un tout limpide, un tableau où figurent Armand et chacun de leurs enfants, les instants partagés et les déchirements. Louise peut maintenant s'en défaire, s'en détourner pour ne plus penser à rien, savourer le soleil glissé par la fenêtre et la certitude du dîner à venir.

Elle s'éveille et tourne le visage vers la fenêtre entrouverte. La nuit est à présent tombée. La brise porte encore le lourd parfum de l'orage. La douleur n'a pas reparu. Louise se lève et s'habille à la seule lueur de la lampe de chevet. Sa peau bruisse contre le tissu. Avant de quitter la chambre, elle hésite à éteindre, mais elle voudrait que les enfants ne voient pas la maison plongée dans la pénombre, aussi se contente-t-elle de rabattre la porte et de laisser la pièce baignée de lumière, d'allumer le couloir et les chambres sur son passage. Au rez-de-chaussée, elle entre dans la cuisine et rallume les brûleurs sous les plats. Dans la salle à manger, elle rouvre les fenêtres sur les senteurs de la nuit avant de tirer du buffet la nappe brodée et la vaisselle. Elle dresse attentivement la table puis reste là, à observer la pièce en mordillant l'intérieur de sa joue. Tout semble prêt; elle voudrait que les enfants soient vite là pour ne plus être seule. Louise a le sentiment qu'elle pourra profiter de leur présence et vivre cette soirée pleinement. Le retentissement de la sonnette la tire de ses pensées et elle s'avance vers l'entrée. À travers le verre dépoli de la porte, elle distingue une silhouette que découpe la lumière des lampadaires. Une haute carrure qui la fige sur le pas du salon. Il lui semble avoir maintes fois vu cette image ; il ne peut s'agir que d'Armand, de retour du port. Non pas le moribond plaintif et émacié, mais le marin solide et intraitable. Elle ne le craint pas car le retrouver maintenant, ce serait aussi voir resurgir le temps où tous étaient unis, envers et contre tout. Louise s'avance à pas lents, suspendue dans une impression d'irréalité. Elle tire le verrou et ouvre la porte.

Albin se tient détrempé devant elle. Il lève sur sa mère un regard désolé et sent le trouble familier que font naître son visage et ses traits.

— C'est moi, maman.

— Oui, bien sûr, tu es finalement venu, balbutie Louise.

Albin opine et se penche vers elle pour l'embrasser sur la joue.

— T'es mouillé, dit-elle.

— Je suis venu à pied.

Louise semble reprendre tout à fait ses esprits.

— Entre vite et va donc te sécher.

Albin acquiesce et s'engouffre dans la maison d'un pas rompu et maladroit. Louise inspire à pleins poumons l'air tiède du soir. La lampe du porche fait glisser sur elle sa lumière flavescente. Elle se tient solide dans l'auréole de lumière jetée au sol, sur l'ordre des dalles. Des voix lui parviennent du bas de la rue et Louise tend le cou pour mieux deviner les ombres qui s'avancent. Jonas et Hicham parlent à voix haute. Mathieu marche près d'eux et les enfants les suivent à quelques pas de distance. Louise songe que, contre toute attente, Fanny et les enfants d'Albin seront absents. Les mots de sa fille n'avaient-ils pas tout des renoncements silencieux? Louise l'imagine loin désormais, et il lui semble que Fanny emporte un peu d'elle dans cette dernière échappée. La vie a passé si vite... À peine une poignée de dimanches baignés de soleil et des cris et des rires des enfants. Aucun d'eux ne la voit. Elle seule les regarde un à un et prête l'oreille à leurs voix, saisies par la nuit. Non, pense Louise, elle n'a pas tout à fait échoué. Elle n'est pas tout à fait une perdante. Il y a bien quelque chose en eux qu'elle est parvenue à protéger envers et contre tout. Jonas le premier voit Louise sur le perron de la maison. Il lui fait un signe de la main et elle lui répond. Tous la regardent bientôt. Elle leur paraît étrangement forte et inaltérable.

Ils marchent vers elle, ses enfants, sa chair, ses vies encore à vivre.

ÉPILOGUE

Les îles singulières

Léa — *Ferme tes jolis yeux, / Car les heures sont brèves, / Au pays merveilleux, / Au beau pays du rêve, / Ferme tes jolis yeux, / Car tout n'est que mensonge, / Le bonheur est un songe, / Ferme tes jolis yeux.*

NADIA — Ce rêve où je marche le long d'une route de terre ocre, bordée par l'ombre des baobabs, le souffle chaud de l'harmattan gonfle le pagne sur mes hanches, je marche dans l'odeur de la farine de mil et des fruits gorgés de sucre que les femmes portent sur leurs têtes dans des plateaux de terre cuite.

HICHAM — Savoir qu'au matin, je te trouverai endormi à mes côtés, comme recueilli dans ces rêves où tu retrouves peut-être un autre que moi, mais n'en concevoir aucune jalousie, car c'est à moi et à moi seul que s'offre ton visage calme, baigné par la lumière de l'aube.

FANNY — Y a-t-il une heure dans la vie où l'on prend conscience de ce qu'il ne reste plus à vivre?

Camille — Les grands bosquets de ronces aux bords des fossés, ces voûtes de broussaille écorchant nos bras et nos jambes, l'impression d'être hors du monde dans ces cryptes où les mûres que nous mangeons bleuissent nos lèvres, ont parfois le goût des punaises qui s'y attardent, nous laissent repus et somnolents sur un bout de terre nue.

ALBIN — Parmi les marins attablés, enivrés de mauvais vin, dans les éclats de voix et les chansons paillardes, je regarde tour à tour ces hommes rudes et il me semble alors qu'en chacun d'eux c'est un peu d'Armand que je perçois, un peu d'Armand que je sauve d'un éternel naufrage.

MATHIEU — Léa, son rire triomphant, ses aisselles chaudes où je glisse mes mains, sa robe de coton jaune et son visage dont je ne distingue, dans le contre-jour, qu'une esquisse bordée de longs cheveux blonds.

JULES — Lorsque je me réveille avant mon frère, ce grand vide au fond de moi, comme s'il me fallait donner à ma vie un sens dont j'ignore tout, ce bouillonnement, l'impression de ma parfaite insignifiance, la certitude qu'il ne restera rien de chacun d'entre nous, voués à disparaître.

Émilie — Les Noëls en famille et le parfum de résine du petit sapin, l'émerveillement de nos enfants, la griserie de l'alcool et la chaleur du feu de bois dans l'âtre de la cheminée, la fierté de former une famille particulière quand Albin m'embrasse dans la nuque.

MARTIN — Si, de toi, je devais garder une image, ce serait celle-ci : un matin, je m'éveille et je traverse la maison si vide et si calme qu'elle me semble étrangère, je sors par la porte du salon et je te vois au jardin, tu étends les draps, une pince à linge entre les dents, tu es en chemise de nuit, pieds nus dans l'herbe humide, au milieu du linge bleui par l'aube, je ne dis rien, tu ne me remarques pas, long-temps je te regarde, comme si je voyais ma mère pour la première fois.

JONAS — Au bord de l'étang de Thau, quand le mont Saint-Clair plonge dans la nuit et l'illumine de ses feux, marcher seul le long des eaux miroitantes, marcher seul et me sentir en vie, sentir chacune de vos présences autour de moi, logées en chaque chose, dans le bruit des cigales que la nuit apaise et dans le bruissement des bosquets d'oyats.

Louise — Entre ses bras, je pose ma tête sur sa poitrine et, les yeux mi-clos, je vois avec sérénité les années devant nous, le bonheur tranquille auprès des enfants que nous aurons, les jours baignés d'une joie paisible, l'avenir radieux, condensé tout entier dans ce jour-là de vendanges, un jour tout à fait ordinaire.

ARMAND — Quand tout sera terminé, vous douterez de moi, du souvenir qu'il vous restera de moi. Les choses sont ainsi, les vivants défigurent la mémoire des morts, jamais ils ne sont plus loin de leur vérité.

À la mémoire de G.A, ces «nouvelles heures, ajoutées à l'horloge de la vie qui les compte toutes».

Composition Graphic Hainaut
Achevé d'imprimer
sur Roto-Page
par l'Imprimerie Floch
à Mayenne, le 23 août 2010
Dépôt légal : août 2010
1ᵉʳ dépôt légal : mai 2010
Numéro d'imprimeur : 77445.

ISBN 978-2-07-012909-6 / Imprimé en France.

179848

JEAN-BAPTISTE DEL AMO

Le sel

« Quand tout sera terminé, vous douterez de moi, du souvenir qu'il vous restera de moi. Les choses sont ainsi, les vivants défigurent la mémoire des morts, jamais ils ne sont plus loin de leur vérité. »

Jean-Baptiste Del Amo est né à Toulouse. Il est actuellement pensionnaire de la villa Médicis à Rome. Le sel est son deuxième roman.

nrf

10-IX   A 12909   ISBN 978-2-07-012909-6   19,50 €

9 782070 129096